CYFRES Y CEWRI 31

Y crwt o'r Waun

Gareth Edwards

Gwasg
Gwynedd

Argraffiad cyntaf — Tachwedd 2007

© Gareth Edwards 2007

ISBN 0 86074 242 3

Mae'r cyhoeddwyr yn cydnabod cefnogaeth ariannol
Cyngor Llyfrau Cymru.

*Cyhoeddwyd ac argraffwyd
gan Wasg Gwynedd, Caernarfon*

I MAM, DAD, MAUREEN
A'R TEULU
AM EU HOLL GYMORTH

Cynnwys

Yn ôl i Gymru:

Rhaid cropian cyn cerdded:

Yr Oes Aur:

Bywyd wedi'r ymddeoliad!:

Gair i ddechre . . .

'Kirkpatrick . . . to Brian Williams . . . this is great stuff . . . Phil Bennett covering . . . chased by Alistair Scown . . . brilliant . . . oh, that's brilliant . . . John Williams . . . Pullin . . . John Dawes, great dummy . . . David, Tom David, the half way line . . . brilliant by Quinnell . . . this is *Roger Edwards* . . . a dramatic start . . . *what* a score!'

– CLIFF MORGAN (BBC) O BARC YR ARFAU, CAERDYDD, 27 IONAWR 1973

Roger Edwards? Nage wir! Y fi, Gareth Edwards, yng nghrys y Barbariaid, dderbyniodd bàs Derek Quinnell a phlymio dros y llinell gais yn y gêm hynod gyffrous honno yn erbyn y Crysau Duon ar y Maes Cenedlaethol yng Nghaerdydd, ar y 27ain o fis Ionawr, 1973! Ond oni bai am awgrym Mr Percy Thomas, Cofrestrydd Genedigaethau a Marwolaethau Dyffryn Aman, Roger Owen Edwards fydde wedi hawlio'r cais bythgofiadwy 'na bron i bymtheng mlynedd ar hugen yn ôl.

Pan o'dd Mam yn dal yn yr ysbyty ac yn barod i gofrestru genedigaeth ei mab cynta, Roger Owen Edwards o'dd yr enw ro'dd hi am ei sgrifennu ar y dystysgrif swyddogol – ro'dd hi a Dad wedi ystyried y mater ac wedi dod i benderfyniad. Ma'n amlwg bod y cofrestrydd yn fachan craff, a ma' 'da fi ddyled fawr iddo fe. Ro'dd yr 'Owen' yn dderbyniol, gan ma' dyna o'dd enw Tad-cu Gwauncaegurwen, ond awgrymodd Mr Thomas nad o'dd Roger Owen Edwards ddim cweit yn taro deuddeg. 'Beth am Gareth Owen

Edwards?' o'dd ei gwestiwn bachog. Ac yn naturiol, gan ei fod e'n ŵr o'dd yn uchel ei barch yn y gymuned leol – ac yn bwysicach fyth, yn gyn-faswr i Ysgolion Uwchradd Cymru dan ddeunaw oed – derbyniodd Mam y cyngor heb feddwl ddwywaith, a, diolch i'r drefn, Gareth Owen Edwards sy ar y dystysgrif geni.

Meddyliwch – fe allen i fod wedi ca'l fy nghofrestru'n Roger, neu hyd yn oed yn Percy! Ond cyn i bob Roger yng Nghymru brotestio, ga i ddweud yn blwmp ac yn blaen nad oes gen i ddim byd yn erbyn yr enw. Cystal dweud ei fod e'n enw perffaith ar gyfer pencampwr yn Wimbledon, neu redwr 400 metr dros y clwydi.

I'r Waun

Magu gwreiddie

Fe'm ganwyd yn Ysbyty Glanaman, Dyffryn Aman, ar y 12fed o Orffennaf, 1947, yn fab i Annie Mary a Thomas Glanville Edwards. Ma' Dyffryn Aman, Glanaman, a'r ysbyty ar Hewl Ffoland wedi croesawu nifer o Gymry adnabyddus – yn eu plith yr actores fyd-enwog Sian Phillips; y golwr Dai Davies a enillodd dros hanner cant o gapie dros Gymru; John Cale, un o aelode'r grŵp *Velvet Underground*; yr actorion Dafydd Hywel a Hywel Bennett; y bariton Delme Bryn Jones, ac, yn fwy diweddar, Shane Williams yr asgellwr sy wedi goleuo'r byd rygbi yn ystod y blynyddoedd diwetha.

Ro'dd Mam druan wedi gorfod diodde'i chyflwr yn ystod y gaea caleta mewn cof – yr oerni'n ddifrifol, a'r eira trwchus wedi gorchuddio'r cloddie yng Nghwm-gors a'r Waun a ledled Cymru. Y fi o'dd yr ail blentyn. Ganwyd Gloria rhyw ddeufis cyn i'r bwledi a'r bomie effeithio ar Ewrop gyfan. Bu'n rhaid i ganno'dd o Gwm Tawe a Dyffryn Aman, fel sawl cwm arall yng Nghymru, ymuno â'r Llu Awyr, y Llynges neu'r Fyddin er mwyn herio Hitler, ac yn Ffrainc y treuliodd Dad y chwe blynedd yn ymladd y gelyn. Ma'n anodd i nghenedlaeth i amgyffred y caledi a'r holl ddioddefaint; uffern ar y ddaear i'r rheiny a fu'n ymladd dramor, ac yn hunlle llwyr i'r gymdogaeth leol o'dd yn brwydro'n ddyddiol i fodoli. Y dyddie 'ma, ma' teithio i bedwar ban byd mor naturiol. D'yn ni'n meddwl dim am y peth, ond 'nôl ar ddiwedd y tridege, gorfodwyd llawer i adael eu pentrefi a'u cymunede i ymladd rhyfel gwaedlyd, a'r mwyafrif heb fod ymhellach cyn hynny nag Ynys y Barri neu Landudno ar dripie Ysgol Sul. Mynd 'nath Dad a dod 'nôl mewn un pishyn, ond ro'dd y creithie meddyliol siŵr o fod wedi effeithio cryn dipyn arno.

Un o'r Waun (Gwauncaegurwen, wrth gwrs) o'dd Mam – Annie Mary – yn ferch i Owen ac Annie Price, ac yn byw yn Nhŷ Fflat ar Leyshon Road. Ro'dd ei thad yn gyfrifol am y lampe yn y Steer Pit yn Nhairgwaith, pentre tebyg i'r Gilfach-goch, Blaen-gwrach a Glyncorrwg – *cul-de-sac* o le. Ro'dd hi'n amhosib mynd ymhellach; real *dead end*! Yn ôl yr arbenigwyr, ro'dd glo caled gore Cymru ar ga'l yn yr ardal, a'r gweithfeydd glo yn Nhairgwaith yn denu coliars o bob man o Gymru a thu hwnt. Ro'dd Tairgwaith yn bentre unigryw: Cymra'g o'dd iaith Gwauncaegurwen, Brynaman, Cwmllynfell, Cwm-gors, y Garnant, Glanaman a'r Betws, ond ro'dd sefyllfa ieithyddol Tairgwaith yn dipyn o ddirgelwch. Yn y pentre hwnnw yr ymgartrefodd y mewn-fudwyr o Loegr, Iwerddon a'r Alban a byw mewn math o *ghetto* ieithyddol. Do'n i byth yn deall pam – ma' angen i rywun neud gwaith ymchwil i egluro'r ffenomen!

Ta waeth, ro'dd 'na dri gwaith glo enfawr yn Nhairgwaith – Gwaith y Maerdy, y Steer a'r East Pit – a glowyr yn cyrra'dd ar feic, ar drên, ar fws ac ar droed er mwyn ennill bywoliaeth. Câi'r glo ei allforio o'r ardal i bob gwlad dan haul (ac yn enwedig i'r Unol Daleithiau a Chanada), a diolch i ardaloedd megis y Waun fe dyfodd a fe ddatblygodd porthladdoedd tebyg i'r Barri, Caerdydd ac Abertawe. Tan ddechre'r pumdege ro'dd 'na stôfs glo yn ca'l eu gwerthu yng Ngogledd America ac arnynt, mewn llythrenne bras, y frawddeg anfarwol hon: 'USE GCG COAL ONLY'. Meddyliwch – pobol yn Chicago, Detroit a Montreal yn gwbod am fodolaeth Gwauncaegurwen, diolch i'r *anthracite* o safon!

Ond milltir sgwâr Dad o'dd pentre Betws ger Rhydaman. Ro'dd e'n un o deulu enwog y 'Pencoeds'. Yn aml yn ystod fy ngyrfa ryngwladol fe fues i'n siarad â sawl un o gyffinie Rhydaman, a'r mwyafrif yn dweud, 'Ie, 'sdim mistêc. Un o'r Pencoeds wyt ti!' Ma' nhw'n deulu cerddorol iawn (sa i'n siŵr be ddigwyddodd i fi!); y mwyafrif wedi bod yn aelode selog o Fand Rhydaman, a Tad-cu – Jacob Edwards – wedi whare solo ar y cornet o fla'n y Brenin Siôr V yn y Crystal Palace yn Llundain. Yn drychinebus, bu Tad-cu farw yn chwech ar hugen oed ar ôl dala niwmonia. Ro'dd e'n chwaraewr rygbi da, ond ro'dd whare ar brynhawne a nosweithie gwlyb yn dreth ar y corff gan nad o'dd cyfleustere molchi digonol ar ga'l.

Fe lwyddodd Dad i basio'r 11+, a ro'dd pethe'n dishgwl yn addawol pan ddechreuodd e fel disgybl yn y 'County School' yn Rhydaman. Ond, fel sawl teulu arall yn y cyfnod, bu'n rhaid iddo adael yn bedair ar ddeg mlwydd oed a mynd i witho dan ddaear yng nglofa'r Betws. Heddi, ma'n anodd amgyffred y fath sefyllfa, ond bryd hynny ro'dd angen yr arian ychwanegol er mwyn i'r teulu fyw'n gysurus o ddydd i ddydd. Ro'dd 'da fe lais tenor ardderchog, a bob hyn a hyn dwi'n cilo i'r stafell gefen hyd y dydd heddi i wrando ar recordiad ohono'n canu unawde. Ro'n ni'n arfer gwrando arno gartre ar ddemo-record 78rpm, ond dros y blynyddoedd dirywio wna'th y darn plastig crwn o'dd 'run maint â phlât cinio Nadolig! Ro'dd nodwydd yr hen gramoffon wedi scrabyn y *vinyl*, a'r sgratsys niferus yn golygu fod llais Dad yn pellhau ac yn araf ddiflannu. Serch hynny, diolch i help ffrind, Sean O'Brien, o'dd yn berchen ar *Telstar Records* yn Llundain gyda'i holl offer technegol *state of the art*, lwyddon ni i ga'l copi ar gryno-ddisg o'r recordiad gwreiddiol.

Ro'dd sawl un o'r pentre ac o'r ardal wedi dianc o'r ffas lo ac wedi derbyn cytundeb i ganu i gôr neu gorws adnabyddus. A'th Rhydderch Davies o Wauncaegurwen i Lundain a threulio'i oes yn canu i gorws Covent Garden a diddanu ar y lefel ucha. Dyna o'dd breuddwyd Dad, ond ro'dd ganddo wraig ifanc a theulu, a phenderfynodd aros yn y pentre yn hytrach na chodi'i bac.

Leyshon Road a Ger-yr-afon

Am flwyddyn neu ddwy, Tŷ Fflat ar Leyshon Road o'dd cartre'r teulu – byw yn yr un tŷ â Mam-gu a Thad-cu'r Waun. Flynyddoedd yn ddiweddarach ro'n i'n crwydro'n ôl yn gyson i'r hewl yma, sy'n ymestyn ar hyd y comin i gyfeiriad Brynaman, pan ddechreues i garu â Maureen!

Ond do's gen i ddim cof o'r cyfnod cynnar yn Leyshon Road, gan i ni symud yn agosach i Gwm-gors a mynd i fyw gerllaw afon Ddu, yn Ger-yr-afon. Ma'r atgofion am Ger-yr-afon yn rhai melys – treulio amser gyda'r bois drws nesa, Ronnie a Denzil Williams, y rheiny'n hynach o lawer na fi ond ro'n i wrth fy modd yn croesi'r nant ar gefne'r brodyr a chwrso'r bêl i bob cyfeiriad ar y caee tu ôl i'r Co-op. Dwi'n dal i weld y bêl yn ca'l ei chico lan sha'r cymyle a finne'n rhedeg ar eu hole nhw am orie. Ro'dd y caee yn ymyl cartre Bill Samuel, yr athro a fu'n ddylanwad aruthrol ar fy mywyd yn nes mla'n.

Ro'n ni fel teulu yn uned glòs a hapus, ac alle Gloria, Geth a finne ddim bod wedi gofyn am well magwraeth. Ro'dd Gloria wyth mlynedd yn hŷn na fi, a'r gwahaniaeth mewn oedran yn golygu ei bod hi, yn ystod cyfnod plentyndod, yn fwy o fam nag o chwa'r – yn neud yn siŵr bod y ddau ddrygionus yn gwbod eu hadnode cyn gwasanaeth y plant yng Nghapel Carmel, ac yn gyson, whare teg, yn darllen ambell stori cyn i'r ddau grwt bywiog gwmpo i gysgu. Ond do'dd Gloria, cofiwch, ddim yn angel! Ma' 'da fi gof o'r ddau ohonon ni'n neidio'n borcyn mewn i afon Ddu, a dod mas yn fochedd gan fod 'na gymaint o lo mân yn ca'l ei olchi lawr gan y dŵr. Bu'n rhaid i Mam-gu Tŷ Fflat sgrwbo ni i lawr yn yr ardd gefen – dwi'n dal i weld y baryn sebon *coal tar*, y bwced metel a'r brwsh câns!

Gan ma' dim ond dwy flynedd o'dd rhwng Gethin a finne, ro'n ni'n agos iawn i'n gilydd – yn rhannu'r un diddordebe ac yn debyg o ran cymeriade. Fe geson ni lot o sbri tra'n tyfu lan! A bod yn onest, ro'dd cyffinie Ger-yr-afon fel rhyw barc antur enfawr – fi'n cofio'r ddau ohonon ni'n neido mas o'r ffenest lofft, yn crwydro lan i'r tir mynyddig gerllaw, yn whare yn yr afon ac, wrth gwrs, yn cico pêl o fore tan nos.

Does dim amheuaeth, ro'n i'n grwtyn bishi, drygionus. Treuliwn orie yn whare a whilmentan yn afon Ddu, a honno'n llawn lluwch a llacs o'r gweithfeydd cyfagos. Un tro ro'n i lan i nghanol mewn baw, a Ronnie yn gorfod nhynnu fi mas. Cyrhaeddodd Mam yn llawn gofid, a dwi'n dal i gofio'r frawddeg: 'Ma' Duw wedi mynd â fe *a*'i byjamas newydd!'

Ma' sawl un yn meddwl ma' diléit diweddar yn fy mywyd yw pysgota. Chi'n anghywir! Ro'dd agosrwydd afon Ddu yn ffactor, a'r ffaith fod tad Denzil a Ronnie yn bysgotwr o'dd yn fawr ei barch. Dwi'n dal i weld llawn bosh o frithyll yn eu cartre a finne'n sefyll yno'n gegagored. Yn bedair a phump oed, treuliwn orie'n dala llyswennod. Ro'dd polyn mas o fambŵ y twyne o Siop Jenkins ar y sgwâr yn ddefnyddiol, gyda phinne wedi'u plygu'n grefftus, ac yna aros am oesoedd gan obeithio fydde rhywbeth yn cydio. Ro'dd angen amynedd ar y ca' ffwtbol a gallaf eich sicrhau fod angen dôs sylweddol ohono wrth bysgota! Ro'dd y llyswennod fel lasys sgitshe ond, ar ôl i Mam dynnu'r cro'n bant, ro'n nhw'n tasto'n fendigedig wedi iddyn nhw ddod mas o'r badell ffrio. Dwi'n cofio dala brithyll am y tro cynta yng nghwmni Jeff, brawd Edw, lawr yn ymyl Pwll Glo Abernant. Dyna i chi ddathlu, a bywyd yn nefoedd ar y ddaear.

Gyferbyn â'r tŷ cownsil yn Ger-yr-afon ac ar bwys Garej Twm Blaengarnant, penderfynodd Cyngor Dosbarth Gwledig Pontardawe adeiladu parc bach, a dyna lle bydde fy mrawd Gethin a finne byth a beunydd yn cico pêl rygbi a phêl-droed yng nghryse coch a gwyn Cwm-gors. Do'dd dim sôn y dyddie hynny am farchnata cryse Cymru a Manchester United! A bod yn onest, i ni fois y Waun, dim ond un tîm o bwys o'dd 'na, sef Cwm-gors. Chwaraewyr tîm y pentre o'dd ein harwyr; y nhw o'dd Giggsys, Flintoffs a Peels y cyfnod.

Ca' Archie a'r ysgol

Yn bedair oed bu'n rhaid i Mam lusgo fi i'r ysgol fach ar sgwâr y Waun – do'n i ddim am fynd, ond diolch i ymdrechion Miss Thomas (o'dd yn byw ar bwys parlwr hufen iâ Cresci), Miss Evans a Miss Williams, fe setles i lawr a threulio pob un wers yn dishgwl mla'n at amser whare! Yn ddiweddarach, fe dda'th y prifathro, Bryn Evans, yn ffrind agos gan ma' fe o'dd yn benna cyfrifol am droi pysgotwr cyffredin yn dipyn o arbenigwr!

Erbyn hyn ro'n i'n nabod mwy o blant, ac un o'r ffrindie agosa o'dd Darrell Cole; ro'dd e yn yr un dosbarth ac yn byw yn ymyl tŷ Mam-gu yn Leyshon Road. Ro'dd ei dad, Jess, yn chwaraewr rygbi da ac wedi cynrychioli Llanelli, a chwaraeodd Darrell i dîm dan bymtheg a than ddeunaw Cymru, ac ymhen amser i Abertawe. Oni bai am bresenoldeb Arthur Lewis, Ray Gravell a Roy Bergiers, bydde Darrell wedi hawlio'i le yn nhîm Cymru. Chwaraeodd y ddau ohonom i dîm dan ddeunaw Ysgolion Uwchradd Cymru yn erbyn Swydd Efrog yn Otley yn 1965, a Chymru'n fuddugol o gic gosb i ddim – Darrell yn Ysgol Ramadeg Pontardawe, a finne erbyn hynny yn y chweched dosbarth yn Millfield. Jyst meddyliwch – dau o'r Waun yn whare i dîm cenedlaethol, a'r ddau â'u gwreiddie yn Leyshon Road! Ar gyfer y gêm yn Otley, ro'n ni'n dau'n aros mewn gwesty ar gyrion Ilkley Moor, a gafon ni real syrpréis ben bore i weld Dad a Clive (dda'th yn frawd-yng-nghyfraith i mi wedyn), yng nghwmni Jess, tad Darrell, yn y lolfa. Ro'dd teithio lan i Ogledd Lloegr bryd hynny'n dipyn o aberth a straen corfforol – yr M6 heb ei chwblhau, a'r tri wedi gorfod trafaelu dros nos. (Ar y daith i Otley, gyda llaw, y gwnes i gyfarfod â Nick Williams, a datblygu cyfeillgarwch clòs. Ro'dd e'n ddisgybl yn Ysgol Uwchradd Aberaeron ac, o fewn misoedd, ymunodd â mi yn Millfield. Treuliodd y ddau ohonom dair blynedd wedyn fel cyd-fyfyrwyr yng Ngholeg Addysg Caerdydd yng Nghyncoed gan fwriadu dilyn gyrfa ym myd addysg. Ma'r cyfeillgarwch wedi pontio'r degawde ac, yn gymharol ddiweddar, treulies gyfnod hapus fel cyfarwyddwr ei gwmni ceir.)

Ychydig iawn ar y Waun o'dd yn berchen ar setie teledu a ro'n ni'n dibynnu ar *Pathe News* yn y sinema leol ('Hall' y Waun) am lunie a gwybodaeth am hynt a helynt tîm rygbi Cymru. Dwi'n dal i weld y llunie du a gwyn ar y sgrîn anferthol, a'r llais Seisnig dosbarth canol yn adrodd hanes y gêm: ' . . . and it's Cliff Morgan whose dynamic running and probing set up the Welsh try.'

Ma' nghenhedlaeth i wedi bod yn hynod o lwcus – breintiedig, hyd yn oed. Ro'dd cyfnod fy mhlentyndod yn un hapus tu hwnt – digon o lefydd gerllaw'n cartrefi i fwynhau, a'r awyrgylch yn un saff. Ond rhaid cydnabod bod bywyd yn aml yn frwydr i fy rhieni, a dwi'n ddyledus iddyn nhw am osod y seilie a sicrhau ein bod yn ca'l popeth o'dd ei angen.

Yn byw gyferbyn â ni ro'dd Huw Davies a'r teulu – Huw Bach i fi; Huw Llywelyn Davies bellach i'r genedl – a fe dreulion ni orie ar Heol Coelbren Ucha a Cha' Archie gerllaw yn bato, bowlo, paso, taclo a driblo. Ro'dd 'na grŵp ohonon ni o'dd yn cyfarfod yn rheolaidd, a gême'n ca'l eu trefnu bron bob nos – trwy'r dydd yn ystod y gwylie, a neb mo'yn mynd bant ar wylie haf.

Dwi'n amal yn meddwl am y criw ohonon ni a fu wrthi. Keith Evans o'dd yr hyna, a'r seren (fe chwaraeodd e fel maswr i Gastell-nedd, a chynrychioli Gorllewin Cymru yn erbyn y Crysau Duon ar faes Sain Helen yn 1967); Keith Davies; Gareth Brooks; Raymond Davies; Randall Roberts; Huw Bach; Adrian Davies (Edw) a'i frawd Jeff; Nigel Jones – er, ro'dd pawb yn ei nabod e fel Beshi; Billo Jenkins; Gethin fy mrawd; Alun Buck, ac Arthian Thomas sy'n dal i whare criced i Gastell-nedd. Ro'dd y gême yma'n gyfle gwych i feistroli sgilie – y rhife'n amrywio ond ro'dd 'na gyfle cyson i lywio'r whare a chyflawni symudiade, yn hytrach na'r gême sy'n ca'l eu trefnu'n gyson y dyddie hyn gan rieni a chlybie a'r asgellwr druan yn sefyllan yn segur ar yr asgell ac yn derbyn pàs unwaith y mis.

Ma' 'na stori ardderchog am Ga' Archie, a hyd yn oed heddi dwi ddim yn siŵr pwy o'dd y pŵr dab o'dd ar fai. Patshyn tir digon diolwg o'dd y ca' tu ôl i gartre Huw Bach, ond i fois y Waun hwn o'dd Wembley, Sain Helen a Lord's. Gosod ein pwlofyrs fydden ni fel pyst, ac os fydde unrhyw un yn camu mewn i ddŵr y nant neu i ganol y drain a'r mieri, yna o'n ni'n gwbod ein bod ni dros yr ystlys. Ta beth, un haf ddiwedd y pumdege, da'th rhyw grwt i ymuno â ni, a phan glywodd e'r gair Ca' Archie meddyliodd ar unwaith ein bo' ni'n whare mas yn Pakistan, a bod ishe iddo fe baco'i fags os am gymryd rhan!

Ro'dd pawb wedi'u cynhyrfu pan dda'th goleuade *sodium* i Heol Coelbren Ucha. Ro'dd hyn yn golygu fod modd aros mas tan naw o'r gloch y nos. Ond haf neu aeaf, pan fydde Dad yn bloeddio, 'Gareth, Gethin – swper!' ro'dd rhaid gwrando. 'Winning goal!' o'dd y floedd wedyn, a hynny braidd yn annheg oherwydd yn aml ro'dd tîm o'dd saith gôl ar y bla'n yn colli!

Y Morris Cowley

Ein car cynta ni o'dd yr hen Austin Seven. Fe brynon ni'r car oddi wrth Wncwl Bryn, a ma' 'na dri pheth sy'n dal yn fyw yn y cof – ro'dd 'na un sêt yn ishe, ro'dd y brêcs yn ddiffygiol, a do'dd 'na ddim shwd beth ynddo â *heater*.

Ar ôl rhai blynyddoedd penderfynodd Dad fod angen model newydd ar deulu'r Edwards, ac un prynhawn Sadwrn ganol gaea es i'n gwmpni 'da fe lan i'r Coed Duon,

21

o bobman, i ga'l cipolwg ar Morris Cowley ail-law. Ddechre'r chwedege ro'dd y daith o'r Waun i Went yn un hir. Fe allwch chi ddychmygu'r siwrne mewn hen gar o'dd yn tuchan a phoeri'i ffordd tua'r dwyrain. Dwi'n siŵr fod y doethion wedi ca'l gwell siwrne wrth deithio i Fethlehem! 1963 o'dd y flwyddyn, ac i chi'r *golden oldies* dwi'n siŵr fod y flwyddyn yn eich atgoffa o'r eira trwchus a'r rhew caled. Ro'dd y ddwy filltir o Lyn-nedd i'r Rhigos yn hunlle; gwyrth o'dd cyrra'dd top tyle'r Banc, a finne'n dal i sythu. Ro'n i'n ddiolchgar iawn am y mitts a'r balaclava.

Anghofiwyd am y dioddefaint pan welodd y ddau ohonon ni'r car yn y Coed Duon: ro'dd e fel Rolls Royce o'i gymharu â'r Austin Seven. Ro'dd y perchennog yn amlwg wedi bod wrthi'n slafus yn glanhau'r cerbyd brown gole. Cafwyd chwarter awr o fargeinio ac ymhen dim o beth cytunwyd ar bris. Yn ystod y blynyddoedd dwi wedi teithio mewn cerbyde ffit i frenhinoedd a thywysogion, ond fe brofodd y daith 'nôl i'r Waun yn y car newydd yn un o'r goreuon (a'r *heater* arno ffwl blast, wrth gwrs!). Ro'dd rhaid galw yn nhŷ Anti Gwyneth ar y ffordd 'nôl, ac yno y gwelon ni'r gêm rhwng Cymru a Lloegr ar Barc yr Arfau – y ca' fel rinc sglefrio, a cheisie Malcolm Phillips a John Owen yn allweddol ym muddugoliaeth y gelyn o 13 i 6. Yn ôl y *Western Mail* (y Beibl dyddiol ar y pryd), ro'dd tîm Cymru wedi ca'l fest a phâr o bants i wrthsefyll yr oerfel. Synnwn i ddim nad ydi dillad isha Clive Rowlands, capten Cymru y diwrnod hwnnw, lan mewn cabinet gwydr yng Nghlwb Rygbi Cwmtwrch!

Fe geson ni flynyddoedd o bleser mas o'r Morris Cowley – Gethin a finne'n pasio'n profion gyrru ynddo, a Maureen (y wraig, maes o law) yn dwlu ar y *bench seat* yn y ffrynt yn ystod cyfnod caru. A rhaid cyfadde, pan o'dd Mam a Dad yn trafaelu lawr i Millfield ar ymweliad, ro'n i'n teimlo'n prowd o weld yr hen gar yn sefyll yn gysurus yng nghwmni'r Bentleys a'r Rolls Royces. A ro'dd gan Dad *personalised number plate* cyn i neb freuddwydio am y fath beth. 'Thine, Thomas Glanville!' o'dd geirie Dad pan welodd e'r plât TTG 35, a bu bron iddo ga'l rhif ei *dŷ* hefyd, achos erbyn hynny ro'n ni'n byw yn Coelbren Square (dyna ddweden ni gartre bob amser, gyda llaw, yn hytrach na Sgwâr Coelbren!) – yn nymbar ffiffti thri!

Y set deledu

Peidiwch, da chi, â meddwl fod teulu'r Edwards' yn gyfoethog, ond rhywsut fe brynon ni set deledu o fla'n nifer o'r cymdogion lleol. Pan ddarlledwyd Mabolgampau Olympaidd Rhufain yn 1960, Bethan (whâr Huw Bach) a finne o'dd y ddau o'dd ddim am golli'r un gystadleuaeth. Ac ar nos Sul ro'dd pob hewl yn arwain i Coelbren Square – Mrs Morgan, Dai 'Great' ac er'ill yn galw heibio ac, o fla'n tân glo, pawb yn *glued* i *Sunday Night Live at the London Palladium* yng nghwmni Bruce Forsyth. Ro'n ni gyd gartre yn gwbod yn nêt fod y rhaglen yn fyw, oherwydd ro'dd e Bruce yn dishgwl yn gyson ar ei wats â rhyw funed yn unig ar ôl, ac yn cwestiynu'r pâr ola ar *Beat the Clock* â rhywfaint o banic yn ei lais gan ddweud, 'Can you come back next week?'

Y dydd o'r bla'n ro'n i'n whare golff yn Wentworth, ac yn gwledda yn y cinio hwyrol reit drws nesa i Bruce a Jimmy Tarbuck (un arall a fu'n cyflwyno yn y Palladium). Beth fydde Mrs Morgan a Dai 'Great' wedi'i ddweud? Meddylies am y cyfnod 'nôl yn Coelbren Square, a rhyfeddu shwd ma'r cyflwynydd wedi llwyddo i gadw'i safone a'i garisma am gyfnod mor hir. Un o raglenni mwya poblogaidd y gorfforaeth y dyddie diweddar 'ma yw *Celebrity Come Dancing*, rhaglen sy'n dibynnu'n fawr ar allu Bruce fel cyflwynydd.

Dros y Mynydd Du

Yn ystod dechre'r chwedege fe ges i feic newydd sbon, ac yn aml ro'dd John Big Foot a finne'n pedlo ymhell o'r Waun a thros y Mynydd Du i gyfeiriad Llangadog a 'nôl gartre drwy Landeilo a Rhydaman. Bob hyn a hyn ro'n ni'n llywio'r beic i gyfeiriad Mynydd y Gwrhyd neu Fynydd y Barran. Dyma pryd ddes i i werthfawrogi prydferthwch yr ardal. Ro'dd y mwyafrif yn cysylltu'r Waun a Chwm-gors a Thairgwaith â'r gweithfeydd glo caled a chreithie'r Oes Ddiwydiannol – fel y canodd y prifardd Bryan Martin Davies o Frynaman:

> Yr Ynys,
> Y Gelli,
> Y Maerdy,
> Chwi o'dd y pyramidiau du
> A ymsythodd yn falch dros gwm fy ngeni
> Yng ngwlad y glo.

Ma' pobol y cymunede glofaol â thuedd i fynd dros ben llestri pan fyddan nhw'n mynd ar wylie – yn rhyfeddu at fynyddoedd y Swistir ac Awstria, ac yn gwario arian ar ddatblygu llunie a sleidie o lynnoedd yr Eidal a glesni'r moroedd yn Ffrainc. O'dd eu llygaid nhw ar gau wrth bo' nhw'n teithio o gwmpas Cwm Tawe a Dyffryn Aman? Ro'n ni'n freintiedig ar y Waun. O Benlle'r Fedwen ro'n ni'n dishgwl draw i Garreg Lwyd a Blaenpedol uwchben

Brynaman; tu ôl i bentre'r Garnant ro'dd modd gwerthfawrogi'r holl liwie caleidosgopaidd ar Ben Tyrcan, ac yna i gyfeiriad Cwmllynfell ro'dd modd gweld, ar ddiwrnod clir a braf, y brynie a arweiniai at Lyn y Fan. Ie, y gweithfeydd glo o'dd yn cynnal y pentre, ond ro'dd y gwreiddie'n ddwfn yn y pridd.

Ddim yn aml o'dd ishe mynd i Bontardawe, Ystalyfera, Rhydaman neu Abertawe. Chi'n gweld, o'dd popeth ar ga'l yng Ngwauncaegurwen – caffe Cresci, lle ro'dd yr hufen iâ gore yn y byd (ro'dd modd ca'l 'North Pole' mewn llestr gwydr, a hufen *marshmallow* wedi'i arllwys dros ddau *wafer*!); Banc Barclays ar waelod yr hewl, a Lloyds gyferbyn â Charmel. Ro'dd tair siop dships – siop Samuel ar y sgwâr, Siop Emrys drws nesa i'r ysgol, a Siop Helen reit ar ochor yr afon; *ironmongers*, siope sgitshe, siope dillad, barbwr, y Co-op, a Pharc-y-werin. Pam nad o'dd mwy o bobol yn dod ar eu gwylie i'r Waun?

Yn bymtheg oed, ro'n i'n ymwelydd cyson â'r wlad yr ochr draw i'r Mynydd Du, a rhaid diolch i mhrifathro yn Ysgol Gynradd Gwauncaegurwen, Bryn Evans, am hynny. Ro'dd e wedi sylweddoli rai blynyddoedd ynghynt bod 'da fi ddawn i bysgota. Rhyfedd meddwl fod bachgen yn ei arddege o'dd fel crwtyn ifanc yn ffaelu'n deg â sefyll yn yr unfan am fwy na rhai eiliade, erbyn hyn yn ddigon amyneddgar i dreulio orie'n gaeth i ochr yr afon.

A'th Bryn â fi draw i afon Cothi i bysgota (ardal Pumsaint, Dolau Cothi a Chwrtycadno), ac erbyn hyn o'dd y gêr i gyd 'da fi – gwialen, *waders* ac yn y bla'n. Ro'dd yr afon yn baradwys i bysgotwr, a finne'n rhyfeddu wrth ddishgwl ar y pysgod yn dod o bob cyfeiriad. Do'dd 'na ddim dwst a lluwch a brwntni yn y Cothi. Ac yna dod sha thre yn hanner cysgu, a mynnu fod Mam yn ffrio brithyllyn mewn menyn cyn mynd i'r gwely.

I Coelbren Square (ac at Huw Bach ac Eic!)

Saith oed o'n i pan symudon ni am yr eildro yn fy mywyd. Do'dd dim ishe fan fawr Pickfords oherwydd rhyw dri chan llath o'dd y pellter o'r hen gartre yn Ger-yr-afon i Coelbren Square. Dwi'n dychmygu fod Dad a chymdogion wedi cario'r celfi o un tŷ i'r llall!

Ro'dd y criw ffrindie newydd o'dd 'da fi ar ôl symud ychydig yn hŷn, ac am amser ro'dd Geth yn whare 'da'i ffrindie e – yn wir, tra o'n i mas ym mhob tywydd, ma' 'da fi gof o Geth yn cwtsho o fla'n y tân! Ond rhaid imi beidio rhoi'r argraff mai un bach gwan a llipa o'dd e – ro'dd e mewn gwirionedd fel darn o lastig, a 'mhen rhai blynydde dda'th e'n gymnast penigamp a theithio 'mhell ac agos fel aelod o dîm gymnasteg Gorllewin Morgannwg.

Ond yn ôl â ni i Coelbren Square! O fewn dyddie inni symud, fe ddes i'n ffrindie agos gyda Huw Bach, a fe dreulion ni'n dau orie yn ystod y blynyddoedd yn efelychu campe Bleddyn Williams, Duncan Edwards, John Charles, Gary Sobers a Lew Hoad ar Ga' Archie ac ar Heol Coelbren Ucha. Ond chwaraewyr Cwm-gors o'dd yr arwyr, yn enwedig Arwyn Morris a'r brodyr Windsor. Tan ganol y pumdege ro'dd tîm y pentre yn whare draw ar bwys y Co-op yn ymyl y gors, a ro'dd Huw Bach a finne yno byth a beunydd yn cefnogi'n frwd.

Ro'dd tad Huw, Eic Davies, yn athro Cymra'g yn yr Ysgol Ramadeg ym Mhontardawe ac yn ddylanwad mawr ar ddisgyblion fel Sian Phillips, Dafydd Rowlands a Meirion Evans – Sian (fel y cyfeiries i ishws) yn actores fyd-enwog, a'r ddau arall yn brifeirdd o'r radd flaena, a ro'dd 'na griw arall a ddaeth yn Gymry adnabyddus – Eifion Powell, John Phillips, Rita Morgan (Williams ar ôl priodi) a Rhiannon Bell.

Ond ro'dd Mr Davies, fel ro'n i'n ei alw'n blentyn, yn gwisgo het arall ar benwythnose. Yn ei Rover 75 llwyd, fe fydde fe naill ai'n crwydro caee tîme rygbi Undeb y Gorllewin ar brynhawne Sadwrn neu'n gohebu o'r Strade, Sain Helen a'r Gnoll, a Huw a finne'n mynd 'da fe'n gyson. 'Na chi anrhydedd! Cyfle i weld chwaraewyr amlyca'r cyfnod wrthi. Yna, ar ôl y whare, cwrs i stiwdio'r BBC ar Heol Alexandra yn Abertawe lle ro'dd Eic yn cyflwyno rhaglen *Y Maes Chwarae* gan ddarlledu adroddiade ar ddigwyddiade'r dydd. Hon o'dd y rhaglen gynta o'i bath yn y Gymra'g, a rhyfedd meddwl bod y ddau o'dd yn cadw cwmpni iddo yn yr hen gar wedi cyfrannu'n helaeth i'r campe dros y blynyddoedd – Huw fel cyflwynydd a sylwebydd proffesiynol a chraff ar S4C a'r BBC, a finne ar y ca' yn chwaraewr am dri thymor ar ddeg ac yn ail lais a *pundit* ar *Grandstand* gyda Bill McLaren am flynyddoedd wedyn, cyn dod i gyfrannu i raglenni S4C ar ddiwrnode rhyngwladol. Trwy Eic Davies y dois i i fod â diddordeb mawr yn y gêm.

Anghofia i fyth y gêm ryngwladol gynta yr a'th y ddau ohonon ni iddi. Cymru yn erbyn Lloegr ar Barc yr Arfau o'dd hi, 'nôl yn 1959. Gêm gynta'r diweddar Dewi Bebb, gyda llaw. Sgoriodd Dewi gais yn y gornel a fe enillon ni. Pan ddois i, wyth mlynedd yn ddiweddarach, i whare ar Barc yr Arfau fy hunan am y tro cynta mewn gêm ryngwladol, ro'dd Dewi yn whare ei gêm ola tros Gymru bryd hynny ac yn erbyn Lloegr yr o'n ni'r diwrnod hwnnw hefyd. Yn ystod y gêm honno, rhyw ddeg muned cyn y diwedd, mi dwles i bàs i Dewi a fe sgoriodd e ei gais ola dros ei wlad, yn yr un gornel yn gwmws â'r cais cynta. Ma' meddwl am hynny yn dal i roi gwefr arbennig i 'fi – ond bydd cyfle i sôn mwy am hynny'n nes mla'n.

Yr hyn rwy'n ei gofio am y trip cynta hwnnw 'da Eic o'dd bod Huw Bach a finne yn gwisgo bobo gap coch, gwyrdd a gwyn gyda chenhinen yr un ynddyn nhw. Ro'dd hi'n bwrw glaw yn drwm drwy'r dydd ac erbyn diwedd y prynhawn ro'dd y lliwie o'r capie wedi rhedeg dros ein wynebe i gyd. Ro'n ni wedi trefnu i gwrdd ag Eic yn lle'r BBC ar ôl y gêm, a fe allech chi ddychmygu'r olygfa yn y fan honno. Y *commissionaire* mewn siwt swyddogol atebodd y drws a gweld dau grwtyn ifanc yn wlyb at eu crwyn, a'r annibendod rhyfeddaf dros eu hwynebe nhw. Huw o'dd y llefarydd:

'We've come here to meet my dad,' medde fe, mewn llais diniwed. Dyna'r tro cynta i fi glywed Huw yn siarad Saesneg!

'That's a likely story,' medde hwnnw.

'No, we really have,' medde'r darpar ddarlledwr.

Diflannodd dyn y siwt, a ma'n debyg iddo fynd at Eic a dweud wrtho: 'There are two urchins outside. One of them professes to be your son.'

Ro'dd honno'n stori fawr gan Eic am flynydde ar ôl hynny. Dwi'n gwbod ei fod e wedi ca'l pleser mawr o weld y crwt y buodd e'n ei gario o un gêm rygbi i'r llall drwy gyfnod ei ieuenctid yn codi, ymhen amser, i fod yn aelod o'r tîm cenedlaethol. Dwi'n gwbod hefyd beth yw maint fy nyled i iddo fe.

Ond ma'r ddyled yn llawer mwy nag ar y maes rygbi yn

unig. Pan o'n i tua un ar ddeg oed, fe fues i a Maureen, y wraig yn ddiweddarach, yn cydactio yn un o ddramâu Eic. *Wil Cwac Cwac* o'dd enw honno, a dyna'r tro cynta i Maureen a finne gwrdd â'n gilydd. Fe fydda i'n ddiolchgar iddo fe am byth hefyd am roi help i mi pan o'n i yn ysgol Millfield – yr ysgol chwaraeon ore, ddruta ym Mhrydain. Ond ro'dd 'na un peth yn ishe yno – do'dd gyda nhw ddim athro Cymra'g! Fe gytunwyd mod i'n ca'l astudio'r pwnc fel cwrs post gydag Eic yn diwtor imi, yn hyfforddi ac yn marcio fy ngwaith. *A* fe bases i!

Ma' 'da ni fel cenedl ddyled enfawr i Eic Davies. Y fe, yn anad neb arall, fathodd yr holl derme rygbi yn y Gymra'g – terme sy'n ca'l eu defnyddio mor naturiol bellach gan fechgyn a merched, gwŷr a gwragedd o Gaergybi i Gaerdydd ac o Glawdd Offa i Gwm Tydu. Bydd 'da fi fwy i ddweud eto am y gymwynas enfawr honno.

Y llechau

Yn blentyn ifanc, ro'n i mor iach â chneuen oni bai am un anhwylder o'dd yn peri ychydig o ofid i Mam. Ro'dd hi'n bendant yn ei meddwl mod i'n diodde o glefyd o'dd yn effeithio cant a mil o blant yn y Cymoedd Diwydiannol tan tua canol y pumdege – y llechau *(rickets)*. Nawr dwi ddim yn arbenigwr yn y maes, ond ma'n debyg ma' diffyg mewn Fitamin D o'dd yn gyfrifol am y cyflwr. Do'dd yr esgyrn ddim yn ffurfio'n iawn, a ddim mor galed â beth dylse nhw fod. A pheth arall – ro'n i mor dene â sgimren, a Mam, bob hyn a hyn, yn cyfeirio ata i fel stringed o *spaghetti*!

Yn ôl Dr Bob Leyshon sy'n arbenigwr esgyrn yn Ysbyty Treforys (a hefyd, fel mae'n digwydd, yn frawd-yng-nghyfraith i Maureen), ro'dd hi'n anodd iawn cwblhau diagnosis. Yn aml ro'dd rhieni yn rhyw *dybio* fod y plentyn yn diodde ohono, ond yn aml ro'n nhw'n gwbl anghywir. Ro'dd bod mas yn yr haul yn help mawr – pelydre'r haul yn taro yn erbyn y croen ac yn creu'r fitamin o'dd ei angen. (Fe fyddech chi'n meddwl, felly, y bydde tri chwarter plant y dyddie 'ma yn diodde o'r afiechyd, gyda braidd neb ohonyn nhw i weld yn mynd mas ond yn hytrach i mewn yn y tai yn gaeth i PlayStations, iPods a chyfrifiaduron!)

Ond ro'dd Mam yn becso. Ro'dd hi wedi clywed fod rhai doctoriaid, ac ambell i gwac lleol, yn barod i gwblhau triniaeth o'dd yn sicr o waredu'r claf o'r llechau. Y driniaeth o'dd gwaedu'r llabed clust (yr *earlobe*), yna – *hey presto!* – bydde'r claf yn derbyn gwellhad llwyr o'r aflwydd. Ro'dd 'na ŵr lleol o'dd yn giamstar, a chan fod cymaint yn credu'n gryf yn y fath driniaeth, a'th Mam â fi i'w weld.

Barn y *medics* presennol yw ma' peth annoeth iawn o'dd ceisio gwella'r llechau gyda'r driniaeth hon, gan fod gwaedu'r llabed clust yn gallu achosi pob math o brobleme. 'Torri llech' o'dd y disgrifiad lleol ac, yn ôl nifer fawr o ddogfenne hanesyddol, ro'dd y broses yn un hynod ddanjerus. Ym mis Hydref 1914 daethpwyd ag achos yn erbyn gwraig o Aberdulais ger Castell-nedd am dorri llech plentyn lleol â raser. Plediodd ei chyfreithiwr ei bod wedi cyflawni'r driniaeth ar ganno'dd o blant yr ardal ac wedi gwella pob un. Fe'i cafwyd yn ddieuog ond bu'n rhaid iddi dalu'r coste. Bydde rhai'n gwaedu am orie ac ambell un yn *anaemic* am weddill ei oes.

Fe ges i fynd draw i syrjeri Dr Phillips er mwyn derbyn triniaeth, ond ro'dd ei ddeiagnosis wedi argyhoeddi Mam nad o'dd angen y gyllell: 'Clywch, ma'n amhosib ei ddala fe *nawr* – fydd e'n hedfan os geiff e'r driniaeth!' Chlywodd neb gyfeiriad at y clefyd yn tŷ ni byth wedyn! Ac ar ôl oes o whare ar Ga' Archie, Parc des Princes, Twickenham, Eden Park, Parc yr Arfau ac Ellis Park, a heb dorri'r un asgwrn (oni bai am fetatarsal), dwi'n dawel fy meddwl na fu G. O. Edwards erio'd yn diodde o *rickets*!

Yr 11+

Ganol y pumdege fe brynodd Mam dri phâr ar ddeg o sgitshe i fi mewn blwyddyn yn y Co-op yng Nghwm-gors (yn cynnwys ambell bâr o sgitshe hoelion). Ro'n nhw'n ca'l eu treulo'n ddidrugaredd ac ond yn para w'thnos! Dishgwl 'nôl, dwi'n sylweddoli mod i wedi hala llawer gormod o amser yn gaeth i chwaraeon. Ro'n i wrthi'n cico pêl o doriad gwawr hyd fachlud haul, ac os o'dd tîm rygbi Cwm-gors yn llwyddiannus, ro'n i ar gefn fy ngheffyl.

Ac yna, un bore, ddechre'r haf yn 1958 yn yr ysgol ar Sgwâr y Waun, cyhoeddwyd canlyniade'r 11+. Fe ddylsen i fod wedi sylweddoli fod pethe ddim cweit beth ddylsen nhw fod. Do'n i ddim wedi gwitho; do'n i ddim wedi cyflawni'n academaidd, oherwydd ro'dd pethe er'ill dipyn yn bwysicach. Y fi o'dd ar fai: cwblhau gwaith cartre mewn chwincad, yn hytrach na gwario orie'n ceisio dysgu a deall.

Pan ddarllenodd yr athro'r canlyniade a finne'n dod i wbod mod i wedi ffaelu, fe ges i yffach o sioc. Sylweddoles i y bydde 'na ffrindie ar eu ffordd i ysgolion gramadeg Ystalyfera a Phontardawe, a finne'n aros yn yr Ysgol Fodern ar y Waun. Ar y pryd ro'n i'n teimlo fod y system yn un annheg ac afiach, a hanner can mlynedd yn ddiweddarach dwi'n dal i deimlo'r peth i'r byw. Plant o'r un pentre, ffrindie mynwesol yn ca'l eu gwahanu'n llawer rhy gynnar yn eu bywyde. Ro'n i'n dal i wisgo trowsus bach; ro'n i'n lawer rhy ifanc i rai mewn awdurdod neud penderfyniad o'r fath. Do'n i heb ddatblygu ac aeddfedu'n gorfforol a meddyliol.

Yma yng Nghymru, diolch i'r drefn, da'th y system haearnaidd yma i ben ganol y chwedege. Crëwyd system decach lle ro'dd disgyblion yn ca'l eu hasesu'n gyson tan o'n nhw'n un ar bymtheg oed. Ma' gan bob plentyn *rywbeth* i'w gynnig – rhai'n disgleirio'n academaidd, er'ill yn ddawnus yn y creffte, ac ambell un yn dangos addewid yn y campe. Ro'dd y polisi o adeiladu wal a weiren bigog yn un ar ddeg oed yn drychinebus o safbwynt cymdeithasol ac o ran datblygiad personol yr unigolyn.

Dwi'n aml yn ail-fyw'r cyfnod, yn dal i ryfeddu fod plant un ar ddeg oed wedi derbyn y fath driniaeth, ond eto'n gofyn un cwestiwn: beth fydde wedi digwydd i Gareth Owen Edwards petai e wedi pasio'r arholiad diawledig a dechre fel disgybl yn y 'Gram' ym Mhontardawe? A fydde fe, efalle, wedi canolbwyntio'n llwyr ar yr ochr academaidd? A fydde fe wedi cyfarfod â Bill Samuel, yr un gŵr yn anad un arall a newidiodd gwrs a chyfeiriad ei fywyd?

Un fantais sicr o ffaelu'r arholiad o'dd awr ecstra yn y gwely ben bore! Chi'n gweld, o'dd Coelbren Square o fewn pedwar can llath (llai, efalle) i Ysgol Fodern y Waun. Tra o'dd rhai'n gorfod wynebu tywydd garw 'pen top' Dyffryn Aman (a chredwch chi fi, ro'dd y gwynt o'dd yn chwythu ar draws Comin y Waun rywbeth yn debyg i'r hyn ddioddefodd Scott ar ei siwrne i Begwn y De), ro'n i o fewn naid driphlyg i ddrws ffrynt yr ysgol.

Yn naturiol, ro'dd fy rhieni'n siomedig gyda'r canlyniad, ond whare teg ro'n nhw'n fy atgoffa'n gyson fod modd gwitho'n galed a throsglwyddo 'mhen rhyw ddwy flynedd i'r ysgolion gramadeg lleol, neu i'r Coleg Technegol ym Mhontardawe. 'Dy gyfle ola di,' fel fydde Dad yn ei ddweud. Parhau i'w hanwybyddu nhw wnes i; ffaelu'n deg â setlo lawr, er bod yr athrawon yn pregethu'n gyson – 'Gareth, ma' digon o allu 'da ti. Dwyt ti jyst ddim yn canolbwyntio.' 'Ble ma'r gwaith cartre? Pam taw *ti* sy wastod yn ola?'

Ac yna, fe newidiodd pethe, a dwi'n dal i gofio'r prynhawn. Ro'dd Dad wedi ca'l llond bola, ac am geisio fy argyhoeddi. Fe gyrhaeddes i 'nôl o'r ysgol y prynhawn hwnnw, bosto mewn drwy'r drws fel cath i gythraul a rhewi yn yr unfan. Do'dd neb yn y gegin ond ro'dd pâr o sgitshe hoelion a helmet coliar ar y ford. 'Tria nhw arno. Gobitho bo' nhw'n ffito, oherwydd dyna lle ti'n mynd os nad wyt ti'n tynnu dy fys mas – dan ddaear!' bloeddiodd Dad o'r parlwr mewn llais reit fygythiol. Fe ges i lond twll o ofan oherwydd dyna'r un lle o'n i *ddim* am fynd iddo! O'r noson honno mla'n, newidies i'n agwedd yn llwyr a chanolbwyntio mwy ar fy ngwaith ysgol.

Gwrando a dysgu

Y rhai tu cefn

Ma' rhai unigolion yn ca'l eu bendithio â thalent oruwchnaturiol, rhywbeth yn y *genes* sy'n eu galluogi i greu neu gyflawni campwaith. Ma'r rhestr yn ddiddiwedd – mawredd a meistrolaeth cerddorion, cerflunwyr, artistiaid, peirianwyr, dyfeiswyr, mathemategwyr, gwyddonwyr, penseiri, gwleidyddion, beirdd, llenorion a naturiaethwyr. Ystyriwch hefyd holl ddonie cynhenid yr arloeswyr a'r darganfyddwyr. Yn sicr, fe berthyn i'r rhain oll rywbeth gwahanol – Mozart, da Vinci, Rodin, Picasso, Brunel, Napoleon, Churchill, Archimedes, Darwin, Ghandi, Mandela, Frank Lloyd Wright, Einstein, Fleming, Hillary, y Fam Teresa, Madame Curie, Shakespeare a Michelangelo. Ma'r byd cyfoes hefyd yn frith o bobol sy'n meddu ar wir athrylith – yn fy marn i, ma'r Cymro Bryn Terfel yn bendant yn un ohonyn nhw.

A bob hyn a hyn ma' byd y campe'n cynhyrchu ambell i *genius* – unigolyn sy â'r gallu a'r ddawn anhygoel i greu cynnwrf a chyffro. Y cefnogwyr ar y teras, yn yr eisteddle neu o fla'n y set deledu yn rhyfeddu at ddonie dewinol ambell i *maestro* ar gwrt tennis a phêl-fasged, ar gae criced, rygbi neu bêl-droed, ar drac athletau, cwrs golff, mewn campfa, pwll nofio a sgwâr focsio – Jesse, Olga, Evonne, Muhammad, Johan, Ian (Botham a Thorpe), Tiger, Bjorn, George, Dennis, Barry (John a Richards), Viv, Diego,

Gerald, Ryan, Serge, Don, Jack (Hobbs a Nicklaus), Nadia, Colin, Michael (Jordan a Johnson) a Roger (Federer, nid Edwards!). Ma'r rhestr yn ddiddiwedd, a does dim angen ychwanegu cyfenw chwaith. Ma' nhw'n adnabyddus i bawb.

Peidiwch, da chi, â meddwl am eiliad mod i'n ddigon haerllug i awgrymu y dylid fy nghynnwys i yn y rhestr uchod o sêr byd y campe. Er, cofiwch, ro'n inne'n llawn hyder pan fydde'r dyfarnwr yn chwythu'i chwib am y gic gynta – ma'n *rhaid* i chi fod. Dyna yw cyfrinach chwaraewyr Awstralia; dyna sy'n gyfrifol am lwyddiant y Crysau Duon a'r Springboks; ma' chwaraewyr pêl-droed Brazil yn meddu ar ddôs sylweddol ohono, a dewch i fi ga'l cyfadde yn gwbl ddi-flewyn-ar-dafod, ro'n inne'n hyderus am gêm gyfan wrth geisio sicrhau buddugoliaeth i unrhyw dîm yr o'n i'n rhan ohono. Do'dd tangyflawni a methu ddim yn rhan o nghyfansoddiad i. Ond – ar ôl i'r gêm orffen – ro'n i'n gadael i bobol er'ill ganmol. Fues i erio'd yn un am hunanaddoli ac ymfalchïo pan fydde'r adroddiade'n bositif.

Diddorol fydde cwestiynu'r unigolion a restres i gynne – bob un ohonyn nhw'n hynod dalentog ac wedi'u geni i ddisgleirio ar y lefel ucha – tybed sawl un fydde'n fodlon cyfadde fod 'na bobol y tu ôl i'r llenni wedi dylanwadu arnyn nhw yn ystod eu plentyndod, neu ar ryw gyfnod yn eu bywyde? Ma'r chwiorydd Williams, Andy Murray a Tiger Woods yn cydnabod cymorth rhieni; ma' Paula Ratcliffe (ei mam-gu, gyda llaw, yn dod o Gaerfyrddin) yn llawn edmygedd o'i hyfforddwr pan ymunodd â chlwb rhedeg yn Milton Keynes, ac yn gyson clywir un o fawrion byd y campe yng Nghymru, Lynn Davies, yn clodfori cyfraniad ei fentor Ron Pickering a dreuliodd orie yng Nghyncoed yn ei hybu a'i ddatblygu. A phetai modd gofyn iddyn nhw, dwi'n siŵr y bydde Columbus, Aristotle, Galileo Galilei a Maria Callas wedi talu teyrnged i unigolion am agor cil y drws.

Sy'n dod â fi at Bill Samuel!

Bill Samuel

Fe ddes i ar draws Mr Bill Samuel yn y Clwb Ieuenctid ar y Waun, ychydig wythnose cyn symud i'r Ysgol Dechnegol ym Mhontardawe, lle ro'dd Bill yn gyfrifol am ymarfer corff (neu *PE* i ni, wrth gwrs).

Ro'dd y Clwb Ieuenctid yn un ffantastig. Câi ei gynnal ddwywaith yr wythnos, ar nos Lun a nos Fercher, a ro'dd e'n darparu'n llawn iawn ar gyfer pobol ifanc. Ro'dd 'na bwyslais mawr ar chwaraeon, y celfyddyde a'r creffte – yn wir, ro'dd 'na rywbeth i bawb. Trefnid cynyrchiade dramatig blynyddol, a phobol o'dd yn gyfarwydd â'u pwnc yn ca'l eu talu i'n hyfforddi a darparu ar ein cyfer. Ro'dd Cyngor Sir Morgannwg ar fla'n y gad yn y maes. Ceisio ca'l pobol ifanc rhwng tair ar ddeg a deunaw oed i ymddiddori mewn gwahanol feysydd o'dd y bwriad, a fe lwyddon nhw i ddenu'r ifanc a'u cadw'n fishi yn hytrach na bod criwie direidus yn loetran yn segur ar gornel stryd.

Ro'n nhw wedi adeiladu campfa newydd sbon yn yr Ysgol Fodern a phawb yn ei ganmol ond, a bod yn onest, o'dd ishe saethu'r Pwyllgor Addysg a'r cynllunwyr. I ni'r plant, ro'dd y lle'n llawer rhy fach. Do'dd dim lle i swingo cath tu fewn – ro'dd hi'n amhosib whare gême pêl-fasged, a dim gobeth whare pêl-droed pump-bob-ochr. Ond yn yr adeilad hwn yn ymyl Comin y Waun y ces i'r cipolwg cynta ar Mr Samuel.

Ro'n i'n cyfeirio'n gynharach at y *genes*, a dwi'n hynod

ddiolchgar i fy rhieni am ganfod y fformiwla! Am ryw reswm ro'n i'n llwyddo bron ym mhob camp i berffeithio symudiade'n gymharol ddidrafferth. Pan fyddwn i'n cario sacheidie o flawd llif i Ga' Archie er mwyn marcio'r ca' mas, fe fydde 'na ambell sach ar ôl a bydde'r plant hyna'n eu defnyddio i gyflawni cyfres o symudiade corfforol. Yn naturiol fe fydde'n rhaid i mi ga'l eu copïo – dishgwl yn ofalus ac wedyn bwrw ati, a ro'dd ambell un yn genfigennus o'r crwt ifanc yma, ei lygaid yn chwerthin i gyd ac yn dal mewn trowsus bach yn perffeithio 'fflic-fflac' fel petai e'n barod i gystadlu yn yr Olympics. Yna llwyddo â foli ar y cwrt tennis, ergyd sgwâr ar y ca' criced, cic adlam oddi ar y ddwy droed (ddim ar yr un pryd!), pàs wrthol, perffeithio siswrn, penio pêl, arbed yn y gôl, rhedeg, neidio, taclo'n gadarn – ro'dd y sgilie'n datblygu'n gyflym heb fod angen rhyw lawer o ymarfer.

'Ma' deryn 'di dweud wrtho i fod ti'n ymuno â ni yn y Tech cyn bo hir, a bo' ti'n gallu whare rygbi.' Dyna o'dd geirie Mr Samuel pan es i draw i'r Clwb Ieuenctid am y tro cynta. Ma'n debyg fod un o'r bois hyna wedi dweud rhywbeth wrtho fe. Ac o'r cyfarchiad cynta fe gymerodd e ddiddordeb yn fy natblygiad fel chwaraewr, ac yn bwysicach fyth, efalle, yn fy natblygiad fel person. Ond fe ddes i i wbod yn glou fod Bill Samuel yn cymryd diddordeb ym mhob un o'dd yn mynychu'r clwb – ro'dd 'da fe amser i bawb. O'dd, ro'dd e'n treulio amser yn fy nghwmni i gan fod 'na rywfaint o ddawn, ond ro'dd e'r un mor awyddus i wella sgilie unrhyw un arall a o'dd am wrando ac yn dangos addewid.

'Pa safle ti mo'yn whare?' o'dd ei gwestiwn pigog i mi.

Atebes ar unwaith, 'Centre – yn y canol. Yr un safle â Bleddyn a Cyril Davies.'

'Be ti'n wilia? Safle "dwylo yn dy boced a Brylcreem ar dy wallt" odi honno! A dishgwl, ma' dy ffrind di Darrell Cole ddwywaith dy seis di. Ti'n mynd i whare fel mewnwr – a fe ddechreuwn ni nawr.'

Gwrando a dysgu – a chyfarfod darpar wraig!

Prentis o'n i yng ngwir ystyr y gair, ond prentis o'dd yn fodlon gwrando, a datblygu wna'th y berthynas rhyngddo i a Bill. Ro'n i'n fythol bresennol yn y dosbarthiade yn yr Ysgol Fodern, gan ymuno yn yr holl weithgaredde, ond byddwn yn dishgwl mla'n at ddiwedd y noson pan fydde Bill yn treulio chwarter awr yn canolbwyntio ar rai elfenne o whare ac yn awgrymu hyn a'r llall. A, diolch i'r drefn, yn sgil yr araith ges i gan Dad, fe withes i'n galed a chydwybodol yn y ddwy flynedd gynta yn Ysgol Fodern y Waun, a llawenydd mawr o'dd derbyn y newyddion mod i wedi neud yn ddigon da i symud i'r 'Tech' yn Ponty. Do, fe fanteisies i ar y cyfle a phlesio'r teulu, a ro'dd hynny'n bwysig. Cofiwch, enjoies i bob muned ar y Waun yn yr Ysgol Fodern. Ro'dd 'da fi barch mawr at Mr Wyn Joseph, yr athro Addysg Gorfforol, am rannu'i frwdfrydedd – ces gyfle i whare mewn tîm am y tro cynta, a chystadlu yn erbyn ysgolion Llangatwg a Chlydach.

Rhaid cyfadde hefyd, er ma' crwtyn ifanc o'n i o hyd, ma' yn yr ysgol honno wnes i gymryd ffansi at ferch o'r enw Maureen Edwards. Na, peidiwch â gofidio: er ein bod ni'n rhannu'r un cyfenw, do'n ni ddim yn perthyn i'n gilydd. Ro'dd hi'n dene ar y pryd ond yn ddigon prydferth a smart i fod wedi cerdded lawr y catwalk yng nghwmni Jean

Shrimpton a Twiggy! Ro'dd Maureen a finne yn yr un dosbarth a ro'dd hi'n dwlu ar y campe, ac yn ymddangos byth a beunydd yn y gampfa gan ei bod hi'n dipyn o seren yn nhîm pêl-rwyd yr ysgol a'r sir. Dwi'n cofio'r athrawes Addysg Gorfforol, Megan Williams, yn galw Maureen draw un prynhawn, a dweud yn reit uchel er mwyn i fi glywed, 'Fe yw'r bachan i ti!' Ro'dd Megan yn gaffaeliad i'r ysgol; yn hyfforddwraig pêl-rwyd dalentog, ac yn gwbod pob dim am ddawnsio gwerin. Bu farw'n drychinebus o ifanc rai blynyddoedd yn ôl, a ro'dd y golled yn fawr i Gymru gan ei bod hi erbyn hynny'n ffigwr cenedlaethol.

Yr Ysgol Dechnegol

Ro'dd yr Ysgolion Technegol yn eu bri yn ystod y pumdege a'r chwedege. Ro'dd yr un ym Mhontardawe a'r un arall jyst lawr yr hewl yn Rhydaman yn cynnig cyfleoedd i brentisiaid ddysgu gwahanol greffte. Ro'dd trydanwyr, bricis, plymwyr, plastrwyr a mecanics y dyfodol yn derbyn hyfforddiant, a rhyngddo chi a fi ma'n bechod nad oes ysgolion tebyg y dyddie 'ma. Dymuniad rhai yn dair ar ddeg oed yw meistroli crefft: pam na allan nhw dreulio dau ddiwrnod yn yr ysgol a thridie mewn garej, neu yng nghwmni crefftwr, yn hytrach nag achosi pen tost i athrawon mewn dosbarthiade Ffiseg, Ffrangeg a Hanes?

Ym Mhontardawe, ro'dd 'na ddarpariaeth ar gyfer hyfforddi prentisiaid ond yn ogystal ro'dd 'na griw ohonon ni (rhyw ddeg ar hugen) yn bresennol yn ddyddiol ac yn ca'l ein paratoi ar gyfer ishte Lefel O. Ro'dd Bill Sam yn ymwybodol o bwysigrwydd yr arholiade ond ro'dd e hefyd yn rhag-weld fod 'na gyfle i fowldio unigolyn ar gyfer gyrfa ym myd y campe, a ro'dd e'n benderfynol o lwyddo costied a gostio. Ro'dd e wedi sylweddoli o'r cychwyn cynta fod 'na botensial yno' i – fod 'da fi rywbeth – a dwi'n fythol ddyledus iddo am ddal ati a sicrhau fod yr addewid wedi ca'l cyfle i aeddfedu a blodeuo.

O'dd e'n ddyn o'dd yn llond ei gro'n – yn ŵr golygus, tua pymtheg stôn o ran pwyse, y llais yn un uchel a threiddgar, a fe alle fe wasgu'ch llaw nes peri i chi wingo. Rhaid cyfadde mod i'n teimlo braidd yn ofnus yn ystod yr wythnos gynta 'na (rhywbeth tebyg i un o fatwyr Lloegr yn cerdded yn ara deg mas i'r llain i herio bowlwyr cyflym India'r Gorllewin, Wes Hall a Charlie Griffith!)

Am dair blynedd fe fu'r ddau ohonon ni'n cydweithio, a ro'dd y bartneriaeth yn un glòs, y naill yn ysbrydoli'r llall. Bang ac Olufsen, Tate a Lyle, Moët a Chandon, Rodgers a Hammerstein – meiddiaf ychwanegu ma' Edwards a Samuel o'dd Butch Cassidy a Sundance Kid y gorllewin! Cofiwch, ro'dd 'na gyfnode anodd. Shwd fyddech chi'n teimlo petaech chi'n dripan o chwys ar ôl taflu'r ddisgen ac ymarfer y naid hir ar y caee yn ymyl afon Tawe, ac yn rhedeg fel cath i gythraul i drio dala'r bws 'nôl i'r Waun, a gŵr yn cyfarth y geirie ar ucha'i lais: 'Hei ban! Ble ti'n mynd? Fe gei di lifft 'nôl 'da fi yn y Mini. Lan i'r ca' top, glou. Dwi am i ti redeg whech 220, a phob un ohonyn nhw o fewn saith eiliad ar hugen yr un.'

Dwi'n cofio cyrra'dd 'nôl gartre ambell i nosweth yn llefen, a dweud wrth Mam, 'Smo i'n credu fod Bill Samuel yn lico fi.' Ar adege, ar ôl rhedeg fel rhyw benbwl o fôn y sgrym, gwyro heibio i ddau neu dri a gwibio am gais o dan y pyst, fe fydde'r chwib yn taranu a Bill Samuel yn bloeddio, 'Cic gosb yn erbyn Gareth Edwards; cario'r bêl yn y llaw anghywir.' Bu cyfnode pan o'n i am dwlu'r sbwnj mewn!

Amser cinio, fe fydde 'na gyfarwyddyd i redeg 'lan y steps' o'r ysgol i'r Clwb Golff. Ac i chi sy ddim yn gyfarwydd â daearyddiaeth Cwm Tawe, ro'dd y tyle lan i Allt-y-Grug 'run mor serth â'r Eiger! Ro'dd bron i dri chant o risie, ac ar ôl cyrra'dd 'nôl lawr bydde'n rhaid troi ac ailddringo, gyda'r ymarfer yn ca'l ei amseru a'r athro'n sefyll yno fel un o gewri'r cynfyd yn arolygu pob dim. O bryd i'w gilydd, ro'dd 'na gyfarwyddyd i ddringo'r grisie chwech o weithie. Ac ar ôl whare gêm gorfforol galed, bydde'n rhaid ymarfer ugen pàs i'r dde, ugen i'r chwith, cico â'r droed dde a chico â'r droed chwith. Ma'n amlwg y dylse fe fod wedi graddio mewn seicoleg!

O'dd, ro'dd Bill Samuel yn galed ond byth yn greulon, a heddi wrth edrych 'nôl dwi'n sylweddoli ei fod wedi fy mharatoi, nid yn unig ar gyfer rôl fel mewnwr mewn tîm rygbi ond yn ogystal i wynebu treialon bywyd. Allen i byth â bod wedi breuddwydio bryd hynny y galle un person ddylanwadu cymaint ar fy mywyd.

Cofiwch, ro'n i'r un mor benderfynol. Yn aml, ar ôl te, fe fydden i'n anwybyddu'r 'kick-about' ar yr hewl, ac yn penderfynu rhedeg lan tip hen waith y Maerdy, o'dd o fewn cic Clive Rowlands i'n tŷ ni. Ro'dd pob camp yn bwysig! Ychydig ohonon ni o'dd yn y 'Tech' o ran niferoedd, a phan fydde hi'n Fabolgampe Athlete'r Sir, ro'n i'n gorfod cystadlu bron ym mhob un cystadleuaeth. Ie, arfer yw mam pob meistrolaeth.

Y bêl gron

Treuliai Bill Samuel sawl noson yn cynllunio'n dawel ar gyfer fy nyfodol ym myd y bêl hirgron, ond rhaid i chi'r darllenwyr sylweddoli fod 'na gariad arall ar wahân i rygbi yn fy mywyd, sef pêl-droed.

Yn ystod y cyfnod, ro'dd rhai o'r bechgyn lleol wedi ffurfio tîm Coelbren Rovers (wedi'i enwi ar ôl yr hewl, wrth gwrs), ac yn whare yng Nghynghrair Castell-nedd a'r cyffinie. Fe helpodd Cyngor Gwledig Pontardawe yr achos drwy greu ca' whare i ni ar y Comin ac ar Garreg Filfan o bobman, un o'r manne gwlypa yn Ewrop ac yn dishgwl a theimlo'n debyg i'r Arctig ym mis Ionawr. Do'dd y dŵr byth yn draenio o'r ca', a phetai newyn wedi taro Gwauncaegurwen fe alle'r trigolion lleol fod wedi tyfu reis ar y caee whare. Ac ar ddiwrnod gwlyb a gwyntog, ro'dd angen anorac Berghaus a mitts mynyddwr.

O fewn dim ffurfiwyd tîm dan ddeunaw, a ro'n i wrth fy modd yn cynrychioli'r ysgol mewn rygbi ar fore Sadwrn, ac yna'r clwb pêl-droed yn y prynhawn. A whare teg, ro'dd Bill yn ddigon bodlon, gan ei fod yn teimlo fod un gêm yn gallu bod o fudd i'r llall. Ar un achlysur, pan o'dd dewiswyr y bêl gron a'r bêl hirgron am fy ngwasanaeth ar yr un prynhawn am gêm brawf, awgrymodd y *mentor* fy mod yn dewis whare pêl-droed, gan fod cyfle i gynrychioli tîm rygbi Cymru yn debygol o ddatblygu yn ystod y tymor canlynol.

Un bore Sadwrn, a'th Edw (Adrian Davies) a finne ar fws *double-decker* South Wales Transport o'r Waun i Abertawe er mwyn prynu set o gryse pêl-droed. Fe gyrhaeddon ni Edwards Sports gyferbyn â'r stesion (do'dd 'da ni fel teulu ddim siârs yn y siop) gyda byjet gweddol. Ro'n ni wedi bod yn cnoco dryse yn lleol a gwerthu tocynne raffl a chynnig ffowlyn fel gwobr i'r enillydd. Ro'dd wyth o gryse Manchester United ar ga'l yn y sêl, a hyd y dydd heddi rwy'n cofio'r pris, sef 10s 6d yr un – y dyddie 'ma, ma' nhw'n agosach at drigen punt! Penderfynwyd eu prynu ac ychwanegu dau grys Arsenal (ro'dd y rheiny'n goch hefyd, ac yn berffeth ar gyfer y ddau gefnwr).

Bob hyn a hyn bydde criw ohonon ni'n ymweld â'r Vetch, a fe weles i nifer o gewri'r cyfnod yn creu cyffro yno. Un o'r uchafbwyntie o'dd rhyfeddu at sgilie a meistrolaeth Dennis Law yng nghrys Huddersfield Town, ond rhaid cofio fod tîm y Swans yn dal yn feithrinfa bwysig. Yn 1964, ar ôl eu perfformiade anhygoel yng Nghwpan Lloegr (maeddu Lerpwl yn Anfield, a cholli 2–1 yn erbyn Preston North End yn rownd gyn-derfynol y gystadleuaeth), galwodd Trevor Morris, y rheolwr, un prynhawn yn Coelbren Square a cheisio argyhoeddi fy rhieni a minne y dylwn i ymuno â phrentisiaid y Swans ar gyfer tymor 1964/65. Rhaid dweud fy mod i'n awyddus, ond ro'dd Mam ychydig yn fwy pwyllog. 'Cofia, Gareth, dy addysg di sy'n dod gynta.'

Yfodd Mr Morris alwyni o de, gan addo y bydde fe'n fy nghynnwys i ar gyfer gêm ym mis Awst pan fydde'r tîm cynta yn herio tîm cymysg.

Bill a'i gynllunie

A'th Bill Samuel ddim i'r gwely'n gynnar yn ystod gaeaf, gwanwyn a haf 1964. Ro'dd diddordeb 'da fe mewn ystod eang o gampe, a ro'dd e wedi darllen erthygle di-ri am allu merch ifanc o dre Wells yng Ngwlad yr Haf, Mary Bignall Rand. Ro'dd ei thad yn lanhäwr ffenestri a'i mam yn nyrs, ond enillodd ysgoloriaeth i un o ysgolion bonedd enwoca a druta Prydain – Millfield, ysgol o'dd yn adnabyddus yn academaidd ac yn allgyrsiol.

Derbyniodd Mary wahoddiad oddi wrth y Bwrdd Llywodraethol i dreulio dwy flynedd yn y chweched dosbarth, a datblygodd ei gyrfa ym myd athlete o ganlyniad. Cipiodd fedal arian ym Mabolgampe'r Gymanwlad yng Nghaerdydd yn 1958 a hynny ond wythnose ar ôl gadael Millfield, ac yn 1964 hawliodd yr aur yn y Naid Hir ym Mabolgampe Olympaidd Tokyo drwy dorri record y byd â naid o dros ddwy droedfedd ar hugen. Yn ogystal, da'th Mary Bignall Rand yn ail i Irina Press yn y pentathlon.

Un noson penderfynodd Bill, ar ôl llosgi'r gannwyll yn pwyso a mesur, ma' treulio dwy flynedd yn Millfield o'dd y cam rhesymol nesaf yng ngyrfa'r crwt o Coelbren Square. Erbyn hyn ro'n i'n ymddiried yn llwyr ynddo ac yn barod i ufuddhau i'w ddymuniade. 'Ti 'di clywed am Millfield?' o'dd ei gyfarchiad un bore yng nghoridor y 'Tech' ym Mhontardawe. Fe wnes i ymateb yn bositif ond, a bod yn gwbl onest, do'dd 'da fi ddim clem ble na be o'dd e!

Ar ôl pwyso a mesur am gryn amser, penderfynodd Bill sgrifennu at y prifathro, R. J. O. Meyer, gŵr o'dd yn fawr ei barch ac yn addysgwr o fri ond hefyd yn ymddiddori'n fawr ym mhob agwedd o'r campe. Ro'dd e'n gricedwr dawnus, wedi whare i Brifysgol Caergrawnt a Gwlad yr Haf, ac wedi creu sefydliad addysgol o'dd ar fla'n y gad ym mhob un maes. Ro'dd cyfleustere chwaraeon Millfield yn ca'l eu canmol yn lleol ac yn genedlaethol, a ro'dd hi'n wybyddus i bawb fod arbenigwyr ar ystod eang o gampe'n ca'l eu cyflogi yno er mwyn sicrhau fod enw da Millfield yn mynd ar goedd.

Do'dd Bill ddim yn gyfarwydd ag R. J. O. (Jack) Meyer; do'dd y naill ddim wedi dod ar draws y llall! Yn y llythyr cynta (a fe weles i'r llythyron rai blynyddoedd cyn marwolaeth Bill), canolbwyntiodd y *guru* o Gwm-gors ar bennawd yn y prosbectws – 'Opportunities for talented individuals'. A'th yn ei fla'n i restru'r hyn ro'n i wedi'i gyflawni – y bachgen ifanc o bentre glofaol yng Ngwauncaegurwen, yn bencampwr Cymru yn y Naid Hir (wedi neidio dros un droedfedd ar hugen), yn disgleirio dros y clwydi, wedi whare mewn treialon rygbi a phêl-droed, yn darged i glybie pêl-droed proffesiynol, yn rhagori ym myd gymnasteg – ac yn y bla'n.

Ymhen diwrnode da'th ateb: 'Ma' 'da fi fachgen o Brazil sy'n neidio dwy droedfedd ar hugen; crwt arall o Kenya sy'n gynt na Gareth dros y clwydi, ac unigolyn arall o Canada sy'n taflu'r ddisgen bump troedfedd yn bellach!' Ac yna'r cwestiwn: 'Is there any means of Gareth's family paying the fees?'

Y bore hwnnw yn yr ysgol ro'dd Bill yn teimlo'n reit fflat – cro'n ei din ar ei dalcen, a'i freuddwyd ar chwâl! A'th llythyr arall i Millfield o Gwm-gors: Bill y tro hwn yn datgan ei fod e'n siomedig â chynnwys llythyr y prifathro, gan egluro sefyllfa ariannol y teulu. Diolchodd i'r ysgol am ei chymorth, gan orffen â'r cymal: 'That, then, is the end of the matter.'

Ar droad y post, derbyniodd ail lythyr o Millfield, a'r prifathro'r tro hwn yn ei gyfarch â'r geirie: 'Dear Bill – and no, that is not the end of the matter!' Holai a o'dd 'na bobol gefnog yng ngorllewin Cymru – cwmni adnabyddus, efalle – a allai noddi'r bachgen am y ddwy flynedd? O'dd 'na gymwynaswyr ar ga'l yn rhywle? Beth am ymddiriedolaethe? Ethos Mr Meyer o'dd ceisio ca'l pobol i dalu faint o'n nhw'n gallu.

Fe wna'th Bill ei ore glas. Cysylltodd ag unigolion a sgrifennodd at gwmnïe gan obeithio y bydde rhywun yn gwrando, ond y cwbwl yn ofer. R'yn ni'r Cymry'n genedl benderfynol, a heddi, bron i hanner can mlynedd yn ddiweddarach, dwi'n dal i ryfeddu at styfnigrwydd Bill Samuel – wedi'r cwbl, hon o'dd ysgol ddruta Prydain, a ro'dd plant sêr y sgrîn fawr ac wyrion tywysogion yn ca'l eu gwrthod. Ond yn ddigalon iawn, ma'n rhaid, yr a'th Bill ati i sgrifennu'r llythyr nesa at Meyer – y llythyr ola. 'Sorry, Jack, it seems as if we've failed. Can't raise the cash. Many thanks for your efforts.'

Ond yna, dyma lygedyn o obaith – ro'dd atebiad Meyer yn un calonogol: 'Bring him down for an interview.'

Fe a'th pedwar ohonon ni lawr i Millfield yn Sunbeam Rapier Clive, fy mrawd-yng-nghyfraith. Ro'dd hyd yn oed Bill yn nerfus, a bu'n rhaid teithio rownd Caerloyw gan fod y bont dros afon Hafren heb ei hagor. Fe stopon ni mewn *lay-by* ar yr A37 rhwng Bryste a Wells er mwyn i fi newid fy nillad, a fe wna'th Gloria'n siŵr fy mod i'n dishgwl y part. Ro'dd y daith lan y dreif yn brofiad: Rolls Royce yn tynnu mas o'n bla'n ni a *chauffeur* yn ei ddreifio!

Atebodd bwtler y drws ac esbonio fod dau ohonon ni i ga'l cyfweliad gyda'n gilydd. Y llall o'dd mab bedydd Ian Fleming – Felix, a fe gofiwch chi fod Felix Lighter yn un o *special agents* y CIA mewn sawl un o ffilms James Bond. Fe'n harweiniwyd i'r ardd tu fas gan ei bod hi'n ddiwrnod bendigedig. Ro'dd 'na dishen fawr ar ford gerllaw, a phan ymddangosodd y prifathro gofynnodd i mi dorri darn ohoni i'r tri ohonom. Ro'dd yr olygfa'n drawiadol, y planhigion yn ychwanegu at yr harddwch, yr haul yn disgleirio a'r cyfleustere'n gwbl anhygoel: cwrs *pitch and putt*, ca' criced, a chyrtie tennis fydde wedi creu argraff yn St Andrews, Lord's a Wimbledon. Y diwrnod perffaith.

'What do you think, Gareth?' gofynnodd y prifathro.

Atebais, 'Sir, it's absolutely unbelievable.'

'You must remember, however, that not every day in Millfield is a May Day. When you come here you must work as well,' o'dd y frawddeg fythgofiadwy.

Sefes yn stond – o'n i wedi'i glywed e'n iawn? Ro'dd e'n siarad fel 'sen i wedi ca'l fy nerbyn! Cerddes o gwmpas mewn breuddwyd. Ro'dd Bill wedi bod wrthi'n fy mharatoi ar gyfer cyfweliad caled. Ro'n i'n barod i enwi prifddinas Peru ac yn gwbod beth o'dd ugen y cant o wyth mil, ond ro'dd y cyfweliad drosodd. Shwd o'dd e wedi dod i benderfyniad? Wedi meddwl, efalle drwy sylwi shwd o'n i'n rhannu a dosbarthu'r tishennod, a shwd o'n i'n ymateb wrth sgwrsio. Ro'dd y prifathro yn amlwg yn greadur craff a chyfrwys. Fel wedodd Mam-gu, 'Gwerth dy wybodaeth a phryn synnwyr'!

Dyddie Millfield

Paratoi i adael y Waun

Heddi, ma' modd teithio o Wauncaegurwen i Ysgol Millfield yng Ngwlad yr Haf mewn ychydig dros ddwyawr. Ma'r lle 'jyst lawr yr hewl', fel fydd pobol y Waun yn ei ddweud! Ddeugen mlynedd yn ôl, i fachgen o'dd heb deithio rhyw lawer, ro'n i yn y niwl ynglŷn â'r lleoliad, a chyrra'dd yno yn golygu orie o drafaelu. Ro'dd yr emyn 'Draw, draw yn China a thiroedd Japan' yn ca'l ei ganu'n amal yn y Band of Hope yn festri Carmel, ac ar y pryd ro'n i'n cysylltu Millfield â gwledydd pen pella'r byd.

Fe dda'th y newyddion yn hollol annisgwyl – ryw bythefnos cyn i'r tymor ddechre. Cysylltodd y Cofrestrydd yn uniongyrchol o'r ysgol a dweud ei bod wedi derbyn swm hael o arian gan noddwr dienw o Gymru. (Hyd heddi, does gen i ddim syniad pwy o'dd e neu hi, ac yn naturiol dwi'n fythol ddiolchgar am ei haelioni). Ond gorfod i ni fel teulu hefyd dorri'r gôt yn ôl y brethyn; bu'n rhaid i Mam a Dad werthu'r garafán ym Mhorth-cawl.

Ychydig ddiwrnode cyn gadael y Waun, ro'n i'n dal i deimlo'n winad nad o'dd rheolwr y Swans wedi cysylltu ynglŷn â'r gêm ddechre'r tymor ar y Vetch. Ro'dd yr erthygl yn y papur lleol mor bendant: 'He's signed for the Swans. "The fact that I spoke Welsh clinched it" . . . ' o'dd geirie Trevor Morris yn y *South Wales Evening Post*. Ac yna, dros baned o de a thishen lap ganol y bore, fe bwyntiodd Mam at amlen ar y *mantelpiece* wedi'i chyfeirio at Gareth Edwards, a'r geirie Swansea Town Football Club ar y top. Ro'dd Mam yn fwriadol wedi cwato'r llythyr er mwyn i mi fynd i Millfield. 'Sori, Gareth. Ro'n i am i ti ga'l addysg!'

A bod yn onest, do'n i ddim yn flin. Cysylltes â Trevor ar unwaith, a'r noson honno dyfynnwyd y rheolwr yn y *Post*: 'Rugby's gain is football's loss.' A dyna o'dd diwedd y bennod honno.

Ffarwelio â'r cwm diwydiannol

Dau ddisgybl yn Millfield ar y pryd o'dd dau frawd o Gastell-nedd, Nigel a Stephen Hamer. Ro'dd eu mam, Glenys, yn enedigol o Frynaman Isa, a ro'dd Mam yn gyfarwydd â'i gŵr, Jack Hamer – wedi gwitho 'da'i gilydd mewn ffatri arfe yn y Rhigos adeg y rhyfel. Galwodd Glenys yn Coelbren Square a chynnig awgrymiade a fu'n gymorth mawr i ni fel teulu. Ro'dd 'na gryn ddishgwl mla'n, ond bu'r ffarwelio'n anodd – yn enwedig â Maureen, o'dd erbyn hyn yn wejen swyddogol.

A'th y sgwrs ola un yng nghaffe Cresci's rywbeth fel hyn:

'Wel, dwi bant fory.'

'Ma'n debyg.'

'Wyt ti'n fodlon styried sgrifennu?'

''Falle.'

'Wyt ti'n fodlon trafaelu draw i Millfield bob hyn a hyn?'

'Ma'n dibynnu. Falle fydda i'n gwitho ar benwythnose.'

'Wyt ti'n fy ngharu i?'

'Tamed bach.'

O edrych 'nôl, ro'dd y cyfan yn ymdebygu i dudalen mas o un o nofele Barbara Cartland neu lyfr Mills & Boon, ond ro'dd hi'n amlwg fod cymaint gyda'r ddau ohonon ni'n gyffredin: ro'n ni'n dau yn rhannu'r un diddordebe, yn hanu o'r un pentre ac yn hapus yng nghwmni'n gilydd. Yn bersonol, ro'n i'n ffyddiog y bydde'r garwriaeth yn parhau ac y bydde'r ddau ohonon ni, yn hwyr neu'n hwyrach, yn priodi ac yn setlo lawr – a ro'n i'n iawn!

Manteisio ar gyfle

Ddeufis ar ôl imi adael Millfield, ym mis Medi 1966, yr agorwyd Pont Hafren. Ma' 'da fi atgof clir o'r darn ola'n ca'l ei osod yn ei le, a phobol De Cymru yn y misoedd ola'n llawn cyffro ynglŷn â phresenoldeb y Frenhines i gyflawni'r seremoni o'i hagor a dadorchuddio'r llechen. Yn hytrach na llywio'r cerbyd o'r Waun i Lundain am chwech awr ar hyd yr A40 – drwy Aberhonddu, Trefynwy, Coedwig y Fenna, Caerloyw, Witney, Rhydychen, High Wycombe a Beaconsfield – bydde modd gwibio tuag yno dros y bont newydd hynod mewn hanner yr amser. Ddwy flynedd ynghynt bu'n rhaid i Sunbeam Rapier fy mrawd-yng-nghyfraith groesi ar y fferi o Beachley i Aust cyn gyrru i gyfeiriad Bryste ac ar draws y Mendips i Millfield.

Derbynies wahoddiad gan Sid Hill, yr athro Addysg Gorfforol a'r gŵr o'dd yn gyfrifol am ddatblygiad rygbi yn Millfield, i fynychu cwrs wythnos cyn i'r tymor ddechre'n swyddogol. Bu'r profiad yn un gwerth chweil i un o'dd yn hynod swil ynglŷn â'r antur ac yn gofidio rhywfaint am yr ochr gymdeithasol. Diflannodd yr ansicrwydd o fewn diwrnode. Ro'dd 'na Gymro arall yn y garfan, y maswr Vaughan Williams o dre'r Barri, ond hefyd o fewn dim o beth fe sylweddoles fy mod yn gysurus a chyffyrddus ymhlith disgyblion er'ill o bedwar ban byd. Ro'dd hon yn ysgol ryngwladol lle ro'dd cenhedloedd y byd yn cymysgu'n braf, a ro'n i yn fy elfen! Beth o'dd yn gyfrifol am hyn? Heb unrhyw amheuaeth, ro'dd y fagwraeth ges i yng Ngwauncaegurwen mewn cymdeithas lofaol lle ro'dd pawb yn bwysig a phawb yn cyfri yn ffactor, a dwi'n fythol ddyledus i'r teulu, y gymuned a'r ysgolion am gyflwyno holl werthoedd bywyd yn ystod dyddie plentyndod.

Ro'dd Millfield i fab colier o'r Waun o'dd newydd ddathlu ei ben blwydd yn ddwy ar bymtheg oed yn fyd arall. Yn aml, wrth droi a throsi yn fy ngwely yn Millfield House, bydde'r cwestiyne'n pentyrru. A fydde fy mherfformiade fel athletwr a chwaraewr rygbi yn plesio'r prifathro a'r athrawon? Beth o'dd gofynion ac anghenion yr ysgol? O'n nhw am i Gareth Owen Edwards o'r Waun gyflawni gwyrthie ar y maes whare? A fydde Bill Samuel yn ca'l ei siomi?

Dwi'n cofio dihuno un noson yn chwys diferu ond eto'n gwbl dawel fy meddwl, fel petai pob un o'r cwestiyne wedi'u hateb. Os o'n i'n ddigon da i blesio unigolion o'dd yn uchel eu parch yng Nghymru, gan gynnwys Ron Pickering o'dd yn hyfforddwr i'r eicon Lynn Davies, yna bydde ysgol breswyl o'dd yn datblygu'n un o'r sefydliade pwysica o'i bath yn Lloegr yn ymfalchïo fy mod yn ddisgybl ynddi. Ac wedi dod i'r casgliad hwnnw, ro'n i'n gwbl hyderus y bydde'r ddwy flynedd yng Ngwlad yr Haf yn rhan allweddol bwysig o broses gorfforol a meddyliol fydde'n dyngedfennol yn fy ngyrfa. Yn blwmp ac yn blaen, ro'dd Millfield am elwa o fy mhresenoldeb i, ac erbyn hyn ro'n inne'n benderfynol o fanteisio ar eu haddysg nhw.

Arglwydd Gwauncaegurwen

Diflannodd yr ansicrwydd a'r nerfusrwydd yn llwyr o fewn

rhai wythnose. A bod yn onest, mewn byr amser ro'n i 'run mor ffit a 'run mor eger â'r gweddill. Rwy'n cofio imi fynd i mewn i'r stafell molchi un diwrnod, a gweld fod 'na un bath newydd ei lenwi. Mewn chwincad, ro'n i wedi stripo yn y fan a'r lle oherwydd, fel disgybl chweched dosbarth, ro'dd 'da fi hawl swyddogol i'w feddiannu. Ag un tro'd i mi ishws yn y dŵr, ymddangosodd crwt o'dd yn dal i wisgo trowsus byr. Edrychodd yn haerllug arnaf gan floeddio'r geirie bygythiol, 'I say! That's *my* bath, if you don't mind.'

'And who are you?' gofynnais.

'I am the Earl of Offaly.' (Dyna i chi frawddeg a ddylse fod wedi creu ofn a braw!)

'Well, I'm sorry, son – I'm the Lord of Gwauncaegurwen. You can have it in forty five minutes!'

Rygbi yn yr ysgol fonedd

Vaughan Williams a finne o'dd haneri Millfield ar gyfer gêm gynta'r tymor yn erbyn tîm ieuenctid Bridgewater, ac o'r dechre'n deg bu'r bartneriaeth yn un broffidiol. Ro'dd y prifathro, Jack Meyer, am sicrhau fod Millfield yn rhan annatod o'r rhanbarth ac yn adlewyrchu pob haenen o gymdeithas, felly ro'n ni'n cystadlu'n gyson yn erbyn tîme lleol yn ogystal â nifer fawr o ysgolion gramadeg yn Lloegr a Chymru, yn wahanol iawn i nifer fawr o ysgolion bonedd er'ill o'dd ond yn herio'i gilydd. Awgrymodd Sid Hill a Herbie Davies yn yr wythnos baratoadol ma' mewnwr y llynedd fydde'r ffefryn i wisgo'r crys rhif 9, ond argyhoeddwyd y ddau o fewn diwrnode ma'r crwt o'r Waun o'dd yn haeddu'r anrhydedd!

Rygbi o'dd y gêm yn ystod y tymor cynta, tra bydde cyfle i whare hoci, pêl-droed a rygbi saith-bob-ochr yn ystod tymor y gwanwyn. Uchafbwynt y tymor cynta i mi o'dd trafaelu i Lanelli i wynebu'r Ysgol Ramadeg – ysgol a fu'n gaffaeliad i'r gêm ledled Prydain yn ystod teyrnasiad Terry Price, y brodyr Denman, Brian Llewellyn, Brian a Stuart Davies, a Gwyn a Huw Williams. Dyma'r ysgol a gipiodd gwpane a thariane ymhob cystadleuaeth saith-bob-ochr am ddegawd a mwy. Penderfynwyd whare'r ornest yn erbyn Millfield ar nos Sadwrn ar y Strade. Ro'dd chwe mil yn bresennol, dipyn mwy o dorf na fu'n cefnogi'r Sgarlets yn ystod y prynhawn! Yng ngharfan Llanelli ro'dd Barry Llewelyn, y prop a fu'n rhan yn ddiweddarach o dymor Camp Lawn 1971, a'r prop a dynnodd ei ddyn yn berffaith a chynnig y cyfle i mi blymio am y cornel am y cais yn erbyn De Affrica yng Nghaerdydd yn 1970. Ro'dd y gêm yn Llanelli'n glasur, yn hysbyseb ardderchog i rygbi ysgolion, a Millfield yn fuddugol 5–3.

Ddechre Ebrill, da'th buddugoliaeth arall ar y Strade pan lwyddon ni i ennill Cystadleuaeth Saith-bob-ochr Ysgolion Llanelli – un o brif gystadlaethe'r cyfnod. Ro'dd mawrion y byd rygbi'n cystadlu. Eto trwch blewyn o'dd yn gwahanu'r ddau dîm, ac eiliade bythgofiadwy o'n nhw i mi wrth glywed y chwib ola a ninne wedi maeddu Ysgol Ramadeg Dyffryn Aman – ysgol o fewn pedair milltir i'r Waun. Ro'n i'n gyfarwydd â nifer fawr o'r bechgyn, fel Dai Manora o Lanaman a'u capten Hywel Evans o'r Garnant. Cofiwch, dwi ddim am fod yn sentimental fan hyn – Millfield o'dd yn haeddu ennill. Ro'dd y tîm yn un cyflawn, a Varney Dennis, yr asgellwr o Liberia, yn rhyfeddol o gyflym ar yr asgell (rhedodd ei frawd yn y Mabolgampau Olympaidd). Ro'dd y prifathro wrth ei fodd, oherwydd ei neges glir i'r holl adranne chwaraeon o fewn yr ysgol o'dd hon: 'Dodwch Millfield ar y map!'

Yn ystod y tridie yma yn Llanelli y da'th Phil Bennett i sylw'r byd rygbi. Ro'dd e'n gwisgo crys glas gole a glas tywyll ysgol Coleshill yn y gystadleuaeth i fechgyn dan 15 oed. Un bach o'dd e bryd hynny ond fe lwyddodd i greu hafoc yn yr heulwen, a hypnoteiddio canno'dd o'dd yn llygad-dyst i gydbwysedd artistig, cyflymdra aruthrol a donie ochrgamu rhyfeddol o'dd ar adege'n wyrthiol. Bu'n brofiad rhannu llwyfan ag e rai blynyddoedd yn ddiweddarach.

Llundain, Norwich, Harrogate, Manceinion, Birmingham, Castell-nedd – ro'dd y tymor cynta 'na yn Millfield yn ymdebygu i fywyd chwaraewr pêl-droed proffesiynol. O bosib, un o'r uchafbwyntie o'dd ymweliad â gwlad y gwin coch a'r garlleg – Ffrainc. Chwaraees i bedair gwaith i gyd ar ga' hanesyddol Stade Colombes ym Mharis, a phob un o'r gorneste'n rhai cofiadwy: ennill fy nghap cynta i Gymru yn bedair ar bymtheg oed yn 1967; croesi am gais mewn gêm gyfartal yn 1969; ennill y Gamp Lawn yno yn 1971 yn erbyn XV dawnus Christian Carrère, a'r gêm chwaraees i yng nghrys coch, gwyrdd a glas Ysgol Millfield.

Tîm Ieuenctid Racing Club de France o'dd ein gwrthwynebwyr, a ro'dd hi'n frwydr galed, gorfforol a brwnt ar adege. Bu'n rhaid i Jimmy Vaughan, un o'n blaenwyr o'dd yn hanu o wlad Colombia, adael yn gynnar gan i'r diawled dorri'i fraich yn fwriadol mewn sgarmes. Y ni a'th â hi o ddeg pwynt ar hugen, ac er i mi ymhen blynyddoedd groesi am ddau gais i Gymru ar y maes, y sgôr sy'n dal i aros yn y cof yw'r gic gosb y llwyddes i'w chico o hanner ffordd dros Ysgol Millfield.

Gair o gyngor

Rhyw fis i mewn i'r tymor, ddes i ar draws y prifathro un prynhawn tu fas i Millfield House lle ro'n i a naw ar hugen er'ill o ddisgyblion yn ymgartrefu. Do'dd y sgwrs ddim yn un hir, ond dwi'n dal i gofio'r geirie ac yn sylweddoli'u harwyddocâd:

'Gareth! Shwd wyt ti'n setlo lawr?'

'Wrth fy modd, syr.'

'Dwi'n clywed fod dy gyfraniad yn aruthrol. Deall dy fod yn dipyn o arwr.'

Meddylies am eiliad cyn mentro ateb ac achubodd 'Boss' y bla'n arnaf:

'Gobeithio bo ti ddim yn anwybyddu'r disgyblion er'ill am eu bod nhw'n blant i filionêrs, a gobeithio 'dyn nhwthe ddim yn edrych lawr arnat ti sy'n fab i goliar.'

Peswch wnes i. Methu'n lân â cha'l gafael ar eirie perthnasol. Ro'dd e wedi hen ddiflannu a minne'n dal i sefyll yn yr unfan. O'dd, ro'dd rygbi'n rhan bwysig o mywyd i ond erbyn hyn ro'n i'n ymwybodol hefyd o bethe er'ill. Ro'dd parchu cyd-ddyn, datblygu personoliaeth a magu agwedde iach yn rhan hollbwysig o ethos yr ysgol. Fe wna'th y sgwrs fer les mawr i mi.

JCB

Ro'dd mawrion Lloegr yn gyd-ddisgyblion. Richard Caring yw perchen presennol Wentworth, yn bartner i'r gŵr busnes hynod lwyddiannus, Syr Philip Green. Ma' Michael King yn gyn-chwaraewr yn y Cwpan Ryder, a Mark Bamford yn fab i berchennog y cwmni byd-enwog JCB – ma'r cownsil siŵr o fod yn defnyddio un o'u peirianne melyn, anifeilaidd yr olwg, tu fas i'ch cartref chi ar hyn o bryd, yn cloddio ac yn anharddu'r hewl!

Yn ystod y flwyddyn gynta, y fi o'dd yn gyfrifol am lendid y gerddi a'r adeilade. Ro'dd hawl 'da fi i orchymyn i aelod o staff a phob un disgybl gydio mewn darn papur neu eitem o sbwriel a'u gosod yn drefnus mewn bin priodol. Wrth oruchwylio'r campws yn nosweithiol, ro'n i'n sylwi pwy o'dd yn mynychu *detention* – wel, dyna ichi'r gair o'dd yn ca'l ei ddefnyddio yn y 'Tech' yn Ponty, ond *defaulters* o'n nhw yn Millfield! – a ro'dd Mark Bamford yn bresennol o leia deirgwaith yr wythnos. 'Drygionus ond annwyl' o'dd y datganiad cyson ar ei adroddiad. 'What would you like to do when you grow up?' o'dd cwestiwn un athro mewn seminar un prynhawn. Heb feddwl ddwywaith, atebodd Mark, ' I'd like to work for the council.' Dwi'n siŵr y galle teulu Mark fod wedi prynu sawl cownsil cyfan yn Lloegr. Bydde ei fam a'i dad wedi ca'l ffit petaen nhw'n gwbod am ddymuniad eu mab – gwario miloedd ar ei addysg, a fynte am labro ar yr hewl!

O'dd, ro'dd llu o blant y cyfoethogion yn ddisgyblion yn Millfield. Ac yn ddiweddar, ma' John Cleese a Piers Brosnan i'w gweld yn gyson yn bloeddio ac yn diawlio ar yr ystlys tra'n cefnogi'u meibion a'r tîm. Ro'dd y profiad yn agoriad llygad i fab coliar o'r Waun ac yn dawel fach ro'n i wrth fy modd. Dwi'n cofio derbyn gwahoddiad i dreulio penwythnos yng nghartre'r Prif Fachgen, Mike Wynhand, a hynny mewn plasty yn Esher y tu fas i Lunden. Ro'dd yr ystafell wely'n fwy na Coelbren Square! A phan ofynnodd y gŵr o'dd yn gweini shwd o'n i moyn y *steak tartare*, bu'n rhaid derbyn rhywfaint o eglurhad cyn ateb! A'r un cof arall sy 'da fi o'r penwythnos hwnnw o'dd y dillad gwely – sheets *silk* o'dd mor llithrig nes mod i i mewn un ochr a mas yr ochor arall!

Cynrychioli'r gelyn!

Ma' 'da fi gyfaddefiad! Tra o'n i'n ddisgybl yn Millfield fe gynrychioles i Loegr. Do, fe wisges i fest wen a rhosyn coch arni mewn cystadleuaeth athlete ryngwladol mas yn ninas Belfast. Gadewch i mi egluro.

Un o sêr tîm criced Lloegr yn y chwedege o'dd batiwr agoriadol Swydd Caerhirfryn, Bob Barber. Fe gynrychiolodd ei wlad wyth ar hugen o weithie ar gyfartaledd o 35.59, a'r uchafbwynt o'dd hawlio 185 yn erbyn Awstralia ar Ga' Criced urddasol Sydney yn 1966. Tra o'dd e'n ddisgybl yn Ysgol Rhuthun yn y pumdege, bu'r cricedwr amryddawn yn gapten ar Ysgolion Uwchradd Cymru – Sais yn arwain ei dîm a chap coch ar ei ben! Yn yr un modd, dewiswyd Syr Clive Woodward yn ganolwr ar gyfer cyfres o gême prawf dros Ysgolion Uwchradd Cymru yn y saithdege yn ystod ei gyfnod yn HMS Conway ar Ynys Môn. Yn y diwedd, ga's Clive ddim ei ddewis, a ma' fe'n dal i gredu 'i fod e wedi ca'l cam: yn ei lyfr swmpus (bron mor drwchus â *War and Peace*), ma' fe'n cyhuddo'r dewiswyr o hiliaeth! Fe a'th Clive, o'dd yn Sais rhonc, yn ei fla'n i ennill ugen cap i Loegr a whare dau brawf i'r Llewod ar eu taith i Dde Affrica yn 1980. Yna, ychydig yn ddiweddarach, bu'r gohebydd rygbi a'r sylwebydd craff Stuart Barnes yn aelod blaenllaw o dîm dan 19 Cymru tra odd e'n ddisgybl yn Bassaleg; fe a'th ynte'n ei fla'n i whare i Loegr yn ystod yr wythdege.

A dyna geisio egluro shwd dda'th G. O. Edwards i gynrychioli Lloegr! Dwi'n cytuno; ma'r peth yn anghredadwy. Y troeon y buodd Huw Bach a finne'n cynnal gorneste cico ar yr hewl, a'r wlad i ddiodde bob un tro o'dd Lloegr. Yn ystod fy ngyrfa ryngwladol, y gelyn penna o'dd y wlad yr ochr draw i Glawdd Offa. Pam hynny, tybed? Glyndŵr, Llywelyn, Statud Rhuddlan 1284, Deddf Uno 1536, Brad y Llyfrau Gleision, y 'Welsh Not', terfysg Tonypandy 1911 a Thryweryn yn cyfuno, mae'n debyg, i greu drwgdeimlad rhyfeddol adeg gême rhyngwladol. Ro'dd y cyfle'n dod bob hyn a hyn i dalu'r pwyth yn ôl, a'r gwŷr yn y cryse gwynion o'dd yn 'i cha'l hi.

Tra o'n i'n ddisgybl yn Millfield, ma'n rhaid y crëwyd rhywfaint o ddeilema. Am ryw reswm (a dwi'n dal ddim yn gwbod pam), caniatawyd i mi gynrychioli Cymru ar y meysydd rygbi. Efalle ma'r ddau Gymro ar y staff wna'th osod y llythyron o wahoddiad o swyddfa dewiswyr Lloegr ar y *mantelpiece*, fel gwna'th Mam!

Ond ro'dd hi'n amhosib osgoi'r treialon athlete. Tra o'n i'n ddisgybl ym Mhontardawe, ro'n i'n ystyried fy hun yn athletwr o'dd yn whare rygbi. Pan dda'th hi'n amser i ganolbwyntio ar y gamp yn Millfield, rhaid i mi gyfadde fy mod i rywfaint yn orhyderus: i'w roi yn blwmp ac yn blaen, ro'n i'n teimlo'n ddigon galluog i drechu goreuon Lloegr fel athletwr. Ond o fewn dim fe'm taflwyd oddi ar fy echel.

Y nod o'dd ennill Pencampwriaeth Ysgolion Lloegr – a dwy fil o ysgolion yn cystadlu. Ma' hon yn dipyn o gystadleuaeth hyd heddi: ro'dd Pencampwriaeth 2007 yn ca'l ei noddi gan Sainsbury's ac yn ca'l ei darlledu'n fyw ar deledu lloeren Sky.

Fe ddechreuodd pethe'n addawol – canolbwyntio ar y clwydi uchel dros 120 llath ac ennill treialon Gwlad yr Haf heb fawr o drafferth mewn 15.1 eiliad. Ro'dd Pencampwriaethe Ysgolion Lloegr yn Watford, a dwi'n cofio fod yr holl drefniade bron mor effeithiol â'r Gême Olympaidd – pob dim yn mynd yn ei fla'n fel wats. Ro'n i'n rhedeg yn y ras gynta un, ac 16.1 eiliad yn ddiweddarach ro'dd y freuddwyd ar chwâl – y perfformiad yn siomedig a'r amser yn un anobeithiol. Ro'dd y Cymro yn oifad (nofio, i chi!) mewn pwllyn anferthol.

Ymhen blwyddyn penderfynes ganolbwyntio ar y clwydi is dros ddau gan llath, a chyrra'dd Blackburn ar gyfer y pencampwriaethe yn feddyliol barod ar gyfer yr her. Record Lloegr yn y gystadleuaeth o'dd 23.1 eiliad, a chrëwyd rhywfaint o gyffro pan chwalwyd yr amser yn y rhagras gynta – y dawnus Graham Gower yn fuddugol o hewl gydag amser gwych o 22.5 eiliad. Cynyddu wna'th y disgwyliade ar ôl i mi ennill yr ail ragras mewn 22.4 eiliad – hyd yn oed yn well nag amser Gower. Llwyddodd y ddau ohonon ni i goncro'r nerfe a brasgamu drwy'r rowndie cyn-derfynol. Gower ddechreuodd ore yn y ffeinal ond brwydres i hyd eitha fy ngallu. Ro'dd y dorf ar flaene'i thraed yn cymeradwyo, y ddau ohonom yn trosglwyddo'r holl egni i'r ymdrech o ennill, yr adrenalin yn llifo, a Gower a finne'n llawn rhedeg ac yn llawn hyder. Ro'dd y dorf yn dal i weiddi ac yn cymell; y Sais yn benderfynol wrth glirio'r clwydi, a finne'n ceisio sicrhau bod fy mhen a rhan ucha'r corff yn llonydd wrth i fi godi a disgyn. Â decllath yn weddill, ro'dd hi'n dishgwl yn debyg ma' Gower fydde'n mynd â hi, ond do'n i ddim yn bwriadu ildio a llwyddes yn ystod y modfeddi tyngedfennol i dynnu'r owns ola mas, gwthio'r frest i gyfeiriad y llinyn ac ennill o drwch fest. Ro'dd hi'n agos; y ddau ohonom yn cofnodi'r un amser – 22.1 eiliad – ond cytunodd y swyddogion ma' fi o'dd yn fuddugol. Meddyliwch – Cymro yn bencampwr ym mhencampwriaeth

Lloegr, ac un Sais rhonc wrth ei fodd, sef prifathro Millfield, Jack Meyer! Dyma'r tro ola iddyn nhw redeg y pellter hwn yn y gystadleuaeth, gyda llaw – ma'r record yn dal yn ysgrifenedig ym mlwyddlyfr athlete ysgolion Lloegr.

Y rhosyn coch

Rhyw bythefnos yn ddiweddarach teithies i i ddinas Belfast, gan fod yr holl enillwyr yn cynrychioli'u gwledydd ym Mhencampwriaethe Athlete Prydain. Yn naturiol ro'dd 'na falchder ond rhywfaint o embaras hefyd. Nid fest ysgol Millfield fydde'r wisg y tro hwn ond *kit* ysgolion Lloegr, y fest wen a'r rhosyn coch!

Dwi'n cofio'r datganiad dros yr uchelseinydd funude'n unig ar ôl i'r cystadlu ddod i ben yn Blackburn, er mwyn trafod y trefniade teithio i Ogledd Iwerddon: 'A wnaiff yr holl enillwyr fynychu cyfarfod yn stafell y trefnydd cyn gynted â phosib?'

'Pwy sy'n teithio o'r de i ddal y trên yn Crewe?' o'dd cwestiwn un o'r swyddogion pan gyrhaeddon ni stafell y trefnydd. Bu'n rhaid i mi godi fy llaw yn uchel i'r awyr.

'O ble?'

'O Abertawe, syr,' meddwn, gan syllu ar y swyddog o'dd wedi'i synnu â'r fath ateb. Bu'n rhaid iddo glirio'i lwnc cyn parhau:

'A, wel – Crewe felly.'

Ro'dd nifer fawr o athletwyr y dyfodol yn nhîm Lloegr. Ro'n i'n ishte'r drws nesa i Rosemary Stirling ar y bad o Heysham i Belfast, a ro'dd Alan Pascoe a John Davies yn rhan o'r garfan. Rhaid cyfadde fod 'na foddhad o fod wedi llwyddo i gyrra'dd llwyfan o'r fath – balchder personol ond hefyd, yn bwysicach fyth, y balchder ar ran er'ill o'dd wedi buddsoddi yn fy natblygiad. Ro'dd geirie Bill Sam yn ca'l eu gwireddu.

Ac yno i nghyfarch i ar y trac ro'dd cynrychiolaeth gref o'r teulu, yn ogystal â nifer o ffrindie – un yn wibiwr o fri a'r llall yn gawr a daflai'r pwyse. Graham Gower enillodd y ras y tro hwn ond dwi'n cofio dau beth am yr ymweliad. Yn gynta, yno y gweles i Loegr yn ennill rownd gyn-derfynol Cwpan y Byd (pêl-droed, felly) yn erbyn Portiwgal – Bobby Charlton yn sgorio ddwy waith i Loegr, ac Eusebio yn rhwydo o'r smotyn i'r gwrthwynebwyr. Meddyliwch – Cymro â fest Lloegr yn ei fag yn lled-obeithio y bydde Portiwgal yn fuddugol! Ac yn ail, cofio geirie J. J. Williams ac Alan Martin, dda'th â gwên i'r wyneb adeg y cystadlu. 'Y blydi bradwr!' o'dd eu cyfarchiad imi. Atebes inne'r cyfarchiad â chwestiwn: 'O's modd ca'l lifft 'nôl o Crewe i Dde Cymru?' Ac ar derfyn y cystadlu ffarwelies â'r criw o Loegr, a dychwelyd i'r Waun yng nghwmni'r Cymry.

Y metatarsal

Mewn gyrfa a bontiodd ddegawde, ma'n rhyfedd na ches i anafiade difrifol. Ond ro'n i wedi clywed am y metatarsal ymhell cyn i David Beckham anfarwoli'r asgwrn, a hynny o ganlyniad i anaf wrth whare pêl-droed i Millfield lawr yn Dartmouth yn ystod yr ail dymor. Damshelodd un o'r gwrthwynebwyr ar yr asgwrn, ond whare mla'n 'nes i ar ôl derbyn triniaeth (sbwnj a gair o gysur), sgorio gôl a chyrra'dd y bws ar gyfer y siwrne 'nôl wedi anghofio pob dim am y digwyddiad. Ddwyawr yn ddiweddarach, pan godes i o sedd y bws Bedford, ro'n i'n ca'l gwaith cerdded, ac oni bai am gymorth beic o'dd yn digwydd pwyso ar ffens ar waelod y lôn a arweiniai i'r ysgol, fe fydden i'n dal yno yn yr unfan!

Fore trannoeth a'th Mrs Meyer â fi i'r ysbyty yn Taunton a chafwyd cadarnhad fod yr asgwrn wedi'i dorri. Bu'r dro'd mewn plaster am ryw dair wythnos a fe ddylsen i fod wedi gwrando ar gyngor er'ill ac ishte 'nôl am fis neu ddau arall i roi cyfle i bob dim wella'n naturiol. Ond ro'n i'n ddwy ar bymtheg oed ac am fanteisio ar bob cyfle i whare, a phan dda'th llythyr i gadarnhau mod i'n gapten ar Ysgolion Uwchradd Cymru a fydde'n wynebu'r Ieuenctid ym Mhen-y-bont, yna ro'dd rhaid derbyn, costied a gostio. Braint yw cynrychioli gwlad ar y llwyfan rhyngwladol, ond gwireddu breuddwyd yw derbyn yr anrhydedd o arwain tîm i'r ca' a cheisio dylanwadu ar gwrs a chyfeiriad gêm.

Ro'n i'n brynwr cyson o'r comic *Tiger* yn siop bapure Handel ar y Waun, ac yn wythnosol yn troi'n syth i hynt a helynt Melchester Rovers; campe *Roy of the Rovers* fydde'n llywio'r freuddwyd liw nos. Cadarnhau wna'th y llythyr mod i'n rhannu llwyfan â'r cymeriad cartŵn chwedlonol! Do, fe chwaraees i – a dysgu gwers.

Er mwyn cyrra'dd Penybont y noson honno, cytunodd ail reng yr ysgol, Rod Speed, fynd â fi i stesion Temple Meads ym Mryste er mwyn dala trên a deithiai o dan afon Hafren i'r gorllewin. Ro'dd y daith ar draws y Mendips ar gefn Vespa yn un frawychus – fy mywyd yn y fantol bron iawn. Hanner ffordd drwy'r gêm, bu'n rhaid troi'n gyflym a theimles yr asgwrn yn datgymalu. Arhoses ar y ca' – do'dd dim hawl eilyddio yn ystod y cyfnod – a bu'n rhaid hercan o sgrym i lein. O edrych 'nôl, dwi'n sylweddoli pa mor dwp o'n i, ond parhau i whare 'nes i gan feddwl y bydde'r anaf yn gwella. Yn y bôn, do'n i ddim am adael neb lawr.

Chwaraees i mewn cystadlaethe saith-bob-ochr ddiwedd tymor gan wrthod cyfadde fod 'na wendid. Bu'n rhaid derbyn pigiade *cortisone* i leddfu'r boen, a rhaid cyfadde fy mod yn becso'n feddyliol. Fe gynrychioles i'r tîm cenedlaethol a rhedeg dros yr ysgol yn ystod yr haf, ond parhawn i ofidio nad o'dd y goes yn gwella. Y cwestiwn o'dd yn fy mhoeni o'dd hwn: 'O'n i'n debygol bellach o wireddu'r potensial?'

Treulies yr haf 'nôl ar y Waun gan obeithio y bydde bwyd Mam, ac ambell wâc dros y Mynydd Du i gyfeiriad Llangadog yng nghwmni Maureen, yn arwain at wellhad llwyr. Nid felly. Ro'dd y broblem yn un hirdymor, ac ychydig ar ôl dychwelyd i Millfield y cyfaddefes i hynny. Ro'dd tad un o ferched Millfield yn llawfeddyg orthopaedig ym Mryste, a threfnodd Jack Meyer a'i wraig fy mod yn mynychu ysbyty breifat yn y ddinas ar fyrder. Ces ar ddeall y bydde'n rhaid neud *bone graft* o'r tibia i'r pigwrn (ma'r creithie'n dal yn amlwg), ac ro'dd staff yr ysbyty'n ffyddiog y bydde'r driniaeth yn un lwyddiannus. Cyflawnwyd y driniaeth yn ystod tymor hydref 1965, a da'th Mrs Meyer yn ei char i gasglu'r claf o'r ysbyty.

'Shwd alla i ddiolch i chi?' o'dd fy nghwestiwn iddi, a ninne heb adael maes parcio'r ysbyty.

'Does dim ishe diolch. Ma' pawb yn yr ysgol mor falch fod y driniaeth wedi llwyddo,' o'dd ei geirie caredig.

'Oes *rhywbeth* alla i neud yn ystod y ddau dymor nesa fuase'n plesio'r Prifathro?' gofynnais wedyn.

Ystyriodd y cwestiwn yn ddwys ac yna atebodd yn reit bendant, 'Enillwch Gystadleuaeth Saith-bob-ochr Roehampton.'

Bloeddiais inne, 'We'll win it for Boss!'

Ro'dd hi'n wraig ddiymhongar, mor hapus fod y disgybl ar fin gwella'n llwyr. Ac ro'n i, wrth gwrs, yn hynod, hynod ddiolchgar, ac yn sylweddoli y bydde modd dychwelyd i faes y gad a chreu cynnwrf ym Millfield ac yng Nghymru.

Ma' 'na ddiweddglo reit emosiynol i'r sgwrs, ac ar ôl cyfnod hir o flynyddoedd ma'n bryd i mi gyfadde. Yn ystod Cystadleuaeth Saith-bob-ochr Roehampton ro'n i fod i whare fel mewnwr i Ysgolion Cymru, ond gwrthodes y gwahoddiad a chadw addewid. *A* fe enillon ni – a 'Boss' wrth ei fodd!

Croesi'r fferi am y tro ola

Da'th hi'n amser croesi'r fferi o Awst i Beachley am y tro ola, a'r disgybl ar fin gadael Ysgol Millfield â lwmp yn ei wddf. Ro'dd y ddwy flynedd wedi bod yn rhai cofiadwy, a fe allech ddweud fod y bachgen wedi tyfu'n ddyn.

Ma' plant a phobol ifanc yn ca'l eu dylanwadu a'u mowldio gan gymdeithas. Ar y Waun y gosodwyd y sylfeini yn fy hanes i, a'm rhieni a'r teulu a sicrhaodd fod gwerthoedd bywyd wedi'u plannu'n ddwfn ynof. Ond ro'dd Mam a Dad yn fodlon cydnabod cyfraniad pwysig Ysgol Millfield, nid yn unig o ran y twf academaidd a'r datblygiad cynyddol mewn ystod eang o gampe, ond hefyd yn y ffordd yr aethpwyd ati i geisio creu person cyflawn drwy ganolbwyntio ar werthoedd megis magu cymeriad, agwedd a phersonoliaeth. Yn sicr, ro'n i'n unigolyn dipyn mwy hyderus pan dda'th y cyfnod i ben. Ro'n i wedi elwa o arbenigedd yr ysgol, ond ar yr un pryd yn rhyw led-dybio fod yr ysgol hithe wedi ca'l gwerth ei harian wrth ddenu crwt o bentre glofaol yng ngorllewin Cymru.

Yn ôl i Gymru

Bill Samuel 'to!

Ma'n ofynnol i'r rheiny sy'n cyrra'dd y brig mewn unrhyw faes wrando ar ambell fentor ac ymddiried yn llwyr yn y cyngor a gynigir ganddo. Fe wnes i hynny o'r funed y des i ar draws Bill Samuel, oherwydd iddo weithredu er fy lles i. Do'dd 'na ddim agenda arall yn bodoli – ro'dd e'n ddigon craff, yn ddigon sylwgar i sylweddoli fod 'na addewid a bod 'na sbarc, a fe benderfynodd symud môr a mynydd i danio'r gwreichion.

Cofiwch, bob hyn a hyn rhaid i unigolyn anwybyddu gorchmynion a chyngor a dilyn ei gwys ei hun. Yn ddiddorol, darllenes unwaith am Syr Edmund Hillary, y cynta erio'd i gyrra'dd copa Everest yn 1953 yng nghwmni Tensing Norgay. Ro'dd rhieni Hillary yn ddylanwad mawr ar ei yrfa ac yn mynnu'i fod yn dilyn cwrs ym Mhrifysgol Auckland. Fe ufuddhaodd e am dri mis, ac yna, yn gwbl groes i'w dymuniade, penderfynodd ddatblygu gyrfa fel dringwr ac arloeswr. Yn sgil ei benderfyniad, derbyniodd ddoethuriaethe o chwech o brifysgolion enwoca'r byd! Hillary, felly, i'w ganmol am neud beth o'dd *e* am ei neud.

Ond yn bersonol ro'n i'n ddigon bodlon gwrando ac ufuddhau i holl gynllunie Bill, gan fy mod yn benderfynol o redeg mas ar Barc yr Arfau a dilyn trywydd tri arall o Wauncaegurwen, sef Will 'Sgili' Davies (sgoriodd gais yn erbyn De Affrica ar faes Sain Helen yn 1931); Claude Davey (y canolwr a groesodd am gais ac arwain Cymru i fuddugoliaeth hanesyddol yn erbyn Crysau Duon Jack Manchester yng Nghaerdydd yn 1935), a'r blaenwr Emrys Evans (a gafodd dri chap ddiwedd y tridege – un fel prop a'r ddau arall yn y rheng ôl). Ac, yn Twickenham yn 1937, fe chwaraeodd Claude ac Emrys gyda'i gilydd; meddyliwch – dau o'r Waun yn yr un tîm cenedlaethol!

Ar ddiwedd fy nhymor cynta yn Millfield, sgrifennodd Bill at Glwb Rygbi Abertawe gan obeithio y bydde'r 'All Whites' yn dangos diddordeb ynof ac yn ymateb yn bositif. Medde fe, yn ei lythyr nodweddiadol:

'Ma' 'da fi grotyn ifanc ar y Waun sy ar hyn o bryd yn ddisgybl yn Millfield. Ma' fe'n mynd i whare i Gymru! Oes diddordeb 'da chi? Efalle gallech chi gynnig gêm iddo fe dros dymor y Nadolig yn erbyn y Prifysgolion neu'r Watsonians?'

Ro'dd yr ateb yn fyr a chwta. 'Amhosib. Ma' 'da ni fewnwr ifanc o bentre Creunant, Euryn Lewis, sy'n llawn addewid.'

Do'dd Bill, yn naturiol, ddim yn hapus â'r eglurhad ond ro'dd e'n gwbod yn nêt shwd o'dd gorchfygu rhwystre. O fewn diwrnode, ro'dd e wedi sgrifennu at Glwb Rygbi Caerdydd. Ro'dd 'na gysylltiad rhyngddynt – ro'dd Bill wedi whare ambell gêm fel cefnwr i'r tîm ddechre'r pumdege, ac yn aml yn canmol proffesiynoldeb y clwb a'r math o rygbi o'n nhw'n geisio'i whare.

'Gareth, dwi wedi ailfeddwl – y clwb i ti yw Caerdydd.'

Sgrifennodd ar fyrder i Gadeirydd y Dewiswyr, Colin Howe, a hynny ar bapur glas gydag inc du. Ro'dd yr ymateb yn bositif, a chwaraees i mewn gêm brawf ar Erddi Soffia ddiwedd Awst a phlesio'r dewiswyr.

Ro'dd Bill bob amser yn cynnig cyngor perthnasol, a

dwi'n dal i gofio'r drafodaeth ar yr ystlys cyn i fi gamu ar y ca' ar gyfer ail hanner y prawf:

'Gareth. Dwi am i ti ddangos iddyn nhw dy fod ti'n gallu paso, cico, rhedeg a rheoli gêm. Ma'r dewiswyr 'ma'n mynd i watshan pob un symudiad, pob un cam, a ma' plesio mewn gêm brawf yn golygu cryn dipyn. *Paid* â'i gor-neud hi; pàs dda i'r maswr ac yna bylchu ond *un* waith.'

'Pryd?'

'Dwed ti wrtho i.'

'Wel, chi wastod yn pwysleisio fod y *wing forwards* â thuedd i gysgu pan fydd 'na sgrym yng nghanol ca'.'

'Ti'n llygad dy le. Cyfle i ti bigo'r bêl lan, a rhedeg fel milgi o drap i gyfeiriad eu maswr nhw; ffug bàs i'w dwyllo fe, a mewn wincad rwyt ti'n wynebu'r cefnwr. Fe fydd 'na ddigonedd o le 'da ti i ochrgamu heibio i hwnnw a sbrinto at y pyst.'

Fe fydde rhai wedi ame doethineb y fath gyngor, ond gan fod y berthynas yn un glòs ro'n i'n argyhoeddedig y bydde'r cynllun yn gweithio, a fe wna'th! Ro'dd y gwrthwynebwyr wedi rhewi yn yr unfan a finne'n perffeithio'r symudiad heb fawr o drafferth. Ro'dd Stan Bowes, un o gymeriade carismataidd y clwb, ac un o'dd yn 'Blue and Black' o'i gorun i'w sawdl, yn ei elfen. 'He promises to be the best West Walian ever!' o'dd ei sylw.

Bleddyn a Jack

Yn ystod gwylie'r Pasg 1966, a finne'n dal yn ddisgybl yn Ysgol Millfield, daethai gwahoddiad i whare dwy gêm i Lanelli. Gwrthod wnes i, ond ma'n debyg i'r clwb gyhoeddi'r tîm yn y rhaglen a chynnwys fy enw i fel mewnwr ar gyfer gorneste yn erbyn Northampton a

67

Gwyddelod Llundain. Ro'dd rhywun mewn awdurdod lawr ar y Strade wedi darllen yr holl gyhoeddusrwydd yn dilyn y twrnameintie saith-bob-ochr yn Llanelli a Rosslyn Park, ac wedi gwneud penderfyniad. 'Well i ni ga'l gafael ar yr Edwards yma o'r Waun cyn i neb arall ei fachu e!' Eglures ar y ffôn ei bod hi'n amhosib i mi dderbyn gan fod 'na anaf yn fy mhoeni ond, a bod yn gwbl onest, ro'dd y profiad o whare yn y prawf yng Nghaerdydd yn golygu ma' yno fydden i'n whare yn y dyfodol.

Ddiwrnode'n ddiweddarach cyhoeddodd Caerdydd y tîm ar gyfer herio'r Harlequins a ches i fy newis, ond unwaith eto bu'n rhaid ymddiheuro'n gwrtais. Ro'dd Ysgolion Uwchradd Cymru wedi fy newis fel canolwr (Selwyn Williams, mewnwr Llanelli yn ddiweddarach, wisgai'r crys rhif 9) ar gyfer y gêm yn erbyn Ffrainc ar Barc yr Arfau. Do'dd dim sôn am 'newid hinsawdd' y dyddie hynny ac ro'dd enghreifftie o eira a rhew hyd yn oed ym mis Ebrill; y tro hwn gohiriwyd y gêm gan fod y maes dan flanced o eira. Dwi'n cofio siarad â Bleddyn Williams a Dr Jack Matthews ychydig cyn y digwyddiad, gan ofyn iddyn nhw am rywfaint o gyngor ynglŷn â whare yng nghanol ca'. Ro'dd y ddau wedi ffurfio partneriaeth effeithiol i Gaerdydd, Cymru a'r Llewod ychydig ar ôl yr Ail Ryfel Byd. 'Joia!' o'dd y gair a dda'th o ene'r ddau, a ma'r cyngor 'run mor briodol heddi. Y chwaraewyr sy â gwên ar eu hwynebe ac yn mwynhau'r gêm yw'r rhai sy'n debygol o lwyddo. Wedi meddwl, mae hynny'n wir mewn sawl maes arall hefyd.

Coleg Addysg Caerdydd

Pam parhau cyfnod astudio, a mynd i Goleg Addysg Caerdydd? Wel, ro'dd y coleg o fewn tafliad carreg i Barc yr

Arfau, ac ro'dd 'na hygrededd i'r sefydliad gan fod yno arbenigedd mewn ystod eang o gampe, campe o'dd o ddiddordeb i fi'n bersonol – rygbi, pêl-droed, gymnasteg, athlete a thennis. A bod yn onest, yr unig gamp o'n i'n ei chasáu o'dd nofio. Do'dd dim gobaith fy ngweld yn yr Empire Pool yn ymarfer ben bore yng nghwmni Martyn Woodroffe, neu'n ceisio efelychu techneg Brian Phelps drwy blymio o'r bwrdd ucha!

Ond ro'dd 'na reswm arall. Yn ystod y flwyddyn ola yn Millfield ro'dd 'da fi weledigaeth. Ro'n i'n gwbod ma' rygbi fydde'n mynd â'm bryd, ac ro'n i'n benderfynol o wireddu breuddwyd o'dd wedi gyrru a symbylu cynifer o Gymry llwyddiannus y gorffennol mewn campe gwahanol – pobol o galibr Haydn Tanner, Bleddyn Williams, John Charles, Ivor Allchurch, Michael Davies, Allan Watkins, Peter Walker a Lynn Davies, i enwi dim ond rhai. Mewn gair, ro'dd 'na ysfa i berfformio ar y lefel ucha un.

Do'n i ddim wedi meddwl am goleg na chwrs tan i Nick Williams, ffrind mynwesol yn Millfield sy'n dal yn gyfaill agos, fy mherswadio i ddilyn cwrs yn y brifddinas. Ro'dd e wedi neud ei feddwl lan yn gynnar – Coleg Addysg Caerdydd amdani er mwyn dychwelyd i Gymru a dilyn gyrfa fel athro. Penderfynes dderbyn ei gyngor a ches fy nerbyn ar gyfer tymor 1966/67 i goleg o'dd yn rhannu safleoedd ar y pryd yn ardal Mynydd Bychan o'r ddinas (hen wersyll y fyddin), â Chyncoed, ardal y crachach.

Y crys rhif 9

Trefnwyd ail brawf Clwb Rygbi Caerdydd ar gyfer 1966/67 ar Barc yr Arfau, a rhaid cofio fod y darn tir ar lan afon Taf yn wahanol iawn i'r campws presennol. Ro'dd gême tîme rygbi Caerdydd a Chymru a'r rasys milgwn wythnosol yn ca'l eu cynnal ar y ca' rhyngwladol – neu 'Parc y Cardiff Arms' fel ma'r darlledydd a'r sylwebydd John Evans yn mynnu galw'r lle, am fod 'na dafarn o'r enw The Cardiff Arms yn ymyl y safle yn y bedwaredd ganrif ar bymtheg.

Ro'dd 'na hefyd ga' criced ysblennydd y drws nesa i Barc yr Arfau, lle chwaraeodd nifer fawr o gewri'r gamp – George Headley â 129 i India'r Gorllewin yn 1933; Maurice Turnbull (mewnwr Cymru pan enillon nhw am y tro cynta yn Twickenham yn 1933) yn hawlio 205 yn erbyn Swydd Nottingham yn 1932, a'r dawnus Gary Sobers a chwaraeodd yno yn 1957 ac 1963. Chwaraewyd 241 o gême criced dosbarth cynta ar y ca', a'r ola un yn erbyn Gwlad yr Haf yn dod i ben ar yr 16eg o Awst, 1966, gyda'r ymwelwyr yn fuddugol o 71 o rediade a'r dewin Alan Jones o'dd y chwaraewr diwetha i sgorio hanner cant ar y ca'.

Rhyw dridie'n ddiweddarach, fe gyrhaeddes i'r tu fas i'r stafelloedd newid tu ôl i'r hen North Stand. Ro'dd y gêm brawf yn bwysig, ond yn bwysicach fyth o'dd y cyfle i wireddu breuddwyd, sef whare ar Barc yr Arfau am y tro cynta.

Keith Rowlands o'dd y capten, ac er mod i wedi creu marc flwyddyn yn gynharach mewn gêm brawf ar Erddi Soffia, rhaid cyfadde mod i braidd yn nerfus a rhywfaint yn ansicr. Ro'dd 'na chwaraewyr yn cyrra'dd ar gyfer y prawf yn eu MG Midgets a'u Austin Healeys ac yn enwe cyfarwydd – ro'dd D. Ken Jones, Howard Norris, Elwyn Williams a Dai Hayward yn arwyr cenedlaethol. Bu'n rhaid i finne gyrra'dd ar yr N&C Express o Gastell-nedd!

Un o chwaraewyr brwd yr Athletig o'dd Stan Thomas (Syr Stan Thomas erbyn hyn), a bu'n rhaid iddo ildio'i grys o fewn eiliade. 'Stan, give that number nine jersey to Gareth,' medde llais awdurdodol y capten, 'you can have it for the final trial on Saturday.' Fe dynnodd Stan ei grys bant ac, a bod yn onest, dyna'r diwetha welodd e o'r dilledyn – a'r rhif! Ro'dd Stan ('Stan Thomas the pies') yn ŵr busnes llwyddiannus, a bu'r profiad yn gyfle iddo ganolbwyntio mwy ar ei fusnes a llai ar y rygbi! Fe dda'th y ddau ohonom yn ffrindie mynwesol, a ma' diweddglo reit emosiynol i'r digwyddiad uchod. Ar ei ben blwydd yn hanner cant oed fe gyflwynes i grys rhif 9 Cymru i Stan – crys gêm 'yr hanner canfed cap', sef y crys a dderbynies i yn Twickenham yn 1978. 'Dyma'r crys rhif 9 yn ei ôl,' o'dd fy ngeirie, a ma'r dilledyn yn hongian yn ei gartre mewn cês gwydr – a does neb yn debygol o ga'l gafael arno!

Whare i Gaerdydd

Ro'dd mewnwyr mor niferus â chyrens mewn pwdin Nadolig yng Ngholeg Addysg Caerdydd. Ma'r rhestr yn un anrhydeddus – Selwyn Williams, Martin Davies, Lindsay Lewis, Elis Wyn Williams, Wyn Jones, Clive Shell a finne'n brwydro am yr un safle. Ro'dd y coleg yn whare ar brynhawne Mercher ac ar ddydd Sadwrn. Ro'dd y safon yn uchel a'r ddau hyfforddwr, Leighton Davies a Roy Bish, yn fawr eu parch. Yn naturiol, ro'dd y clybie dosbarth cynta'n awyddus i ga'l gwasanaeth nifer fawr o'r myfyrwyr, ond y coleg o'dd â'r hawl gynta arnom.

Does dim byd tebyg i whare, ac ro'dd y cyfnod yn y coleg yn gyfle i aeddfedu a datblygu fel chwaraewr. Ro'dd e hefyd yn gyfle i fentro a neud camgymeriade ac, a bod yn onest, ro'dd yr hyfforddwyr yn ddigon doeth i'n gwahodd i ymosod o'n pump ar hugen gan ein bod yn fois ifanc o'dd yn ffitach o lawer na'r gwrthwynebwyr. Yn ei lyfr ardderchog, ma' Michael Jordan yn cyfeirio at bwysigrwydd ymosod a mentro a rhoi cant y cant i'r ymdrech – ma'r frawddeg hon o'i gyfrol yn un sy'n werth ei hailadrodd, ac yn un y dylsai hyfforddwyr cyfoes nodi'n ofalus: 'I can accept failure. Everyone fails at something. But I can't accept not trying.'

Gan fy mod wedi creu argraff yn y treialon, ro'dd dewiswyr Clwb Rygbi Caerdydd am i mi eu cynrychioli'n achlysurol. Gan fod un o ddarlithwyr y coleg – Roy Bish – yn hyfforddi'r 'Blue and Blacks', do'dd fawr o broblem. Llansawel (Briton Ferry) o'dd y gwrthwynebwyr yn fy ngêm gynta i Glwb Rygbi Athletig Caerdydd. Ro'dd y fuddug-oliaeth o 30 i 5 yn un gyfforddus a finne'n hawlio tri chais. Cyn tynnu anadl ro'n i'n croesi Pont Hafren i Fryste, ac yn whare mewn gornest glòs a chystadleuol yn erbyn ail dîm Bryste. Beth sy'n dal yn fyw yn y cof yw'r siwrne, a'r golygfeydd bythgofiadwy o aber yr Hafren yn hypnoteiddio unigolyn o'dd wedi hen arfer croesi ar y fferi o Beachley i Aust.

Cyn diwedd mis Medi fe benderfynodd y dewiswyr fy nghynnwys yn y tîm cynta ar gyfer ymweliad Coventry, ac eiliad i'w thrysori o'dd camu ar Barc yr Arfau i gynrychioli un o glybie enwoca'r holl fyd, clwb a lwyddodd i ysbrydoli nifer o hoelion wyth y gêm – Gwyn Nicholls, Haydn Tanner, Cliff Jones, Bleddyn Williams, Jack Matthews, Sid Judd, Cliff Morgan, Rex Willis a chant a mil o wŷr dawnus er'ill.

Lwc!

Ma' angen rhywfaint o lwc ar bob chwaraewr. Meddyliwch am Ian Woosnam mas yn Augusta yn 1991 – y Cymro ergyd ar y bla'n ac un twll yn weddill. Yng ngwres y frwydr, clirio'r *bunker* wna'th y Cymro, a glanio mewn man diarffordd. Ro'dd e mewn picil – do'dd e ddim yn gallu gweld y fflag, o'dd yn golygu fod yr ergyd nesa'n un anodd; sylweddolodd ar unwaith fod y cyfle wedi'i wastraffu. Ond eiliade'n ddiweddarach ro'dd Tom Watson yn y tywod. Lwc? Ffawd? Y duwie'n gwenu arno, o bosib?

Lwc felly ddigwyddodd o fewn diwrnode i mi ddechre yn y coleg. Ces fy newis fel mewnwr yn erbyn Cross Keys ar Barc Pandy, yn bartner i'r maswr profiadol, Derek Jones o Aberafan. Ro'dd athroniaeth y tîm o dan ofalaeth Leighton Davies yn amlwg – ymosod ac ymosod yw'r amddiffyn gore. Rhai canno'dd o'dd yn bresennol y noson honno yn hytrach na'r miloedd o'dd yn tyrru i Barc yr Arfau. Ro'dd yna gyfle i arbrofi, cyfle i fentro, a Leighton Davies a Roy Bish, yr hyfforddwyr, yn canmol agwedd o'r fath ac yn ein cymell i ymosod o bobman. Do'dd 'na ddim pregeth petai'r symudiad yn arwain at gais i'r gwrthwynebwyr.

Ro'dd Glyn Morgan, aelod o Undeb Rygbi Cymru ac un o'r *Big Five* (y criw dethol a ddewisai'r tîm cenedlaethol), yn bresennol yn yr eisteddle. Do'dd 'na ddim llyfr nodiade yn ei feddiant gan ei fod yno i gefnogi'i fab Geraint o'dd yn fachwr i dîm y coleg. Ar y bws ar y ffordd 'nôl i Gyncoed, ces wbod fod y dewiswr wedi'i blesio'n fawr â pherfformiad y tîm, yn enwedig y mewnwr! Ro'dd hynny'n ysgogiad amlwg i fachgen ifanc o'dd â'i fryd ar gynrychioli'r tîm cenedlaethol.

Naid y polyn

Dwi'n bendant o'r farn ma' rygbi wna'th fy newis i, yn hytrach na mod i wedi dewis rygbi. Droeon yn y gorffennol fe fu tipyn o ansicrwydd yn chwyrlïo yn yr isymwybod ai rygbi ynte pêl-droed ddylse ga'l y flaenoriaeth; yn ogystal, o bryd i'w gilydd – yn sgil llwyddiant Lynn Davies yn Tokyo yn 1964 – ro'dd 'na awydd i ganolbwyntio'n llwyr ar athlete. Fe gyfarfyddes i â Lynn am y tro cynta yng Nghaerdydd yn 1964 – y neidiwr, yn naturiol, o'dd enillydd tlws blynyddol y BBC am gyfraniad i'r campe, a finne'n hawlio tlws 'Athletwr Ifanc y Flwyddyn' yr un noson. A phan gyrhaeddes Goleg Addysg Caerdydd ganol Medi 1966, ro'dd Lynn yn un o'r darlithwyr yn yr Adran Addysg Gorfforol ac yn gyfrifol am ddysgu nofio i'r flwyddyn gynta. Do'dd dim gobeth caneri 'da fe i wella ar fy nhechneg i yn y pwll, ma' hynny'n sicr!

Treulies orie'n ymarfer ar y trac 'da fe a'i fentor carismataidd, Ron Pickering, o'dd yn ymweld yn gyson â champws Mynydd Bychan. Ro'dd yr hyfforddwr hwnnw'n gawr yn gorfforol, a'i ffordd o siarad yn rhoi hyder aruthrol i'w ddisgyblion – ro'dd Ron yn gyfathrebwr arbennig a lwyddai i drosglwyddo'i neges mewn dull syml a chlir. Dyma'r unigolyn o'dd wedi dylanwadu cymaint ar lwyddiant Lynn, a ro'dd bod yno yn y cnawd yn gwrando ar ei gyfarwyddiade yn hwb mawr i fachgen ifanc o'dd yn gwrando'n astud ar bob un gair.

Wrth gwrs, ro'dd Bill Samuel wedi canolbwyntio llawer yn ystod y dyddie cynnar ar sgilie'r athletwr gan eu bod yn berthnasol i chwaraewyr rygbi. Droeon dwi'n ei gofio'n pregethu fod 'na un gamp a fydde'n berffaith ar fy nghyfer – cyfeirio o'dd e byth a beunydd at naid y polyn, gan fod y gamp honno'n gofyn am gyfuniad o gyflymdra, cryfder a hyblygrwydd *gymnast*. Felly, yn ystod y sesiyne gyda Ron Pickering, ceisies berswadio rhywfaint arno i dreulio awr

74

neu ddwy yn cyflwyno technege perthnasol y gamp honno imi, gan fy mod yn unigolyn fydde'n fodlon symud môr a mynydd i'w perffeithio. Rhyw wythnos yn ddiweddarach cyflwynodd Ron lyfr i mi – *The Skills of Pole Vaulting*!

Ro'dd hi'n amlwg felly ma' pêl, ac nid polyn, fydde'n llywio gweddill fy ngyrfa ym myd y campe!

Rhaid cropian cyn cerdded

Traed ar y ddaear

O safbwynt personol, ro'dd pethe'n datblygu'n gyflym yn ystod y misoedd cynta yn y coleg. Wrth droi a throsi yn y gwely liw nos yn ceisio dadansoddi'r hyn o'dd yn digwydd, byddwn yn aml yn meddwl mod i wedi ennill y *pools* a *Spot the Ball* ar yr un diwrnod! Bendithiwyd Cinderella am noson gyfan, a ro'n i'n gwbod yn nêt shwd o'dd hi'n teimlo pan darodd y cloc ddeuddeg o'r gloch! Ro'dd y papure dyddiol yn llawn adroddiade o'r chwaraewr ifanc dawnus o'dd yn cipio'r penawde, a finne'n cilio i gornel y 'Common Room' yng Nghyncoed mewn embaras. 'Seren ar fin ymddangos' o'dd un pennawd yn yr *Echo*. Ond ro'dd fy nhraed i ar y ddaear – hyd yn hyn, do'n i ddim wedi cyflawni fawr ddim ar y lefel ucha.

Trefnwyd gêm brawf ychwanegol gan Undeb Rygbi Cymru ganol Tachwedd 1966, gan fod Awstralia a'i haneri ysbrydoledig Phil Hawthorne a Ken Catchpole yn herio'r cryse cochion yng Nghaerdydd ar y 3ydd o Ragfyr. Ges i haint pan gyhoeddwyd y tîme ar gyfer y prawf ym Maesteg – ro'n i wedi nghynnwys yn nhîm y cochion yn bartner i Dai Watkins, y dewin o faswr o Gasnewydd. Da'th tyrfa dda i'r hen blwyf ar gyfer y gêm, ond fe amharodd y tywydd ar lif y whare: ro'dd y gwynt yn dwyllodrus, y glaw yn ddiddiwedd, a'r ca' fel petai e wedi'i blastro â thunelli o *Marmite*! Un gic gosb o'dd yn y gêm – Ray Cheney, cefnwr y gwynion, yn llwyddo o ddeg llath ar hugen – a finne'n gadael y ca' braidd yn benisel. Ond dwi'n dal i gofio geirie canmoladwy Cliff Morgan yn y *The News of the World* fore tranno'th: 'He might not play for Wales against Australia but he's going to be around for a long time.'

O'dd Cliff wedi colli'i farbls?! O'dd y gŵr a ddisgleiriodd yng nghryse Caerdydd, Bective Rangers (yn Iwerddon), Cymru, y Barbariaid a'r Llewod, heb sôn am fod yn un o'dd yn fawr ei barch fel darlledydd a gohebydd, yn deall y gêm? Fore Llun derbynies gadarnhad o'i wybodaeth a'i graffter, oherwydd ro'dd J. B. G. Thomas yn y *Western Mail* (Beibl rygbi y genedl Gymreig) yr un mor ganmoladwy. Dewiswyd Barry John ac Allan Lewis yn haneri ar gyfer y gêm yn erbyn Awstralia, ond ro'n i wedi ca'l blas o whare 'da cewri'r cyfnod ar y lefel ucha un, ac yn benderfynol o brofi fy mod yn haeddu'r holl sylw.

Aros am y cyfle

Ro'dd dewiswyr Cymru mewn rhywfaint o bicil – rhai yn teimlo fod 'na gyfnod newydd ar fin gwawrio ac am fentro a buddsoddi mewn criw ifanc o chwaraewyr, er'ill am aros ychydig ac ymddiried yn y rheiny o'dd dipyn mwy profiadol, gan gynnwys Alun Pask, Haydn Morgan, Dewi Bebb, Allan Lewis, Norman Gale a Brian Price – chwaraewyr o'dd yn fawr eu parch ac wedi cyfrannu i lwyddianne Cymru yn ystod y chwedege. Ro'dd ambell un ohonyn nhw'n cyfadde ma'r tymor hwn fydde'r ola iddyn nhw yng nghrys coch y tîm cenedlaethol.

Cyfuniad o'r ifanc a'r profiadol a ddewiswyd i wynebu'r Wallabies. Ro'dd 'na bedwar cap newydd – Gerald Davies, Barry John, Delme Thomas a Ken Braddock – ond mewn gêm agored a chyffrous, Awstralia enillodd yr ornest 14–11 a hynny am y tro cynta erio'd yn y gyfres rhwng y ddwy wlad. Tîm Ken Catchpole 'chwaraeodd y ffwtbol', gan lawn haeddu'u buddugoliaeth; beirniadwyd y Cymry'n gyhoeddus yn y wasg am eu diffyg menter. Ro'dd Catchpole yn ddewin, yn fychan o gorff (pum troedfedd a hanner a phrin yn ddeg stôn) ond yn rhyfeddol o gyflym. Pàs fer o'dd ganddo ond wedi'i chyflawni mewn chwincad – do'dd 'na fawr o symudiad sha 'nôl, o'dd yn golygu fod 'na gryfder aruthrol yn ei arddyrne, a'i faswr Phil Hawthorne yn gorfod rhedeg fel mellten er mwyn dal y bêl.

Yn dilyn yr ornest ro'n i mewn stâd o *angst*! A bod yn onest, dwi ddim yn gwbod shwd ma' dweud hyn heb swnio'n fawreddog. Meddyliwch am Kevin Peterson neu Ricky Ponting yn batio ar y lefel ucha – ma'r ddau am i'w tîm lwyddo a sgorio rhediade ond eto i gyd yn ysu am ga'l gyrra'dd y llain er mwyn profi'u gallu. Felly ro'n i yn ystod y gêm yn erbyn Awstralia: ishe i'r tîm lwyddo ond am i'r mewnwr dangyflawni. Yn y bôn do'n i ddim yn wahanol i unrhyw un arall! Ma' sawl balerina ifanc wedi llechu yn y cysgodion yn rhyw led-obeithio fod y *prima ballerina* ddim yn teimlo'n rhy hwylus, er mwyn iddi hi ga'l y cyfle i ddisgleirio.

Bod yn broffesiynol

Ro'dd 1996 yn flwyddyn arwyddocaol ym myd rygbi – y flwyddyn pan a'th y gêm yn broffesiynol. Ond ddeng mlynedd ar hugen ynghynt, ro'dd 'na broffesiynoldeb o fath yn perthyn i fy mywyd personol i. Na, do'n i ddim yn derbyn ceiniog goch am ymarfer a whare, ond eto i gyd ro'dd y gêm yn hawlio sylw o doriad gwawr hyd fachlud haul. Os nad o'n i'n ymarfer 'da Caerdydd, ro'n i'n whare 'da'r coleg; os nad o'n i'n whare i Gaerdydd, ro'n i'n ymarfer 'da'r coleg.

Yn ystod y cyfnod hwnnw ro'dd 'na o leia un tîm yng Nghymru o'dd yn gwbl amatur yn ariannol ond yn hynod broffesiynol ym mhob agwedd arall, a'r tîm hwnnw o'dd Caerdydd. Do'dd 'na ddim amlenni brown yn ca'l eu cyflwyno i unrhyw aelod o'r garfan gan fod pob dim yn gwbl agored. Ro'n ni'n aros yn y gwestai gore, yn teithio mewn bysys moethus, yn ca'l ein dilladu'n drwsiadus ac yn derbyn yr holl wybodaeth ynglŷn ag ymarfer a theithio mewn da bryd.

Ro'dd nifer fawr o chwaraewyr a alle fod wedi disgleirio i dîme er'ill dosbarth cynta yng Nghymru yn driw i Gaerdydd. Ro'n nhw'n hapusach o lawer yn whare i ail dîm y brifddinas – yr Athletig – gan fod yr awyrgylch, y cymdeithasu a'r paratoade'n eu plesio. Os ma' swllt a chwech o'dd pris sengl bws o Gyncoed i ganol Caerdydd, yna swllt a chwech fydden ni'n dderbyn – dim mwy a dim llai. Ro'dd y drefn ariannol rywbeth tebyg i'r hyn brofodd H. C. Catcheside (sgoriodd e chwe chais yn ei bedair gêm gynta i Loegr) 'nôl yn y dauddege cynnar. Gofynnodd yr asgellwr i'r Trysorydd yn Twickenham am dreulie o £3 ar ôl teithio o Newcastle i orsaf Euston yn Llundain. Fe ffoniodd y Trysorydd y stesion er mwyn cadarnhau'r gost a darganfod ma' £2 19s 11d (£2.99 yn ein harian presennol) o'dd y pris. Cyflwynwyd y cyfanswm o £2 19s 11d iddo ar ddiwrnod y gêm. Pan deithiodd Catchside i Lundain ar gyfer y gêm nesaf fe gwblhaodd e'r ffurflen dreulie fel hyn:

Tocyn ail ddosbarth o Newcastle i Euston	£2 19s 11d
Defnydd o'r tŷ bach yn Euston	1d
Cyfanswm	£3 0s 0d

Do'dd dim angen neud dim byd felly yng Nghaerdydd – ro'dd pob un chwaraewr yn hapus â'r drefn a fodolai.

Talu'r pris

Dwi ddim y bachan mwya trefnus yng Nghymru. Slawer dydd, ro'dd 'na bregeth gyson gan Mam yn Coelbren Square am drefen a glendid, a fel'na ma' hi ym Mhorth-cawl heddi a finne'n drigen oed! Ma' Maureen yn gyson yn bloeddio: 'Gareth! A phwy sy'n mynd i gymoni'r annibendod yn dy stafell waith di? *Ti* sy'n gyfrifol, ac os nad wyt ti'n gwbod, ma'r *hoover* yn yr ystafell dan stâr a ma' clwtyn dan y sinc!'

A fel'na ro'dd hi pan benderfynodd criw ohonon ni dreulio blwyddyn yn 12 Westminster Drive, Cyncoed, 'nôl yn 1968/69. Ro'dd chwech ohonon ni'n byw 'da'n gilydd – Dai Davies (golwr Everton, y Swans, Wrecsam a Chymru'n ddiweddarach), Nick Williams, Gwynfor Williams, Spike o Aberteifi a Russ Perkins. Fe ddechreuodd pethe'n addawol – Dai a finne'n gyfrifol am ddod ag ambell sached o lo o'r Waun a Glanaman, Nick yn carto cig o gyffinie Ceinewydd lle ro'dd ei dad yn fwtsiwr, a Maureen, ar ambell benwythnos, yn llenwi'r gegin â digon o fara i borthi holl fyfyrwyr y coleg.

Ar Barc yr Arfau, y clwb o'dd yn gyfrifol am olchi'r 'kit', ond y fi o'dd yn gorfod golchi cryse, shorts, *jockstraps* a sane rygbi'r coleg. Rhaid cyfadde mod i'n anhrefnus ac yn creu tipyn o ddrwgdeimlad yn 12 Westminster Drive, gan fod 'na lacs a baw i'w gweld yn gyson o gwmpas y peiriant golchi a'r sinc, a'r pâr sgitshe G.T. Law yn drewi'r stafell wely – do'n i ddim y gore am eu glanhau a bydde gwynt y mwd gludiog yn treiddio drwy'r tŷ. Ro'dd y sgitshe'n golygu cymaint i mi – ro'n nhw'n ysgafn, yn ffito fel maneg, y lleder yn sgleinio (pan fydden nhw'n lân), ac yn rhoi rhyw hyder i mi bob tro fydden i'n eu gwisgo. Do'n i ddim yn unigolyn ofergoelus, ond allen i byth â meddwl am gamu ar ga' rygbi heb wisgo creadigaethe cwmni G.T. Law o Wimbledon!

Ta beth, fe gyrhaeddes i 'nôl un noson a synhwyro ar unwaith fod 'na wynt hyfryd o gwmpas y tŷ, a'r ystafelloedd yn dwt ac yn drefnus. Ro'n i'n barod i longyfarch y bois am eu hymdrechion pan sylweddoles i fod 'kit' G. O. Edwards wedi diflannu'n llwyr. Ddwedodd neb ddim. Ro'n i'n gwbod fod y pump arall yn winad fy mod mor anniben a ro'dd hi'n amlwg eu bod nhw wedi penderfynu dysgu gwers i'r drwgweithredwr. Fe lwyddon nhw hefyd; ro'dd y dillad a'r sgitshe wedi'u twlu o gwmpas yr ardd, yn wlyb diferu. O hynny allan, ro'n i 'run mor drefnus â'r gweddill.

Cyfarfod â Barry

'Tafla di'r bêl ac fe ddalia i hi' – neu fel fydden ni'n ei ddweud ar y Waun ac yng Nghefneithin, 'Tẁl di'r bêl a fe ddala i hi.' Ma'r frawddeg hon wedi'i sgrifennu droeon mewn erthygle a chyfrole'n ymwneud â'r bartneriaeth a ddatblygodd rhwng Barry John a finne. Yn sgil y golled yn erbyn Awstralia, ro'n i'n teimlo'n hyderus y bydde ail gyfle yn dod i'm rhan. Penderfynwyd cynnal ail brawf ar gyfer Pencampwriaeth y Pum Gwlad ar faes Sain Helen yn Abertawe ym mis Ionawr 1967, a phan gyhoeddwyd y tîme ro'dd y dewiswyr wedi paru Barry John a finne yn y cochion a Dai Watkins a Billy Hullin yn y gwynion.

Ro'n i'n ymwybodol fod y dewiswyr wedi bod yn cadw llygad ar fy mherfformiade yn nhîm y coleg, a golygfa ryfedd un prynhawn Mercher ar ga' rygbi'r Waun yng Nghaerdydd o'dd gweld tri o'r dewiswyr cenedlaethol mewn cote hir lliw camel yn sefyll ar hyd yr ystlys yn monitro'n gêm ni yn erbyn Coleg St Paul's o Cheltenham. Ar y pryd do'n i ddim yn ddewis cynta i dîm rygbi Caerdydd gan ma' Billy Hullin o'dd yr is-gapten, a fe o'dd y mewnwr pan chwaraeodd Caerdydd yn erbyn Awstralia ar y 5ed o Dachwedd, 1966, gyda buddugoliaeth i ni o 14 i 8 (cais a chic adlam i Billy, a chais i D Ken Jones, diolch i fylchiad Billy). Ma' record Caerdydd yn erbyn y Wallabies yn anghredadwy – d'yn ni erio'd wedi colli yn eu herbyn! Felly, ma'n rhaid dweud yn gwbl glir ma' perfformiade yn nhîm y coleg a lwyddodd i argyhoeddi'r dewiswyr fod angen cadw golwg ar y mewnwr o'r gorllewin.

Chwaraeodd y capten, Keith Rowlands, ei gêm ola o rygbi ar Nos Galan 1966 pan dorrodd ei goes yn erbyn Cymry Llundain. (Ro'dd ei farwolaeth sydyn ac annisgwyl drannoeth yr ornest yn erbyn Canada yn Nhachwedd 2006 yn glatshen aruthrol i'r byd rygbi – ro'dd e'n gawr addfwyn, yn fawr ei barch ac wedi arwain yn ddoeth fel Llywydd yr Undeb ar ôl cyfnod ansefydlog.) Bellach, ro'dd Billy Hullin yn gapten ar y clwb a finne'n ymwybodol ma' ymddangosiade achlysurol fydde 'na wedyn i mi yn nhîm y brifddinas.

Ychydig ddiwrnode cyn y prawf yn Abertawe fe wnes i benderfyniad sydd, ddeugen mlynedd yn ddiweddarach, yn dal i fod un o benderfyniade doetha a phwysica fy mywyd. Ro'n i'n gwbod am Barry John: wedi whare yn ei erbyn i Ysgol Ramadeg Pontardawe tra o'dd e'n cynrychioli'r

Gwendraeth, ond erio'd wedi'i gyfarfod. Ta beth, fe ges i afael yn rhif ei hostel e yng Ngholeg y Drindod, Caerfyrddin, a bwrw ati i'w ffonio. Awgrymes ein bod yn cyfarfod am ryw awr yng Nghaerfyrddin, ac ymarfer gwahanol rwtîns sy'n gyffredin i haneri fel ein bod yn gymharol gyfforddus â'n gilydd cyn y gêm brawf. Ro'dd rhai gwybodusion yn ystod y cyfnod yna'n teimlo fod 'na, bob hyn a hyn, ambell wendid ynglŷn â fy mhàs. Ro'n i'n gwbod hynny'n nêt fy hunan, a Bill Samuel yn barod i drafod pob camgymeriad er mwyn ceisio anelu at berffeithrwydd.

Ar gaee'r coleg yn Nhre Ioan yng Nghaerfyrddin wna'th John ac Edwards gyfarfod am y tro cynta yn ffurfiol. Do'dd dim byd yn broblem i Barry; ro'dd e'n fachan mor *laid back*, allech chi ddychmygu'i weld e'n gorwedd ar *deck chair* ar draeth yn y Caribî, yn yfed gin a thonic heb unrhyw bryder yn y byd. Fydde neb yn meddwl yn ystod y prynhawn hwnnw y bydde'r ddau ohonom yn whare am flynyddoedd yng nghryse Caerdydd, Cymru, y Barbariaid a'r Llewod. Gofynnes yn gwrtais iddo, 'Barry, ble ti mo'yn y bêl?' A dyna esgorodd ar un o frawddege enwoca'r byd rygbi, 'Twl di'r bêl a fe ddala i hi!' Diflannodd yr ansicrwydd, ac ar ôl dim ond rhai munude ro'dd y ddau ohonom yn berffeth gysurus â'n gilydd.

Dal i aros!

Ro'dd torf go dda wedi tyrru i faes Sain Helen ar gyfer y gêm brawf – nifer fawr ohonyn nhw wedi teithio o Gwm Gwendraeth, Dyffryn Aman a Chwm Tawe i ga'l cipolwg ar yr haneri ifanc. Chwalwyd y freuddwyd ar ôl symudiad cynta'r gêm pan fu'n rhaid i Barry adael y ca'. Do'dd dim o'i le ar y bàs, a'r maswr 'da rhediad igam-ogam yn hanner bylchu, ond ar ôl rhyddhau'r bêl fe a'th styden un o flaenwyr y gwynion i mewn i'w ben-glin. Ro'dd y gwa'd yn tasgu i bob cyfeiriad a bu'n rhaid ei gludo ar unwaith i Ysbyty Sain Helen, o'dd gyferbyn â siop bapure Barrie Hole a jyst lan yr hewl o gaffe hufen iâ Joe's. O safbwynt personol, a'th pethe'n weddol o ran rhedeg a phasio. Yn ystod y cyfnod, ca' Sain Helen o'dd un o'r goreuon yn y byd o ran ansawdd a maint y tir. Pleser o'dd rhedeg arno. Ro'dd y tirmon, George Clement, yn gofalu'n gariadus am y lle, a'r ffaith fod y ca'n dywodlyd yn help mawr o ran ei ddraenio.

Pan gyhoeddwyd y tîm ar gyfer y daith i Murrayfield ro'dd 'na rywfaint o newyddion da. Dewiswyd Billy Hullin yn bartner i Barry John ond ro'n i'n ddigon hapus i dderbyn gwahoddiad i deithio fel eilydd swyddogol. Ro'dd hwn yn un cam aruthrol mla'n; ro'n i bellach yn llygadu'r crys ac yn teimlo fod cap o fewn gafael. Bu'r profiad yn un cofiadwy – crwt pedair ar bymtheg oed yn trafaelu yng nghwmni mawrion y gêm. Ro'n i'n ishte, sgwrsio, bwyta ac ymarfer yn eu plith, ond ro'n i'n ysu am ga'l *whare* 'da nhw! Teimles wefr cyn y gêm yn yr ystafell newid pan weles i'r chwaraewyr yn derbyn eu cryse cochion, a phob un ohonyn nhw'n syllu am eiliade ar y bathodyn.

Colli o'dd yr hanes am yr eildro'n olynol (11–5), a ro'dd y dewiswyr yn dechre becso ynglŷn â gweddill y tymor. Ro'dd 'na whech cap newydd, ac er bod ein record ni'n draddodiadol siomedig yng Nghaeredin, teimles don o anobaith yn dilyn y chwib ola. Ddylse Barry ddim bod wedi whare; ro'dd e'n diodde o effaith y ffliw, a chan nad o'dd y pac ddim yn argyhoeddi chwaith, a'th pethe o ddrwg i waeth. Ro'dd newidiade pellach ar y gweill, ro'n i'n sicr o hynny. Ro'n i'n gymharol hyderus fod fy nghyfle mewn crys coch ar fin dod.

Yn ystod y chwarter canrif diwetha, yn dilyn penderfyniad y Bwrdd Rhyngwladol i ganiatáu eilyddio driphlith draphlith, ma' nifer fawr o chwaraewyr gwledydd rygbi'r byd wedi llwyddo i ennill capie heb fawr o ymdrech. Bob hyn a hyn ma' ambell un yn ymddangos am eiliade ar ddiwedd gêm. Loteri yw'r cwbl – a dwi, yn un, yn anghytuno'n llwyr â pholisïe o'r fath. Fe ddylse pob un sy'n gwisgo'r crys cenedlaethol weithio'n galed a chwysu galwyni er mwyn derbyn y clod a'r anrhydedd (a ma' hyn yn wir ym mhob camp).

Ro'dd synnwyr cyffredin yn dweud fod 'na gyfle real 'da fi i whare yn erbyn Iwerddon yng Nghaerdydd. Rhaid o'dd newid y tîm, a ro'n i ar bigau'r drain – mor agos ac eto mor bell. Ro'dd 'na bump wythnos cyn wynebu'r Gwyddelod, a phan gyhoeddwyd y tîm ro'n i yn un o'dd am weld seicolegydd am eglurhad! Y fi o'dd yr eilydd lan yn yr Alban, ond eto penderfynwyd cynnwys Allan Lewis yn bartner i Dai Watkins ar gyfer yr her, a gofyn i Gwilym Treharne o glwb Casnewydd (yn enedigol o Rydaman, jyst lawr yr hewl o'r Waun) fod yn bresennol jyst rhag ofn. Beth o'n i wedi'i neud yn ystod y mis diwetha i haeddu'r fath driniaeth? Yn amlwg, yn dilyn colledion ddechre'r tymor, penderfynwyd ma' ysgol brofiad fydde'n debygol o adfer sefyllfa o'dd erbyn hyn yn creu anniddigrwydd a chonsýrn yn nhudalenne cefn y *Western Mail*.

Ro'n i'n teimlo'n siomedig ynglŷn â'r datblygiade ond eto'n sylweddoli fod rhaid i mi fod yn bositif. Ishte a gwylio yn yr eisteddle 'nes i felly ar gyfer gêm Iwerddon – y drws nesa i fam Dai Watkins. Ro'dd y tywydd yn ddifrifol wael, a chais yr asgellwr Alan Duggan yn ennill y gêm i'r ymwelwyr. Bu bron i Dai Watkins, y capten, achub y dydd i'w dîm â rhediad o'dd yn nodweddiadol ohono, ond llwyddodd Ken Goodall i ga'l gafael ar ei bigyrne a'i lorio jyst mewn pryd. Colled arall i'r Cymry, a'r genedl gyfan yn anobeithio. Ro'n i'n camu o'r ca' i gyfeiriad Stryd Westgate gan feddwl ma' Gwilym Treharne fydde'r dewis nesa ar gyfer y daith i Stade Colombes ym Mharis.

Lolfa'r myfyrwyr

Bydd rhai ohonoch chi'r darllenwyr sy'n hanner cant oed a mwy yn cofio drama, tensiwn a gorfoledd nosweithie Iau yng Nghymru slawer dydd. Dyma'r noson pan fydde'r *Big Five* yn cyhoeddi'r tîm ar gyfer gêm ryngwladol. Heddi ma' bwletine newyddion ar yr awr, safleoedd chwaraeon ar y we a chydweithrediad rhwng yr Undeb Rygbi a'r cyfrynge'n golygu fod y newyddion yn cyrra'dd y byd a'r betws o fewn eiliade. Slawer dydd do'dd 'na ddim amser penodedig ar nos Iau i gyhoeddi tîm rygbi Cymru. Y dewiswyr, pob un ohonyn nhw'n gweithio'n ddyddiol, yn cyfarfod mewn gwesty tua saith y nos ac yna'n trin a thrafod unigolion a thactege cyn cyhoeddi'r tîm. A do'dd 'na ddim shwd beth â chyhoeddiad swyddogol; bydde'r criw yn ymlwybro, efalle, i glwb rygbi lleol ac yn rhyddhau'r pymtheg enw i bwy bynnag o'dd am wbod. Ro'dd pawb yn y niwl tan fod gohebydd o'r *Western Mail* neu ddarlledydd radio neu deledu'n ca'l gafael ar gynnwys y tîm, ac yna bydde'r newyddion yn lledaenu fel tân gwyllt. R'yn ni'n sôn fan hyn am gyfnod cyn i Spooks, MI5, FBI a'r KGB ddod o hyd i *gadgets* fydde wedi datgelu'r cwbwl mewn fflach!

Ar nos Iau, y 23ain o Fawrth, 1967, o gwmpas hanner

awr wedi saith y nos, ro'dd tri ohonon ni gan gynnwys y digrifwr Dewi Pws (o'dd, gyda llaw, yn faswr reit handi ei hun), Leighton Jones o Lanelli a finne'n gorweddan yn lolfa'r myfyrwyr yng Nghyncoed. Ro'dd yr erthygle ar dudalenne cefen y papure'n cyfeirio at y 'doom and gloom' o'dd yn rhan o rygbi yng Nghymru ar y pryd – y papure'n paranoid, a'r *Western Mail*, yr *Echo* a'r *Argus* yn rhannu'r anobaith.

Yna, yn sydyn, fe gododd Leighton ar ei draed a bloeddio, 'Hei ban! Ma' nhw'n cyhoeddi'r tîm heno ar gyfer y gêm yn Ffrainc. Dwi'n mynd i ffono Clwb Rygbi Caerdydd.' A bant â fe fel cath i gythraul i gyfeiriad y ciosg. Dwi'n siŵr fod rhai ohonoch chi'n cofio'r drefn. Pedair ceiniog yn y blwch, deialu'r rhif ac os fydde rhywun yn ateb fyddech chi'n gwasgu botwm 'A' a siarad â'r llais ar ben arall y ffôn. A dyna wna'th Leighton!

'Excuse me, but could you possibly give me the Welsh side for the French match a week on Saturday, please?'

Saib hir wrth i Leighton wrando'n ofalus, ac yna'n ara deg yn ailadrodd y geirie, 'Yes, yes . . . yes!' dro ar ôl tro. Ac yna trodd â'i fys bawd yn pwyntio'n uchel i'r awyr, yn cadarnhau'r ffaith mod i yn y tîm.

Ddwedes i ddim gair. Y ddau arall yn neidio a sgrechen a finne'n gwbl fud, cyn gweiddi, 'Paid â dweud wrth neb! Ffona nhw 'to er mwyn neud yn siŵr.' A dyna wna'th Leighton, a'r tro hwn penderfynodd ddynwared llais un o drigolion Grangetown. Ar ôl gwrando am rai eiliade, derbyniodd gadarnhad. Ro'n i wrth fy modd, yn wên o glust i glust, ond yn rhyfedd ro'dd y tri arall wedi'u cyffroi yn llwyr ac yn rhedeg yn wyllt ar hyd y cyntedd, yn cofleidio'i gilydd ac yn sgrechen a bloeddio'n ddilywodraeth. Ymhen ugen muned fe gerddon ni i mewn i far tafarn y Claude a sylweddoli fod y dathliade ishws yn eu hanterth – y myfyrwyr wedi hen glywed y newyddion. Ma'n debyg ma' fi o'dd y diwetha yn y coleg i wbod am benderfyniad y dewiswyr.

Gwireddu'r freuddwyd

Ro'dd y bedair awr ar hugen nesa'n *manic*! Ro'dd 'y mhen i'n troi fel y meri-go-rownd rhydlyd ym mharc y Waun. Petai cyfrifiadur ar ga'l, fydde'r ddisgen galed i storio gwybodaeth wedi bosto. Galwade ffôn. Teligrams. Cardie'n cyrra'dd Coelbren Square a'r coleg fesul canno'dd. Y wasg a'r cyfrynge'n cysylltu. Ffotograffwyr yn cwrso am lunie. Erthygle'n ymddangos bron ym mhob papur a chylchgrawn cenedlaethol. Pobol yn stopo am lofnod ar y stryd . . .

Ro'dd y chwedege'n gyfnod y Beatles a'r Rolling Stones, Twiggy, Maria Bueno a Manuel Santana; marwolaethe Marilyn Monroe, Dr Martin Luther King a JFK; rhyfel Fietnam, wal Berlin, medal aur Lynn Davies, Christian Barnard â'i drawsblaniade, a'r bilsen wrth gwrs. Ac am wythnos neu ddwy ym mis Mawrth 1967, ro'dd 'na gryn sôn am fewnwr o Gymru a allai, yn ôl y gwybodusion, 'greu cynnwrf a chyffro ar y meysydd rygbi'. Ro'n i'n ymfalchïo yn yr holl *hype*, ond yn ddigon call i sylweddoli ma' chwilota am stori o'dd y gohebwyr a'u golygyddion. I wireddu breuddwydion ar y lefel ucha, ro'dd angen perfformiade graenus ac elfen o gysondeb yn y whare. A phetai'r mewnwr newydd yn tanberfformio yna bydde'r fwyell (neu'r gilotîn, gan fod yr ornest ym Mharis) yn disgyn, a hynny'n beryglus o greulon. Ro'n i'n benderfynol nad o'dd hynny ddim yn mynd i ddigwydd. Ar adege pan o'dd angen dôs o ysbrydoliaeth, yn fy meddwl fe fydden i'n dal i lygadu'r sgitshe hoelion a helmet y coliar ar ford y gegin, ac yn dychmygu clywed y geirie, 'Tria nhw arno. Gobitho bo' nhw'n ffito, oherwydd dyna lle ti'n mynd os nad wyt ti'n tynnu dy fys mas – dan ddaear.' Ro'dd geirie Dad yr un mor berthnasol ag erio'd.

Y cap cynta

Ro'dd 'na dri chap newydd yn nhîm Cymru ar gyfer yr ornest ar Stade Colombes ym Mharis yn erbyn y Ffrancod. Y nod o'dd ad-ennill rhywfaint o hunan-barch ar ôl colli tair gêm yn olynol. Collwyd pedair o'r bron yn nhymor 1924/25 a ro'dd 'na siawns i hanes ei ailadrodd ei hun. Dewiswyd Ron Jones a Dai Morris yn y rheng ôl a finne fel mewnwr – y tri ohonom o bentrefi glofaol. Do'dd dim gobaith i Gymru gystadlu am anrhydedde ond ro'dd y papure yng Nghymru, Prydain a Ffrainc yn llawn adroddiade am obeithion y *tricolores* o gipio'r bencampwriaeth am y pedwerydd tro yn eu hanes – ishws ro'n nhw wedi maeddu Lloegr yn Twickenham a cholli o drwch blewyn i'r Alban ym Mharis. Tîm Christian Darrouy o'dd y ffefrynne a hynny'n ddealladwy gan fod rhai o chwaraewyr gore'r byd yn eu carfan, gan gynnwys Dauga, Carrère, Darrouy a'r brodyr Camberabero.

Da'th un ffaith i'r amlwg ar y dydd Iau cyn hedfan i Baris; fe dderbynies i'r wybodaeth o lygad y ffynnon. Cadeirydd y dewiswyr o'dd Cliff Jones, maswr Cymru pan faeddon nhw Seland Newydd ar Barc yr Arfau yn 1935. Ro'dd e'n dipyn o chwaraewr ac yn adnabyddus am ei gyflymdra a'i allu greddfol i ochrgamu. Ma'i eirie 'run mor eglur ag erio'd. Eglurodd ma' bwriad y dewiswyr o'dd fy nghynnwys yn y tîm ar gyfer tymor 67/68, ond gan fod y perfformiade'n gwaethygu fesul gêm penderfynwyd ailfeddwl a chynnig bedydd tân mas ym Mharis. 'Ydi e'n ddigon aeddfed?' o'dd sylw un dewiswr, ond ar ôl cyfres o berfformiade anfoddhaol, y teimlad cyffredinol o'dd, "Sdim 'da ni i golli!'

Capten Cymru ar gyfer yr ornest o'dd y profiadol David Watkins o Gasnewydd, un o faswyr gore'r bencampwriaeth ac yn un a fu'n gapten ar y Llewod mewn dau brawf mas yn Awstralia a Seland Newydd yn 1966. (Bu'r daith honno'n un drychinebus o ran canlyniade, ond ro'dd Watkins wedi creu argraff yng ngwlad y cwmwl gwyn gan ddangos ei ddonie i wybodusion y gêm.) Cysylltodd Dai ar y dydd Llun cyn y gêm ac awgrymu y dylse'r ddau ohonom gyfarfod yng Nghaerdydd ddechre'r wythnos er mwyn cyfarwyddo â'n gilydd.

Yn sgil darlithie ben bore, ro'n i rywfaint yn hwyr yn cyrra'dd Parc yr Arfau. Ro'dd y maswr yn dal yn ei ddillad swyddfa smart ac yn siarad yn hamddenol â'i wraig Jane ar y teras. Ro'n i mewn tracwisg ac yn barod i dreulio hanner awr ar y ca' yn ymarfer, ond eglurodd capten Cymru nad o'dd llawer o bwynt gan fod Bill, y tirmon, yn anfodlon i'r ddau ohonom gamu ar y tir sanctaidd, ac wedi datgan yn blwmp ac yn blaen nad o'dd pêl i fod ar gyfyl y lle. Ro'n i ychydig yn winad erbyn hyn, ond eto'n sylweddoli fod yr elyniaeth rhwng y ddau glwb, Caerdydd a Chasnewydd, yn gyfrifol am agwedd y tirmon. Penderfynodd y ddau ohonom gyfaddawdu. Clymodd Dai ei got law mewn pelen fach gron a defnyddio'i felt i'w chlymu'n dynn, a bant â'r ddau ohonom y tu ôl i'r pyst ochr afon Taf i ymarfer. O fewn pum muned ymddangosodd pêl ledr Gilbert o rywle, a datblygodd y sesiwn fer i fod yn un broffidiol iawn.

Cofiwch, ro'dd hi'n olygfa afreal – haneri Cymru yn cyfarwyddo â'i gilydd, un mewn tracwisg a'r llall (y capten) yn ei siwt Austin Reed!

Penderfynodd y ddau ohonom y bydden ni'n aros yn agos i'n gilydd yn ystod y gêm er mwyn hwyluso'r bartneriaeth – fe ddwedodd rhywun ar ôl y gêm fod wythwr Ffrainc, y cawr Benoît Dauga, yn bellach oddi wrtho i na David Watkins! Ar ôl y sesiwn ro'dd 'da fi deimlad daearyddol, fel petai, o'r lle ro'dd David yn mynd i'w leoli'i hun, ac yn gwbod ei fod e am redeg i gyfeiriad y bêl. O'r herwydd, ro'n i'n dipyn mwy hyderus yn feddyliol.

Profiad bythgofiadwy o'dd hedfan mas o Faes Awyr Rhŵs yn rhan o dîm Cymru. Ro'n i'n rhannu stafell â'r capten yng ngwesty'r Normandy ac yn genfigennus o'i *blazer* ddu â bathodyn Clwb Athletig Casnewydd arni. Rwy'n cofio gofyn iddo, 'Sawl un sy 'da ti, Dai?' ac yn brin o anadl pan atebodd e, 'Tua pymtheg'. I Gareth Edwards, y noson honno cyn y gêm, fe fydde *un* wedi neud y tro! Ar y nos Wener a'th y garfan gyfan i'r Folies Bergères ar y Rue Richer i fwynhau'r cabaret, ond ro'n i'n ei ffindo hi'n anodd iawn canolbwyntio ar y merched gosgeiddig hanner porcyn. O'n, wir i chi, ro'n i'n llygadu Stade Colombes ac yn dychmygu sut fydde'r symudiade'n datblygu; lein a sgrym a ryc a sgarmes o'dd yn llenwi'r meddwl. Meddyliwch – bachgen o'r Waun yn anwybyddu'r bronne a'r holl glitz a'r *razzmatazz*!

Ben bore ro'dd 'na gnoc ar y drws. Ro'dd Mam a Dad a ffrindie teuluol wedi cyrra'dd ar ôl teithio ar y fferi a thrên i brifddinas Ffrainc.

'Shwd wyt ti? Oes modd i ni ga'l *wash*? Gysgest ti?'

Llais Mam, ond ro'dd hi'n becso mwy am Nigel 'Benj' Jones. 'Oes modd iddo fe orwedd lawr? Fe fuodd e'n *sick* ar y fferi ar ôl b'yta rhywbeth a fe chwydodd e dros yr ochor. Druan bach!'

Tra o'dd y criw o'r gorllewin yn molchi a phincan yn yr ystafell, es i lawr am frecwast a rhybuddio Dai i gymryd ei amser! Ro'dd nifer o eilyddion yn rhan o'r garfan gan gynnwys y mewnwr Gwilym Treharne o dîm Cymry Llundain – ro'dd e'n enedigol o dre Rhydaman, o fewn pum milltir i'r Waun. Fe chwaraeodd y lleill dric brwnt arno! Pan gyrhaeddodd Gwilym ar gyfer ei *croissants* a'i *café au lait*, da'th bloedd o ben draw'r ystafell: 'Gwilym, ti mewn. Ma' Gareth yn diodde o'r ffliw!' Am eiliad ro'dd Gwilym yn ei seithfed ne, yn wên o glust i glust ac wedi'i gynhyrfu'n llwyr, cyn i'r drwgweithredwr ychwanegu 'Ffŵl Ebrill!' – ro'dd un o'r criw wedi cofio ei bod hi'n ddiwrnod cynta mis Ebrill!

Ar ôl bwyta stecen sylweddol i ginio – fe fydde dietegydd y garfan genedlaethol bresennol yn carcharu chwaraewyr fydde'n bwyta stecen cyn gêm – ro'dd hi'n amser camu i grombil y bws a theithio i Stade Colombes tu ôl i griw o *gendarmes* y ddinas. Ro'dd traffig swnllyd Paris ar stop ar orchymyn yr heddlu, a'r bws o bryd i'w gilydd ar yr ochr anghywir i'r hewl. Ro'dd yr adrenalin yn llifo a'r teimlad yn debyg i fod ar ffigar êt mewn ffair. Ro'n ni'n teithio trwy oleuade cochion, a Citroën 2CVs yn hwtian eu hanfodlonrwydd, a'r crwt hapus o'r Waun yn teimlo fel tywysog yn ca'l ei dywys i briodas frenhinol. Ro'n i'n bersonol am sugno'r holl awyrgylch. Ro'dd y cyfan yn afreal, a churiad y galon yn cyflymu wrth agosáu at faes y gad.

Fe gofiwch i mi gynrychioli Ysgol Millfield ar Stade Colombes ddau dymor ynghynt ac, yn naturiol, ro'dd hynny'n fantais i fachgen o'dd yn ennill ei gap cynta. Ar y ca' hanesyddol hwn, yn 1924, y cynhaliwyd y gorneste athlete yn ystod Mabolgampe Olympaidd Paris; yma yr enillodd Harold Abrahams y ras gan metr, ac yma y gwrthododd asgellwr yr Alban, y cenhadwr Eric Liddell, redeg y cant am fod y rhagras ar y Sul. (Derbyniodd Liddell gynnig i gystadlu yn y 400 metr ac, yn rhyfeddol, fe enillodd e'r fedal aur; ei lwyddiant yw sail y ffilm ardderchog, *Chariots of Fire*.)

Ar y maes ro'dd y stafelloedd newid o dan y ddaear, a theimlad od, anghyfarwydd o'dd dringo'r grisie a chamu ar y ca' fel rhyfelwyr cyntefig yn ymddangos yng nghrochan berwedig y Colosseum i herio'r milwyr Rhufeinig. Un funed ro'dd pob dim mor dywyll â bola buwch, a'r eiliad nesa ro'n ni'n wynebu heulwen crasboeth ac awyr las ddigwmwl. Ac wrth gamu ar y ca' ryw awr a hanner cyn y gic gynta i ymgynefino â'r maes, edryches y tu ôl i'r pyst a gweld merch mewn cot goch – ie, wir i chi, Maureen o'dd yno yn codi'i braich i ddymuno'n dda i mi! Ro'dd hynny, credwch chi fi, yn donic. Do'n i ddim yn gwbod ei bod hi'n dod mas i Ffrainc! Ar y funed ola y penderfynodd Huw a Nora Williams o'r siop fara yng Ngorslas, a Maureen a'i chwaer, Kay, drafaelu i Baris. Do'dd dim unman 'da nhw i aros, a hyd yn oed heddi dwi'n amheus iawn o'r lle arhoson nhw: y pedwar yn ca'l eu tywys i un stafell ac i dalu deg swllt yr un amdani. Yn dilyn protest reit ffyrnig fe lwyddon nhw i fargeinio am un stafell arall. Tybed ai Maureen a Kay yw'r unig ddwy o'r Waun sy wedi aros mewn brothel ym

Mharis?! Ma'n debyg bod y pedwar yn sychu'u tra'd ar y ffordd mas!

Y ffisiotherapydd, Gerry Lewis, o'dd y gŵr a gyflwynodd y crys coch i mi. Eiliad i'w thrysori o'dd honno, a ma' gen i gof bod 'na ddeigryn yn cronni yng nghefn y llygaid. Cofiaf gusanu'r bathodyn; ro'dd 'na deimlad cryf o 'Fi sy bia hwn'!

Ro'dd yr atgofion yn llifo 'nôl: rhedeg lan a lawr y grisie wrth ymarfer yn ymyl yr ysgol ym Mhontardawe; y teimlad o siom o ga'l fy ngwrthod adeg yr 11+, ac, yn naturiol, y sgitshe hoelion a helmet y coliar. A chronni wna'th y dagre adeg yr antheme, a finne'n canu 'Hen Wlad fy Nhadau' yn uwch ac yn gliriach nag unrhyw chwaraewr oddi ar yr ornest gynta un rhwng Cymru a Lloegr ar ga' Mr Richardson yn ardal Blackheath o Lundain yn Chwefror 1881!

Fe a'th chwib y dyfarnwr, Paddy D'Arcy o Iwerddon, a rhyw awr ac ugen muned yn ddiweddarach fe arhoses i'n llonydd yng nghanol y ca', yn methu credu fod pob dim drosodd. Ffrainc enillodd yr ornest 20–14 a ro'n nhw'n llawn haeddu'r fuddugoliaeth. Ma' 'na ambell atgof o'r ornest: Dewi Bebb yn sgorio unig gais Cymru â rhediad arbennig o drigen llath; y dibynadwy Terry Price, yn ei gêm ola i Gymru, yn methu â chwe chic mas o naw; Benoît Dauga yn cadw'i fraich mas pan benderfynes i gamu 'nôl tu mewn – hyn yn golygu bod fy nhra'd i lan a nhalcen i lawr yn ymyl tra'd y cawr o Mont de Marsan. Siom i'r tîm o'dd colli gêm arall, ond ro'dd hynny, efalle, yn anochel gan gofio fod cynifer o hoelion wyth wedi, neu ar fin, ffarwelio.

Wrth adael y ca', rhedodd Dewi Bebb ataf gan ddweud, 'Gareth! Llongyfarchiadau!' Tynnodd bêl mas o dan ei grys a'i chyflwyno i mi. Ma' hi'n dal yn y cwpwrdd cornel yn y tŷ, yn femento o un o ddiwrnode mawr fy mywyd. Ma'n arferiad cyfnewid cryse ar ddiwedd gêm ryngwladol ond fydde byddin Napoleon ddim wedi llwyddo i ga'l gafael ar grys coch rhif 9 y diwrnod hwnnw. Yn nes mla'n cyflwynodd capten Ffrainc, Christian Darrouy, ei grys i mi, ac yn ddiweddarach fe anfones i grys Caerdydd i'r asgellwr fel iawn am ei haelioni.

Ro'n i'n dal ar y *rollercoaster* y noson honno. Trefnwyd y cinio swyddogol i ddilyn y gêm yng Ngwesty'r Grand, lle ro'dd pencadlys y Gestapo adeg y rhyfel. Dwi erio'd wedi gweld cymaint o gyllyll a ffyrc a gwydre yn fy mywyd, a phan a'th y gole mas am rai eiliade, penderfynodd y chwaraewyr profiadol ddymchwel y cwbwl a diflannu o dan y bwrdd. Y fi gas y bai am yr holl annibendod!

Y noson honno ro'dd cysgu'n amhosib. Ro'n i'n ffyddiog mod i wedi neud digon i blesio'r dewiswyr, ac yn dechre meddwl am yr her nesaf yn erbyn yr hen elyn, Lloegr.

Keith pwy?

Ro'dd rhywfaint o anghrediniaeth pan gyhoeddwyd y tîm i wynebu Lloegr. Er mod i wedi newis i whare, anghofiodd y wasg a'r werin am y bachan Edwards. Yn safle'r cefnwr, a fynte'n gwbl ddieithr i'r safle, dewiswyd bachgen ifanc deunaw mlwydd oed o'dd newydd adael Ysgol Trefynwy.

'Keith pwy?' Dyna o'dd y cwestiwn ar wefuse pawb pan gyhoeddwyd ma' Keith Jarrett o glwb Casnewydd o'dd i wisgo'r crys rhif 15 ar y 15fed o Ebrill mewn gêm ryngwladol ar Barc yr Arfau. Ro'dd nifer sylweddol cyn hynny wedi whare i Gymru yn ddeunaw oed, gan gynnwys Norman Biggs, Haydn Tanner a Lewis Jones, ond ro'dd 'na ddirgelwch llwyr ynglŷn â Keith Jarrett – neb yn gwbod fawr ddim andano! Gofynnwyd i ddewiswyr Casnewydd ei ddewis yn y safle ar gyfer yr ornest rhwng Trecelyn a Chasnewydd ar Gae'r Welfare y Sadwrn cyn gêm Lloegr. Bu'r profiad yn un chwithig i'r bachgen ifanc ac a'th pethe o ddrwg i waeth iddo gan fod y safle'n un anghyfarwydd, a Threcelyn yn ei dargedu â chyfres o gicie uchel a chicie lletraws a brofodd yn embaras llwyr i'r cefnwr a'r tîm. Ro'dd pawb yn cytuno â phenderfyniad y capten i ad-drefnu ar gyfer yr ail hanner, a chynnwys y cefnwr yn ganolwr.

Yn y gorffennol, Lloegr o'dd gwrthwynebwyr cynta'r tymor ym Mhencampwriaeth y Pum Gwlad – y gêm yn aml yn ca'l ei whare mewn tywydd diflas, a llacs Parc yr Arfau'n ymdebygu i dwmpe o fawn lliw coffi *espresso*. Am y tro cynta erio'd penderfynwyd whare'r gêm yn y gwanwyn, a ro'dd 'na gryn ddishgwl mla'n. Ma'n wir dweud fod y cefnogwyr yn dal yn amyneddgar, yn gobeithio bod 'na gyfnod newydd ar fin gwawrio ac yn ddigon parod i gefnogi penderfyniade'r dewiswyr. Ro'dd presenoldeb dau o dan ugen oed yn y tîm yn golygu fod y tocynne'n gwerthu'n dda, a'r selogion yn lled-awgrymu buddugoliaeth i dîm David Watkins gan ei bod hi'n addo tywydd braf. Ro'dd er'ill yn mynnu teithio i Gaerdydd i ffarwelio ag un o hoelion wyth y chwedege, yr asgellwr chwimwth o'r gogledd, Dewi Bebb.

Ma'r hyn a ddigwyddodd yng Nghaerdydd ar y 15fed o Ebrill yn rhan o hanes ein cenedl. Ro'dd pymtheg ar y ca' i Gymru, ond bellach ma'r gêm yn ca'l ei disgrifio fel 'gêm Jarrett' wrth i'r cefnwr greu hafoc yn yr heulwen. Hawliodd bedwar pwynt ar bymtheg, gan ddod yn gyfartal â record Jack Bancroft 'nôl yn 1910. Ro'dd cyffyrddiade Keith Jarrett 'run mor rhyfeddol â Midas gynt; pob cic, pob pàs, pob rhediad yn taro deuddeg, a'r crwt ifanc yn achosi reiat a chynnwrf o fla'n hanner can mil o gefnogwyr a o'dd wedi'u synnu'n llwyr. Petai golygyddion y comic *Tiger* wedi rhyddhau pennod o *Roy of the Rovers* yn dilyn trefn y datblygiade yng Nghaerdydd y prynhawn hwnnw, fe fydde'r darllenwyr wedi datgan 'sgersli bilîf' neu 'nefar in Iwrop, gw' boi'!

Ar ôl taro top y postyn fe a'th cic gosb gynta Keith drosodd. Ychwanegodd un arall, ac yna'r *coup de grace* ar ddechre'r ail hanner. Ro'dd cic canolwr Lloegr, Colin McFadyean, yn un obeithiol gan ei fod e a'i dîm o dan bwyse. Yno'n brasgamu i gyfeiriad y bêl rydd fel gwibiwr ar drac athlete o'dd K. J. Jarrett. Derbyniodd y bêl rhyw ddeg lla'th o linell yr ystlys yn ymyl hen Eisteddle'r Gogledd ar y llinell hanner. A'th yn ei fla'n fel milgi o drap; gwibio'r hanner can llath mewn rhyw bump eiliad, a chroesi am gais cwbl anhygoel. Do'dd neb wedi cyffwrdd ag e! Chwaraeodd y Cymry'n wych: Gerald Davies yn croesi am ddau gais, a Dai Morris a Dewi Bebb yn hawlio un yr un. Sgoriodd Lloegr un ar hugen o bwyntie a cholli mewn gêm a ddisgrifiwyd yn un o'r goreuon oddi ar yr Ail Ryfel Byd. Anghofiwyd yn llwyr am golledion y tymor; hawliwyd pum cais a 34 o bwyntie yn erbyn yr hen elyn. Ro'dd tîm Phil Judd wedi dod o Loegr yn llawn gobaith gan lygadu Coron Driphlyg, ond dychwelyd ar draws Pont Hafren â'u penne yn eu plu wna'th y cryse gwynion. Ro'dd cyfnod newydd wedi gwawrio.

O safbwynt personol ro'dd y diwrnod yn un byth-gofiadwy. Whare am y tro cynta mewn gêm ryngwladol ar Barc yr Arfau yng Nghaerdydd, y ca' lle trechwyd y Crysau Duon yn 1905, 1935 ac 1953. Y troeon ro'dd Huw Bach a finne wedi cynnal cystadlaethe cico ar Heol Coelbren Ucha – Cymru yn erbyn Lloegr, yn amlach na pheidio; y troeon wnes i droi a throsi yn y gwely yn breuddwydio am herio'r gwŷr yn y cryse gwynion . . . Ac ar y 15fed o Ebrill, y cyfan yn dod yn realiti!

Hon hefyd o'dd gêm ryngwladol ola'r dewin Dewi Bebb, ac er bod sawl delwedd o'r ornest yn dal yn seler y cof, ma' 'na un cameo dwi'n dal i drysori ryw ddeugen mlynedd yn ddiweddarach. Yn eiliade ola'r whare, fe wnes i ganfod rhywfaint o wagle ar yr ochr dywyll a thaflu pàs i ddwylo'r asgellwr, a fe lwyddodd e i wasgu i mewn yn y gornel. Ro'dd Dewi wedi whare ei gêm ryngwladol gynta yn 1959 yn erbyn Lloegr yng Nghaerdydd – honno o'dd y gêm ryngwladol gynta erio'd i mi ei gweld fel cefnogwr, a Dewi'n croesi am unig gais y gêm yn yr un cornel â'i gais ola i roi buddugoliaeth o 5 i 0 i Gymru.

Ie, gêm Keith Jarrett o'dd hi yn Ebrill 1967 ond ro'n i wrth fy modd fod Dewi Bebb wedi gorffen ei yrfa ryngwladol mewn steil.

Dilema De Affrica

Penderfynodd tîm rygbi Caerdydd deithio i Dde Affrica yn ystod mis Mai 1967 a ro'n i'n aelod o'r garfan. Chwaraewyd pum gêm ar gaee o'dd mor galed â glo caled y Steer, a'r fuddugoliaeth o 34 i 9 yn erbyn Eastern Province yn ninas Port Elizabeth yn un fythgofiadwy. Chwaraees i yn safle'r cefnwr, a fe roddon ni berfformiad a ddisgrifiwyd yn y wasg drannoeth yr ornest fel un gampus ac yn 'enghraifft o athrylith y Cymry'. Ro'dd y gwrthwynebwyr yn ca'l eu cydnabod yn un o dîme gore'r wlad, a droeon yn y gorffennol wedi cipio buddugoliaethe yn erbyn tîme teithiol gore'r byd, gan gynnwys y Llewod.

Ro'dd y croeso'n gynnes a'r profiade'n amrywiol – un

diwrnod ymweld â De-orllewin Affrica (y Namibia bresennol) a chyfarfod â brodorion o anialwch y Kalahari. Yna camu o'r bws ym Mharc Kruger a thaflu orenne at lewod gan obeithio bydden nhw'n dod yn agosach aton ni (plentynnaidd braidd!). Yna, yn ddiweddarach yn ystod y daith, ca'l gwledda yng nghwmni Prif Weinidog y wlad, Dr John Vorster.

Ar y pryd, yn dilyn taith Cymru i Dde Affrica yn 1964, ro'dd 'na lawer o wrthwynebiad i dîme deithio i'r wlad yn neheudir cyfandir Affrica. Yn wleidyddol, ym Mhrydain ac Ewrop, ro'dd mwy a mwy o bleidie a mwy a mwy o unigolion yn dweud yn gyhoeddus ma'r unig ffordd o ddileu'r anghyfiawndere yn Ne Affrica o'dd 'gwneud dim byd â nhw'. Yng Nghymru ro'dd pobol yn gwrthod prynu grawnwin a gwinoedd o'r Cape, yn gadael orenne Outspan i bydru ar y silffoedd ac yn ymuno â'r mudiad gwrth-apartheid o'dd yn cynyddu'n fawr o ran aelodaeth ddiwedd y chwedege. Pam felly y gwnes i ymweld â'r wlad dros y blynyddoedd, gan wbod fod pobl dduon y wlad yn ca'l eu cam-drin yn gorfforol ac yn feddyliol?

'Nôl yn 1967, do'n i ddim yn ddigon gwybodus i ateb y fath gwestiwn, gan ma'r gêm o'dd yn mynd â'm bryd. Ffwtbolyr o'n i, yn treulio pob un muned o bob un diwrnod yn canolbwyntio'n llwyr ar berffeithio sgilie a thechnege er mwyn cyrra'dd y brig. Petai rhywun wedi dweud ein bod ni'n whare'r gêm nesaf ar shîten o iâ i lawr 'da'r pengwins ym Mhegwn y De, fe fydden i wedi dringo grisie'r awyren heb feddwl dim am yr amode na'r oblygiade. Fel dwedes i ishws, ro'n i i bob pwrpas yn chwaraewr 'proffesiynol' a hynny ddeng mlynedd ar hugen cyn i Vernon Pugh a'i bwyllgor newid cyfeiriad y gêm. Hunanol? O bosib, ond o leia dwi'n fodlon cyfadde fy nheimlade'n onest ac yn ddi-flewyn-ar-dafod.

Fe gofiwch i mi ddweud yn gynharach fod gen i gyfeillion yn Ysgol Millfield o'dd yn cynrychioli holl gyfandiroedd y byd, ac ma' un ohonyn nhw o'dd y bachgen du o Liberia, Varney Dennis, seren y tîm saith-bob-ochor. Trwy fy mywyd rydw i wedi bod yn gartrefol yng nghwmni pawb a phobun – magwraeth ym mhentre Gwauncaegurwen a sicrhaodd hynny, heb os. Pobol yw pobol, a phetai Gethin, fy mrawd, neu finne wedi bod yn euog o unrhyw dueddiade hiliol yn ystod ein plentyndod neu pan o'n ni yn ein harddege, yna fydde Mam a Dad wedi dod lawr arnon ni fel tunnell o frics!

Ro'n i'n ymwybodol o'r amarch a ddangosid tuag at y duon yn Ne Affrica; ro'n i'n gwbod eu bod nhw'n byw mewn amode anodd – afiach hyd yn oed. Wedi'r cwbwl, ro'n ni'n gweld y tai shanti o'dd yn affwysol o brin o gyfleustere megis trydan, dŵr a charthffosiaeth, wrth deithio o gwmpas y wlad tra o'n ni ar y daith. Ro'dd presenoldeb y duon yn ein gêm yn brawf pendant o'u teimlade – yn uchel eu cloch ac yn ein cefnogi ni, yn hytrach na thîm y Springboks! Er mod i'n naïf pan o'n i'n ifanc, fe ddes i sylweddoli fod gwir angen newidiade yn y wlad er mwyn sicrhau tegwch a whare teg i'r genedl gyfan, beth bynnag o'dd lliw eu croen. Ond dyletswydd sefydliade, asiantaethe ac awdurdode De Affrica (a rhai tebyg ledled byd) o'dd gweithio yn yr agored ac yn y dirgel i ddylanwadu ar bolisïe a meddylie pobol fel Vorster.

Ro'dd cricedwyr Lloegr yn gwbod yn nêt lle ro'n nhw'n sefyll. Ro'n nhw i fod i whare gême prawf yn Ne Affrica ddechre'r saithdege, ond gwrthododd llywodraeth y wlad groesawu tîm Colin Cowdrey gan fod Basil d'Oliveira, yn enedigol o Cape Town ac yn dywyll ei groen, wedi'i gynnwys yng ngharfan yr MCC. Ro'dd y chwaraewyr yn gytûn – do'n nhw ddim am ymweld â gwlad o'dd yn gwrthod derbyn Basil d'Oliveira, a ro'dd y mwyafrif ym Mhrydain yn cytuno â'r penderfyniad. Petai Jeremy Guscott, Victor Ubogu neu Chris Oti wedi whare i'r Llewod yn y chwedege neu'r saithdege, yna fe fydde teithie 1968 ac 1974 wedi ca'l eu gohirio.

Fy nyletswydd i o'dd whare rygbi a gadael i'r llywodraethe frwydro am newidiade yn y system wleidyddol. 'Cyfleoedd cyfartal' yw'r gri ym Mhrydain ers yr Ail Ryfel Byd, ond dyw'r freuddwyd ddim wedi'i gwireddu eto a ninne yn yr ail fileniwm. Criced i'r cyfoethog yw hi yn India a Phacistan, a rygbi i'r breintiedig yn Ariannin. Yn hwyr neu'n hwyrach, bydd gwellianne gwleidyddol a chymdeithasol yn effeithio'n bositif ar fywyde'r werin, a dyna'n union a ddigwyddodd yn Ne Affrica ddechre'r nawdege, diolch i ymdrechion Nelson Mandela a byddin o'i gyd-weithwyr.

Ma' fy mrawd Gethin yn briod â Bethan, sy'n enedigol o Frynaman Isa. Sgrifennodd ei hwncwl a'i hanti, Glyn a Hawys James o Gwm Rhondda, gân 'nôl yn y saithdege cynnar yn sôn am obaith i holl genhedloedd y byd. Ma' geirie'r gytgan yn berthnasol i'r bennod hon:

> Fe ddaw rhyw ddydd pan fydd y cenhedloedd yn rhydd:
> Pawb yn hapus, pawb yn serchus,
> Neb cas, neb yn brudd –
> Heddwch, heddwch yn y byd.

Newidiwyd y gyfundrefn yn Ne Affrica, a ma' byd y Maori yn Seland Newydd a'r Aborigine yn Awstralia hefyd yn gwella'n raddol. Fydde protest bersonol o'm rhan i yn 1967 ddim wedi helpu'r achos – dwi'n dal i gredu fod cadw mewn cysylltiad a dylanwadu'n dawel wedi bod o gymorth.

'Nôl ar y Waun

Haf 1967, a ro'dd hi'n amser i ymlacio ac atgyfnerthu 'nôl yng Ngwauncaegurwen. Fe ges i'n maldodi yn y cartref, a Maureen wrth ei bodd fy mod o fewn hyd braich (neu o fewn cic adlam, beth bynnag!) o'i chartref ym Maes-y-Werin.

A sôn am gic adlam – ma'r holl derme rygbi sy'n ca'l eu defnyddio'r dyddie 'ma yn glod i lafur a gweledigaeth y diweddar Eic Davies. Cofiwch, ma' Huw, ei fab, yn dal i ddweud fod ei dad wedi neud *un* camgymeriad – fe ddylse fe fod wedi trin cais yn fenywaidd, gan fod dweud 'dau gais' braidd yn annaturiol! *'Dwy* drei' o'dd hi yng Nghwm-gors, a dyna o'dd yn naturiol i Carwyn James hefyd.

Yn ei bennod ardderchog 'O's Modd Cael Tocyn?' o'r gyfrol *Crysau Cochion* a olygwyd gan Howard Lloyd, ma' Eic Davies yn sôn ychydig am y pwyllgora a fu (neu'r diffyg pwyllgora a fu) tra bydden nhw'n bathu geirie ar gyfer y campe. Ga i ddyfynnu tipyn bach o'r bennod honno:

A beth am y termau? Mater o fathu ar y pryd o'dd hi. 'Beth wyt ti'n galw "dropped goal"?' meddai cyfaill ar y ffordd i Gae Rygbi Caerdydd ryw brynhawn Sadwrn. 'Wel, a dweud y gwir, 'dwy ddim wedi cael un eto i nodi yn un o'r adroddiadau.' '"Gôl gwymp" fyddai Gwyn a Vic yn 'i galw hi, ond rywsut neu'i gilydd rwy'n methu'n lan ag anghofio cwymp dan y ddaear bob tro y bydda i'n clywed y gair. Arna i mae'r bai wrth gwrs.' 'Wel, beth am gôl adlam, 'te?' 'I'r dim,' meddai Tomos, a chan ei fod e ar staff Adran Gymraeg un o golegau'r Brifysgol, mabwysiadwyd y term yn y man a'r lle ar Barc Cathays o flaen yr Amgueddfa a fe gafwyd cyfle i'w wasgaru

102

dros yr awyr yr union brynhawn hwnnw! Ac ar ôl hynny daeth gwŷr llawer mwy cymwys fel Howard Lloyd, Carwyn James, Gwyn Davies a Gwynedd Pierce i'w gwella ac ychwanegu atynt hwy a rhoi trefn ar y cwbwl.

Ar ddydd Gŵyl Ddewi 1952 y rhoddwyd y disgrifiad byw cynta o gêm rygbi ar y radio – gêm rhwng Gorseinon a Phontarddulais. Dwi'n dyfynnu Eic am yr eildro:

Llwyddwyd i lenwi'r hanner awr rywsut, a sylw un o wŷr Brynaman y noson honno o'dd: 'Fe fues i'n gryndo arnat ti'r prynhawn yma; y gêm yna rynt Gorseinon a Phontardules. Bachan, fe ges i'n synnu – rown i'n gallu dyall y rhan fwya ohono hefyd!'

Hanner cant a phump o flynyddoedd yn ddiweddarach, ma' S4C yn darlledu'n fyw ac yn wythnosol o gaee rygbi'r gwledydd Celtaidd a ledled byd, a Radio Cymru'n gwasanaethu am bron i chwech awr bob prynhawn Sadwrn. Fe fydde Eic yn bles o weld a chlywed ei fab Huw yn sylwebu'n wythnosol ar y brif gêm (ac wedi gwneud hynny er 1982, sy'n gamp aruthrol), ac efalle y bydde fe'r un mor falch o weld y bachgen o'dd yn arfer byw yr ochr arall i'r hewl yn cyfrannu i ddarllediade S4C ar brynhawne gême rhyngwladol. Ma' Mam yn aml yn ei dagre wrth weld Huw Bach a fi 'da'n gilydd ar y bocs, a ma'r hen ddihareb siŵr o fod yn ei meddwl hi ar adege felly: 'Er lleied mesen, hi ddaw yn dderwen'!

Ro'dd Maureen yn gweithio i gwmni Uplands Bakery o'dd yn berchen siope yng Ngorslas a Llanelli, a phan o'dd y siarad yn troi at rygbi do'dd hi'n dweud dim. Fe fydde cyfadde ei bod hi'n caru 'da chwaraewr o'dd yn gwisgo crys tîm rygbi Caerdydd wedi bod yn drychinebus, ac wedi effeithio ar werthiant bara yng ngorllewin Cymru!

Ei throi hi am y Mynydd Du fydde'r ddau ohonon ni yn ystod misoedd yr haf. Ffarwelio â'r cwm diwydiannol ar ôl mynd heibio tro'r Dyrlwyn, tro'r Gwcw a Garreg Lwyd – mynydd o'dd ddim ond dwy fil o droedfeddi o ran uchder ond yn Everest i unrhyw un o'dd yn byw yn yr ardal. Ar ôl i'r car duchan a phoeri'i ffordd i'r topie, ro'dd modd gwerthfawrogi'r golygfeydd trawiadol i gyfeiriad Castell Carreg Cennen, Gwynfe, Llangadog a Llyn-y-Fan. Ro'dd pobol leol yn disgrifio'r patshyn tir o'dd o'n blaene fel carthen galeidoscopig, ac ar ôl lliwie brown toffi-a-siwgr-Demerera y Mynydd Du, ro'dd hynny'n ddisgrifiad perffaith.

Ar brynhawne Sul pan o'n i'n dal yn fachgen ifanc ar y Waun (ac wedi hynny), ro'dd pawb yn rhyfeddu at y llif traffig o'dd yn ymestyn yn ddiddiwedd i gyfeiriad y Mynydd Du – fan hufen iâ Cresci yn ca'l modd i fyw, a nifer fawr yn treulio amser yn llenwi bwcedi â mawn o lethre'r mynydd er mwyn ychwanegu at y tâne ganol gaea. Yn anffodus, lleihau wna'th y niferoedd pan a'th pris petrol lan yn y saithdege cynnar.

Yn aml, fe fydde Maureen a finne'n galw heibio'r Red Lion yn Llangadog am bryd bwyd. Ar un achlysur, ar ôl dychwelyd o Dde Affrica yn 1967, fe ges i air tawel â'r perchennog ac archebu poteled o siampên i ddathlu llwyddiant y tymor a'n carwriaeth. Fe ddiflannes i i'r tŷ bach i ychwanegu at yr elfen o syrpréis, ond erbyn i fi ddod 'nôl ro'dd Maureen wedi hala'r archeb 'nôl gan ddweud, 'Fydde Gareth byth wedi breuddwydio ordro'r fath beth!'

A'th bywyd yn ei fla'n: Maureen yn frwd yn paratoi ar

gyfer Eisteddfod Capeli Brynaman a chystadlu dros gapel Hermon, yn ogystal â whare pêl-rwyd yn wythnosol yng nghynghrair Abertawe a'r cylch, a finne wrthi'n paratoi ar gyfer tymor rygbi arall ac ymweliad Crysau Duon 1967.

Crysau Duon 1967

'Veni, vidi, vici' – geirie'r Ymerawdwr Iwl Cesar yn dilyn glaniad, gorymdeithie a brwydre llwyddiannus y Rhufeiniaid ym Mhrydain rhyw ddwy fil o flynyddoedd yn ôl. Fe allech chi ddweud ma' dyna ddigwyddodd yn 1967 pan gyrhaeddodd tîm Brian Lochore o Seland Newydd a chwalu'u gwrthwynebwyr yng Nghanada, Prydain a Ffrainc. Fe sgorion nhw 37 o geisie yn Lloegr, yr Alban a Chymru'n unig, a'u gwrthwynebwyr yn hawlio dim ond wyth cais. Allan o ddwy gêm ar bymtheg ar y daith fe enillon nhw un ar bymtheg, a gorfod bodloni ar gêm gyfartal yn erbyn Dwyrain Cymru – un o gême mwya cofiadwy fy ngyrfa. Dim ond dau Gymro lwyddodd i sgorio ceisie yn eu herbyn – Hywel Williams o Geinewydd (brawd Nick, fy ffrind gore) yn y gêm yn erbyn Gorllewin Cymru yn Abertawe, a Frank Wilson yn yr ornest gyfartal yng Nghaerdydd.

Ymunodd clybie Castell-nedd, Aberafan, Llanelli ac Abertawe o dan ymbarél Gorllewin Cymru i wynebu'r Crysau Duon ar faes Sain Helen yn Abertawe ar yr 8fed o Dachwedd, dim ond tridie cyn y gêm ryngwladol yng Nghaerdydd. Gan fy mod i wedi fy newis i gynrychioli Cymru – a dydd Mercher yn rhydd o ddarlithie yn y coleg – fe deithies i i lawr i Abertawe er mwyn ca'l cipolwg ar y gwrthwynebwyr a cheisio dehongli patryme amlwg yn eu whare. Dim ond tri o'r Crysau Duon chwaraeodd yn y ddwy gêm – Colin Meads (ro'dd digon o gryfder 'da fe i whare bob dydd o'r wythnos!), Kel Tremain a Ken Gray.

Ro'dd 40,000 yn bresennol ar brynhawn heulog braf, a mawr o'dd y disgwyl. Capten Gorllewin Cymru o'dd y carismataidd Clive Rowlands, ac mewn sawl cyfweliad cyn yr ornest ro'dd y 'Top Cat' o Gwmtwrch yn ffyddiog y galle'r tîm cymysg gipio buddugoliaeth. Ro'dd Abertawe, Caerdydd a Chasnewydd wedi maeddu'r Crysau Duon yn y gorffennol (llwyddodd Llanelli i neud hynny hefyd yn 1972), a ro'dd y capten yn gobeithio y bydde camp y clybie hynny'n ysbrydoli'r tîm cymysg. Ro'dd 'na reswm arall dros fy mhresenoldeb i yn y gêm, gyda llaw – ro'dd maswr y Gorllewin, Keith Evans, yn enedigol o'r Waun ac yn un arall o'dd wedi perffeithio'i sgilie ar Ga' Archie 'slawer dydd.

Ro'dd y gêm yn glasur, a'r Cymry'n gyson yn ystod yr hanner cynta'n creu anhrefn yn amddiffyn y gwŷr o wlad y cwmwl gwyn. Ro'dd y Gorllewin ar y bla'n 6–0 (diolch i ddwy gic gosb o dro'd y cefnwr Doug Rees o Ben-clawdd) cyn i Seland Newydd daro 'nôl. Penderfynodd Seland Newydd wrthymosod o'u dwy ar hugen; bylchodd y dewin Graham Thorne a gwibio dri chwarter hyd y ca' am gais. 10–6 i'r Crysau Duon ar yr egwyl! Ychwanegodd Rees a Kember gicie cosb cyn i Clive wau hud a lledrith, gan dorri o sgrym a chico i gyfeiriad asgell Hywel Williams. Cefnwr y Crysau Duon, Gerald Kember, gyrhaeddodd gynta, ond llwyddodd Cyril Jones i'w ddal. A'th y bêl yn rhydd, ac yno i dirio o dan drwyne'r ymwelwyr ro'dd Hywel. Ro'dd Nick, ei frawd, yn fy ymyl ar y teras gyferbyn â'r eisteddle, a bu bron iddo fostio'i ysgyfaint wrth ddathlu!

Ro'dd y Gorllewin bellach ar y bla'n a fe allen nhw fod wedi ychwanegu at eu cyfanswm – ddwywaith fe dda'th

Clive o fewn dim i lywio ceisie gyda'i gico cywrain, ond ro'dd y dyfarnwr, Mike Titcomb o Fryste, o'r farn fod yr asgellwr yn camsefyll o fodfeddi'n unig. Ro'dd y penderfyniade'n gwbl allweddol i'r canlyniad, gan i dîm Colin Meads groesi am ddau gais hwyr ac ennill 21–14. Ro'dd hon yn ymdrech arwrol gan y Cymry, a'r capten, Clive Rowlands, a'r hyfforddwr, Carwyn James, yn ymfalchïo'n fawr yn y perfformiad.

Dychweles i Gaerdydd yn becso rhywfaint, oherwydd ro'dd Seland Newydd yn debygol o gyflwyno deg os nad deuddeg o wynebe newydd ar gyfer y gêm ryngwladol. Y Crysau Duon o'dd y ffefrynne, gan fod Cymru'n brin o hoelion wyth y cyfnod – Alun Pask a Dewi Bebb wedi ymddeol, a David Watkins wedi ymuno â chlwb proffesiynol Salford yng ngogledd Lloegr. Yn ogystal, do'dd Keith Jarrett ddim ar ga'l yn sgil anaf i'w ben-glin. Dewiswyd Paul Wheeler, Keri Jones a John Jeffery am y tro cynta a phenderfynwyd whare Brian Thomas fel prop pen tyn, a chynnwys Billy Mainwaring a Max Wiltshire yn yr ail reng yn hytrach na Delme Thomas a Brian Price. A bod yn onest, ro'dd hi'n anodd deall rhai o'r dewisiade.

Ar y Sadwrn ro'dd y tywydd yn ddifrifol yn y brifddinas, a rheolwyd y chwarter awr agoriadol gan dîm Brian Lochore. Penderfynodd ein capten ni, Norman Gale, whare yn erbyn yr elfenne yn yr hanner cynta a ro'dd hynny'n bendant yn gamgymeriad. Fe dderbynies i gnoc reit ar ddechre'r gêm; dwi ddim yn dweud fod y digwyddiad yn bwrpasol, ond damshylodd rhywun ar fy llaw chwith a ro'n i mewn tipyn o boen. Petai modd eilyddio fe fydden i wedi gadael y ca'. Rhyw dair muned yn ddiweddarach ro'dd Billy Raybould wedi'i ddal yn camsefyll a llwyddodd Fergie

McCormick â'r gic. Funude'n ddiweddarach ychwanegodd y Crysau Duon at eu cyfanswm – Cymru'n cyflwyno'r meddiant a Laidlaw, MacRae a Davis yn rhyddhau Birtwistle am y cais. Ro'dd Seland Newydd 8–0 ar y bla'n ar yr egwyl ond, a bod yn onest, petai Paul Wheeler a finne wedi llwyddo â chicie at y pyst fe fydde'r sgôr dipyn agosach.

Fe wellodd pethe yn yr ail hanner. Ro'dd y gwynt o'n plaid, ac o fewn dim o beth llwyddodd Barry John â chic adlam. Ond ma' un digwyddiad yn gallu newid cwrs a chyfeiriad gêm, a dyna ddigwyddodd yng Nghaerdydd y prynhawn hwnnw – y Crysau Duon yn rhedeg y gic gosb a Billy Mainwaring o'n tîm ni yn ca'l ei gosbi am fân drosedd. Y tro hwn, penderfynodd McCormick anelu at y pyst. Ro'dd ymdrech y cefnwr yn brin ond, yn annodweddiadol, fe ffaelodd ein hwythwr, John Jeffery, â dala'r bêl yn lân. Wrth geisio clirio i ddiogelwch fe gyrhaeddodd Bill Davis o dîm y gwrthwynebwyr a hwnnw'n hawlio cais a brofodd yn dyngedfennol.

Anhrefn ar ben anhrefn; amddiffyn Cymru'n fregus a thîm Brian Lochore yn manteisio – enghraifft arall o broffesiynoldeb a phenderfyniad meddwl nodweddiadol y Crysau Duon. Ond bedair gwaith yn ystod y deng muned nesaf fe fethodd y cryse cochion â manteisio, ac yna Paul Wheeler (ddwywaith) a finne'n methu cicie cosb cyn i Norman Gale dderbyn y cyfrifoldeb a llwyddo. 13–6 o'dd y sgôr terfynol, a rhaid cyfadde ma'r tîm gore enillodd yr ornest.

Ro'n i'n teimlo'n winad yn yr ystafell newid ar ôl y gêm – yn methu'n lan â deall penderfyniad y dewiswyr i gynnwys Brian Thomas yn y rheng fla'n. Ro'dd sgrym

Cymru'n diodde drwy gydol y gêm. (Gwnaed penderfyniad tebyg yn ystod taith y Llewod i Seland Newydd yn 1966 – Delme Thomas yn ca'l ei gynnwys yn y rheng fla'n yn y prawf cynta, a phenderfyniad o'r fath yn gwbl annheg i'r tîm a'r unigolyn.) A pheth arall, Barry John o'dd maswr Cymru y prynhawn hwnnw, a phetai'r tîm wedi llwyddo â'r holl gicie at y pyst fe fydde Cymru wedi cipio buddugoliaeth. Pam nad o'dd rhywun wedi sylweddoli ei fod e'n droswr o fri?

Fe gafon ni noson fendigedig yng Nghaerdydd, a'r ddau dîm yn cymysgu a chymdeithasu'n hapus, ond yng nghefn fy meddwl ro'n i'n teimlo'n ddig. Dwi ddim yn unigolyn sy'n hoffi colli. Ro'n i'n fachgen digon dymunol yn dilyn y chwib ola – byth yn gwrthod cais i lofnodi ac yn ddigon cwrtais i bob Tom, Dic a Harri. Ond ar y ca' ro'n i'n dipyn o ddiawl – yn gorfforol yn y dacl, yn gystadleuol mewn ryc a sgarmes, ac yn giaidd yn y whare rhydd. Y Crysau Duon o'dd y tîm gore yn y byd a ro'n i am fod mewn tîm o'dd yn ddigon da i roi coten iddyn nhw – fel ma' pob chwaraewr pêl-droed am faeddu Brazil a phob cricedwr am chwalu Awstralia.

Bu'n rhaid aros rai blynyddoedd cyn gwireddu'r freuddwyd.

Capten mewn gêm gofiadwy

Ro'dd y chwe mis oddi ar fy nghap cynta wedi bod yn gyfnod cynhyrfus yn fy mywyd, a pharhau wna'th y cynnwrf. Derbynies lythyr yn fy ngwahodd i arwain tîm Dwyrain Cymru yn erbyn y Crysau Duon ar Barc yr Arfau ar y 9fed o Ragfyr, 1967. Ro'dd cyfansoddiad y tîm cymysg yn reit ddiddorol – clybie Morgannwg yn ca'l éu hystyried, a Chymry er'ill o'dd yn whare i glybie yn Lloegr. Ro'dd hi'n fraint ac yn anrhydedd bod yn gapten ond rhaid cyfadde fod 'na rywfaint o ansicrwydd. Wedi'r cwbwl ro'dd nifer o hoelion wyth y cyfnod yn y garfan. Hyfforddwr y tîm o'dd cyn-flaenasgellwr Cymru, Dai Hayward, a phenderfynodd y ddau ohonom gyfarfod mla'n llaw i drafod tactege yn nhafarn y Cockney Pride yng Nghaerdydd. Dros bryd bwyd Indiaidd a pheint o gwrw Brains, cafwyd trafodaeth a fydde wedi synnu hyfforddwyr presennol byd y bêl hirgron!

'Be 'ti'n feddwl, Gareth?' o'dd cwestiwn cynta Dai wrth dynnu tudalen o bapur gwyn a phensil 'HB' mas o'i boced. Atebes yn ddi-flewyn-ar-dafod: 'A bod yn onest, 'sdim rhyw lawer o amser 'da ni i gynllunio'n fanwl. Ma' hi braidd yn hwyr ar y dydd – ma'r gêm mewn llai nag wythnos, a dim ond un sesiwn ymarfer sy 'da ni!'

A'th Dai yn ei fla'n i flasu'r cyrri. Ro'dd e wrthi'n sipian ei beint yn garcus cyn plygu'r papur yr un mor garcus a'i osod yn ôl yn ei boced. Gwenodd. Yn amlwg, ro'dd e wedi dod o hyd i fformiwla i greu probleme i dîm gore'r byd! 'Gareth,' medde fe, ''r'yn ni'n mynd i daclo pob un sy'n gwisgo crys du, a hawlio pob pêl rydd. Yna r'yn ni'n mynd i redeg 'da'r bêl a chreu blydi hunlle i wrthwynebwyr fydd yn ffyddiog o fuddugoliaeth.'

Ganol yr wythnos cyn y gêm fawr fe waethygodd y tywydd. Fel bachgen o lethre'r Mynydd Du ro'n i'n gyfarwydd ag oerfel, ond ro'dd y tywydd garw wedi lledu dros Gymru gyfan gan gynnwys yr arfordiroedd. Penderfynwyd gorchuddio'r maes ag wyth tunnell o wellt ond yn dilyn cwymp sylweddol o eira bu'n rhaid gohirio'r ornest. Ro'dd y ca' o dan y gwellt mewn cyflwr da, ond ar ôl i droedfedd o eira gwmpo bu'n rhaid ystyried cyflwr y terase a chan fod y canolfanne gwaith ar gau ar fore Sadwrn, ro'dd hi'n amhosib ca'l gafael ar weithwyr i glirio'r lluwchfeydd. Penderfynwyd ad-drefnu'r gêm ar gyfer y prynhawn dydd Mercher canlynol.

Ro'dd 35,000 yn bresennol ar gyfer gêm ola'r Crysau Duon yng Nghymru, a nifer wedi prynu tocynne er mwyn ca'l dweud mewn blynyddoedd i ddod, 'Fe weles i un o dîme gore'r byd yn whare.' Hon o'dd gornest ola ond un y daith gyfan, a ro'dd 'na gryn ddishgwl mla'n i'r un ola un yn erbyn y Barbariaid yn Twickenham ar y prynhawn Sadwrn.

Do'dd neb a gerddai i gyfeiriad y maes yn meddwl am funed fod gobaith gan Ddwyrain Cymru. Ond, ddarllenwyr, 'fel y cwymp y cedyrn'! Wele'r ddau dîm:

DWYRAIN CYMRU		SELAND NEWYDD
David GRIFFITHS	15	Fergie McCORMICK
Keri JONES	14	Tony STEEL
Gerald DAVIES	13	Bill DAVIS
John DAWES	12	Grahame THORNE
Frank WILSON	11	Gerald KEMBER
Barry JOHN	10	Mac HEREWINI
Gareth EDWARDS	9	Chris LAIDLAW
Boyo JAMES	1	Ken GRAY
Jeff YOUNG	2	John MAJOR
John O'SHEA	3	John HAZLETT
Lyn BAXTER	4	Sam STRAHAN
Ian JONES	5	Alan SMITH
John HICKEY	6	Graham WILLIAMS
Ron JONES	8	Brian LOCHORE
Tony GRAY	7	Ian KIRKPATRICK

Dyfarnwr: F. B. LOVIS (Dyfarnwyr Llundain)

Ro'dd Seland Newydd wedi gobeithio cynnwys Colin Meads yn eu tîm ar ôl iddo ga'l ei hala bant o'r ca' yn erbyn yr Alban am gico mas yn beryglus a chyffwrdd â maswr yr Alban, David Chisholm. Penderfynodd yr awdurdode wahardd Meads am ddwy gêm ond, yn dilyn protest, gobaith y Crysau Duon o'dd ei weld yn whare yng Nghaerdydd. Anwybyddu'r gri wna'th yr awdurdode. Ro'dd Billy Raybould yn diodde o'r eryr *(shingles)* a da'th John Dawes i'r adwy ar yr unfed awr ar ddeg.

Ro'dd y ca'n ludiog ac yn anodd i redwyr, ond diolch i ymdrechion y pump bla'n yn ystod y munude agoriadol fe sylweddolodd y dorf a'r Crysau Duon fod yr awr ac ugen muned yn debygol o fod yn brawf pendant o'u gallu. Ro'dd taclo'r Cymry'n gwbl ddigyfaddawd a phwrpas i'r holl ymosodiade. Do'dd fawr o angen siarad â'r tîm a cheisio'u hysbrydoli – ro'dd pob un chwaraewr yn tanio ar chwe sylindr ac yn rhyw synhwyro fod modd cyflawni'r annisgwyl.

Hanner ffordd drwy'r hanner cynta fe benderfynodd Barry ('sdim angen y cyfenw – chi'n gwbod yn nêt pwy yw e!) anelu am gôl adlam, ond fe a'th y bêl ar draws y ca' ac i gyfeiriad yr ystlys a'r llinell gais. Ro'dd asgellwr chwith Caerdydd, Frank Wilson, ar ddihun ac yn ymwybodol o'r posibiliade. Fe a'th e fel cath i gythraul a thirio o dan drwyn Grahame Thorne. Y cais o'dd unig sgôr yr hanner cynta.

Ro'dd yr ail hanner 'run mor gyffrous – y ddau dîm yn brwydro am eu bywyde, a'r dorf ar flaene'u traed yn ychwanegu at y tensiwn a'r tyndra. Gyda deg muned yn weddill fe lwyddodd Bill Davis i ganfod y bwlch lleia a rhyddhau Tony Steel o dîm y gwrthwynebwyr; llwyddodd yr asgellwr i osgoi tacl lletchwith David Griffiths a gwasgu

Dyma fi – yn wyth oed.

*Aelod o dîm athletau
Ysgol Dechnegol Pontardawe.*

Ysgol Fodern Gwauncaegurwen. Rhes ôl – y trydydd o'r chwith.

Tîm Gymnasteg Ysgol Dechnegol Pontardawe.
Yr athro Addysg Gorfforol, Bill Samuel, sy ar y chwith.

Cystadlu ar y naid driphlyg yn Ysgol Millfield.

Gorffwys tu fas i Dŷ Millfield
ar ôl torri'r metatarsal.

53 Coelbren Square –
Gethin fy mrawd a finne.

Tîm rygbi Ysgol Millfield, 1964 – ar y dde yn y rhes fla'n.

Barry John a finne.
Gwisgo fest wen a rhosyn coch Lloegr!

Dysgu'r grefft o glymu pluen, a Dad yn cadw golwg ar bethe.

*Lynn Davies yn derbyn tlws 'Personoliaeth Chwaraeon y Flwyddyn',
1964. Fe ges i'r cwpan ar gyfer yr Adran Iau.*

*Yn gapten ar gyfer y gêm rhwng Dwyrain Cymru a Seland Newydd –
Rhagfyr 1967.*

Cais i Gymru mas yn Stade Colombes, Paris, yn 1969.

Ffarwelio â'r teulu. Guto (ŵyr Eic Davies, mab Bethan ac Emyr) sy yn y bla'n – ro'dd e'n digwydd ymweld â'i fam-gu a'i dad-cu yn Coelbren Square ar y pryd.

Gethin yn ca'l ei dwlu din dros ben.

*Cario Dawie de Villiers bant o'r ca'
    – Twickenham, 1969.*

Ymarfer gyda thîm Manchester City.

*Ychydig orie cyn
gêm y Gamp Lawn
ym Mharis, 1971.*

*Gerald a finne'n
proffwydo'r tywydd
mas yn Wellington,
Seland Newydd,
yn 1971.*

Ar y trên 'nôl i Gymru ar ôl taith y Llewod – 1971.

Y Lagonda'n cyrra'dd Sgwâr y Waun.

Y dathliade'n parhau ar lwyfan 'Hall' y Waun.

Y Briodas Fawr! Yng nghwmni teulu Maureen.

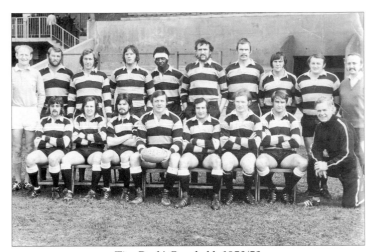

Tîm Rygbi Caerdydd, 1972/73.

Yr enwog gais! Gêm y Barbariaid yn erbyn Seland Newydd, 1973.

Cais yn erbyn y Gwyddelod, Mawrth 1973.

Gary Player yn derbyn gair o gyngor mas yn Ne Affrica – wythnos ar ôl iddo ennill yr 'Open' yn Royal Lytham.

'Nôl o Dde Affrica yn 1974, ac Owen eisoes yn dri mis oed!

Gêm gystadleuol mas yn Siapan. JPR yn chwerthin – y ni enillodd!

Ca'l fy nerbyn i'r Orsedd.

Llofnodi clawr y record ohonof yn canu gyda Marlene Powell yn swyddfa Cambrian Records. Buom ar frig Siart Y Cymro *am dri mis!*

LLUN: NEWS OF THE WORLD

Gyda'r teulu ym Mhorth-cawl – Rhys (chwith) ac Owen.

LLUN: DAILY MAIL

Pysgota yn afon Gwy.

Y fi a Huw Bach – dau grwt o'r Waun!

Ar raglen Elinor Jones, ganol yr wythdege – yn trafod fy llyfr ar bysgota.

Gyda dau ffrind annwyl – Serge Blanco (chwith) a Jean-Pierre Rives.

Noson mas! O'r chwith: Owen, Rhian, fi, Rhys, Maureen ac Eirlys.

Y teulu ym mhriodas Owen a Rhian, haf 2007 – Gloria a fi yn y cefn;
Gethin a Mam yn y bla'n.

mewn yn y cornel. Ro'dd David, o'dd o fewn trwch blewyn i ennill ei gap cynta i Gymru, am flynyddoedd yn dal i ddihuno ganol nos ac ail-fyw hunlle'r digwyddiad. Naw deg naw o weithie mas o gant a bydde fe wedi chwalu'r asgellwr. Cais yr un, a dim ond munude'n weddill.

Ond do'n ni ddim am ishte 'nôl – ro'n ni'n benderfynol o gipio buddugoliaeth. Fe lwyddon ni i greu cyfle i Keri Jones; fe gicodd e dros Fergie McCormick ond fe gas y gŵr o'r Allt-wen ei rwystro. Ro'dd deugen mil o dorf a phymtheg chwaraewr yn pledio am gais cosb ond ro'dd y dyfarnwr ymhell tu ôl i'r whare ac yn ansicr ei benderfyniad yn dilyn anaf i'w goes! Yna fe wnes i gico i'r bocs a chyrhaeddodd Frank Wilson o fla'n yr amddiffyn, ond fe benderfynodd y dyfarnwr ei fod e'n camsefyll. Yna'n greulon, gydag ond eiliade'n weddill, fe geisiodd Barry ennill y frwydr â chic adlam; dringodd y bêl yn uchel a chyffwrdd â'r postyn.

Na, do'dd hi ddim i fod, ond fe *ddylse*'r Crysau Duon fod wedi colli. Fe gyfaddefodd eu rheolwr, Charlie Saxton, hynny yn y cinio swyddogol yng Ngwesty'r Angel. Fe ddaethon ni o fewn dim i ennill drwy fod yn bositif – ymosod, wedi'r cwbwl, yw'r amddiffyn gore. Ro'dd tîm Brian Lochore wedi profi droeon yn ystod eu taith fod rygbi ymosodol a chyffrous yn talu ar ei ganfed; fe brofon ninne fod modd cystadlu â nhw trwy greu cyffro ein hunain.

Capten ar fy ngwlad

Ro'dd tymor 1967/68 yn un arwyddocaol i'r garfan genedlaethol. Ro'dd y tîm yn dechre ffindo'u tra'd. Cafwyd gêm gyfartal yn Twickenham – Keith Jarrett yn dychwelyd ac yn llwyddo ag un gic mewn pedair, ond dwy gic aflwyddiannus o dro'd Keith yn arwain at geisie. Fe darodd

Colin McFadyean y bêl mla'n ac o'r sgrym fe lwyddes i i gamu rownd i'r ochr dywyll, cynnig ffug bàs a gwasgu rhwng dau Sais cyn plymio drosodd – fy nghais cynta ar y llwyfan rhyngwladol, a rhaid cyfadde fod y teimlad yn un pleserus. Wrth gamu 'nôl a derbyn y gefnogaeth, cofies am y troeon ro'n i a Gethin, fy mrawd, wedi neud defnydd o'r ochr dywyll yng Ngwauncaegurwen – a hynny, cofiwch, bob tro yn erbyn Lloegr! Ac yna, yn annodweddiadol, fe fethodd Bob Hiller ddal ymgais arall Keith o drigen llath, ac o'r sgrym bump fe gydiodd yr wythwr Bobby Wanbon o Aberafan yn y bêl a brasgamu dros y llinell gais.

Ro'dd y trydydd o Chwefror, 1968, yn ddyddiad bythgofiadwy yn fy ngyrfa fel chwaraewr rygbi. Dewiswyd Jeff Young yn fachwr yn lle'r capten Norman Gale, a gofynnwyd i mi arwain y tîm a finne ond yn ugen mlwydd a saith mis oed – y capten ifanca yn hanes rygbi Cymru. Diflas o'dd y whare ar Barc yr Arfau ond ro'dd Cymru'n fuddugol, diolch i ymdrech yr asgellwr Keri Jones (y bàs mla'n, ond y dyfarnwr Larry Lamb o Loegr yn caniatáu'r cais).

John Dawes o'dd y capten yn Nulyn ac oni bai am gais hwyr Mick Doyle fe fydde'r cefnogwyr yn y gwyrdd wedi achosi reiat – ac, i radde, y fi o'dd yn gyfrifol. Ie, fi'n gwbod be' chi'n feddwl – shwd alle bachgen tawel ac addfwyn o'r Waun achosi anhrefn, anniddigrwydd a drwgdeimlad ar ga' rygbi? Wel, cyn i chi'r darllenwyr golli ffydd ac ymuno â'r protestwyr Gwyddelig, ga i egluro!

Ro'dd Iwerddon ar y bla'n o chwe phwynt i dri, diolch i gic gosb Tom Kiernan a chic adlam y maswr Mike Gibson. Yna fe dderbynies i'r bêl, ryw bymtheg llath o'r ystlys bella (yr ochr arall i'r ystafelloedd newid), gan feddwl pasio, ond yna mewn chwincad fe droies i ar bishyn whech ac anelu am gôl adlam. I chi sy wedi ymweld â Heol Lansdowne, fe wyddoch fod y gwynt yn gallu bod yn dwyllodrus ar ddiwrnod braf, a'r tro hwn fe gododd y bêl yn uwch na'r pyst, hofran yn yr awel a dal i godi i'r entrychion. Ro'dd y dyfarnwr mewn picil, wedi gorfod dianc i osgoi'r gic ac yn amlwg yn ansicr ei benderfyniad. A chwaraewyr Iwerddon yn camu i'r pump ar hugen ar gyfer yr ailddechre, fe synnwyd hanner can mil o gefnogwyr a deg ar hugen o chwaraewyr pan gododd Mr Titcomb ei fraich yn uchel i'r awyr, chwythu'i chwib a chaniatáu'r gic. A'th y dorf yn wallgo – poteli Guinness, pîl oren a phapure'n ca'l eu taflu i gyfeiriad y Cymry. Yn wir, mewn un rhan o'r ca' fe lwyddodd rhyw gant a hanner o gefnogwyr i redeg ar y tir cysegredig i drio sbaddu'r dyfarnwr. Fe gyrhaeddodd y *Garda,* cliriwyd y ca', ac er mawr ryddhad fe groesodd Doyle am y cais tyngedfennol ar ôl i'r dyfarnwr whare naw muned o amser ychwanegol. Y Gwyddelod a'th â hi o 9 i 6, a diolch am hynny neu fydden i ddim wedi ca'l y cyfle i adrodd yr hanes! Ond ga i bwysleisio – do'dd cic adlam Mike Gibson ddim yn un gyfreithlon, gan i Gymro daro'r bêl ar ei ffordd dros y bar, ac yn ôl rheole'r cyfnod fe ddylse Mr Titcomb fod wedi gwrthod yr ymdrech honno hefyd. Fe chwythodd y dyfarnwr y chwib ola reit yn ymyl y mynediad i'r stafelloedd newid, ac fe redon ni o'r maes mor gyflym â milgwn ar drac.

Colli o'dd yr hanes wedyn yn erbyn Ffrainc, ond ro'dd Barry, Gerald, Delme, Maurice Richards, Dai Morris, John Taylor, Billy Raybould, Keri Jones, John O'Shea, John Lloyd a Ron Jones wedi creu argraff. Ro'dd 'na ryw deimlad fod y gallu a'r bwriad o fewn y garfan i whare rygbi pert a chreu rhywfaint o antur a chyffro.

Y Llewod

A'r tymor yn dirwyn i ben, ro'dd y wasg a'r cyfrynge'n ca'l modd i fyw wrth geisio dewis carfan y Llewod ar gyfer eu taith i Dde Affrica. Ac nid yn unig y gohebwyr rygbi o'dd yn brysur yn cyfansoddi: ro'dd bron pob chwaraewr rhyngwladol ar bigau'r drain. Ro'dd nifer fawr o fewnwyr wedi cynrychioli'u gwledydd yn ystod y tymor – Redwood a Pickering i Loegr; Hastie, McCrae a Connell i'r Alban, a Young, Quirke a Sherry i Iwerddon. Ro'n i'n gyson yn ceisio dyfalu cyfansoddiad y garfan liw nos cyn cysgu ac yn dod i'r casgliad – wel, o leia dim ond *un* mewnwr sy wedi cynrychioli Cymru y tymor hwn.

I'r mwyafrif, ma' cynrychioli tîm cenedlaethol yn gamp aruthrol, ond yn y byd rygbi ym Mhrydain ma' 'na un *nirvana*, os mynnwch chi – gwisgo crys coch y Llewod mewn gêm brawf. Ma' 'na hanes a rhywfaint o ramant yn ymwneud â'r tîm hwn sy wedi croesi cyfandiroedd a herio gwledydd gore'r byd rygbi. Yn y gorffennol, cafwyd perfformiade campus; sgoriwyd ceisie bythgofiadwy, a ma' ymdrechion Jack Morley yn 1930, Ken Jones yn 1950 yn Seland Newydd, Cliff Morgan yn 1955 a D. Ken Jones yn 1962 yn Ne Affrica gyda'r mwya cofiadwy – y pedwar, gyda llaw, yn Gymry. Ond yn ystod yr ugeinfed ganrif, do'dd y tîm ddim wedi llwyddo i ennill yr un gyfres! Yn bersonol, ro'dd 'da fi node ac amcanion pendant yn fy ngyrfa fel ffwtbolyr – ennill hanner cant o gapie i Gymru, cipio Coron Driphlyg a Champ Lawn mewn crys coch, a bod yn aelod o dîm y Llewod a fydde'n ennill cyfresi yn Seland Newydd a De Affrica.

Enjoies i bob un muned o daith Llewod Prydeinig 1968 i Dde Affrica – ro'dd yr ysbryd o fewn y garfan yn gartrefol, y croeso yn gynnes, y tywydd yn fendigedig a'r profiad o whare unwaith eto ar dir caled y *Veld* yn fêl ar fysedd chwaraewyr cyflym o'dd am redeg â'r bêl. Siomedig o'dd y canlyniade yn y pedwar prawf – colli tair gêm a cha'l un gêm gyfartal. Cofiwch, ca'l a cha'l o'dd hi yn Pretoria a Cape Town – y tîm yn colli o un sgôr yn unig. Bu'r daith yn un drychinebus i Barry John wrth iddo dorri pont ei ysgwydd yn y prawf cynta, ac fe golles i'r ddau brawf ola yn sgil anaf i linyn yr ar *(hamstring)*.

Ro'dd pob aelod o'r tîm yn derbyn pedwar swllt ar ddeg o dreulie yn ddyddiol, swm anferthol ddeugen mlynedd yn ôl! Ro'dd nifer o'r chwaraewyr yn arbenigwyr ar dynnu coes, ac yn y cyfnod amatur cafwyd cyfnode pan fydden ni'n mynd dros ben llestri ar ôl y gêm drwy flasu'r cwrw lleol a chanu caneuon rygbi braidd yn anweddus. (Ro'dd 'na adeg pan o'n i'n cofio *pob un* pennill o 'Eskimo Nell'!) Do'dd 'na ddim camerâu teledu yn cofnodi a chlustfeinio – ro'dd 'na gyfle i fwynhau a cha'l rhywfaint o breifatrwydd.

Bob hyn a hyn fe fydden ni'n derbyn y *gadgets* diweddara, a hynny am ddim. Yn ystod y chwedege ro'dd cyfartaledd uchel o'r chwaraewyr yn smygu (do'n i ddim yn un ohonyn nhw), a fe dderbyniodd pawb beirianne tanio sigaréts reit gostus. I ddathlu'r achlysur fe benderfynodd rhai ohonon ni losgi pob dim o fewn golwg. Ro'dd y capten, Tom Kiernan, yn darllen ei bapur ac yn sydyn ro'dd yr holl ddudalenne'n wenfflam. A thra o'dd Syd Millar yn ymlacio o gwmpas y pwll penderfynwyd rhwygo'i grys e bant a'i losgi.

A'th Syd yn wallgo; os o'dd e'n colli'i grys yna bydde pawb arall o fewn canllath yn diodde'r un driniaeth, a chyn pen dim ro'dd 'na goelcerth ar y lawnt. Fe driodd Pat Marshall, gohebydd rygbi'r *Daily Express*, ddianc pan welodd e'r Llewod yn prowlan ond do'dd e ddim yn ddigon clou. Ro'dd ei grys newydd Van Heusen a'i dei yng nghanol y fflame mewn chwincad, a'r bois yn eu dwble'n wherthin ar olygfa eithriadol o ddoniol – ro'dd e'n deneuach na Kate Moss!

Pwy fydde'r nesa, tybed, i gamu o gyntedd y gwesty? Ymddangosodd un o'r merched o'dd yn gweithio yn y dderbynfa – ro'dd hon yn osgeiddig a siapus ac yn ddigon prydferth i gynrychioli De Affrica yn y gystadleuaeth *Miss World*. Gofynnwyd yn gwrtais iddi gyflwyno'i dillad isa er mwyn cynnal y fflame a fe dawelodd hi bob un aelod o'r Llewod drwy gerdded, heb unrhyw banic, y tu ôl i lwyn trwchus. Eiliade'n ddiweddarach fe gamodd yn hyderus i gyfeiriad y goelcerth, taflu'i bra a'i blwmars i ganol y pentwr a diflannu i glydwch y maes parcio. Lloriwyd deg ar hugen o Lewod!

Ar ôl canlyniade trychinebus y daith i Seland Newydd yn 1966, fe lwyddodd tîm Tom Kiernan i adfer rhyw ychydig o hunan-barch mas yn Ne Affrica. Llwyddodd y rheolwr, David Brooks, a'r hyfforddwr, Ronnie Dawson, i greu undod o fewn y garfan a dyna'r adeg y sylweddoles i'n bersonol fod datblygu cyfeillgarwch ac ymddiried yn ein gilydd yn hollbwysig i lwyddiant tîm. Nid pymtheg o unigolion dawnus sy'n sicrhau buddugoliaethe – rhaid i holl aelode'r tîm fod yn gyfforddus â'i gilydd. Ma' ysbryd brawdol yn allweddol i lwyddiant busnes, ysgol, llywodraeth a thîm.

Oni bai am un golled yn erbyn Transvaal (6–14), enillwyd pob un o'r gême rhanbarthol, a llwyddwyd i gystadlu'n frwd ym mhob un o'r gême prawf. Ma' 'na ddeugen mlynedd oddi ar y daith, ond ma'r atgofion yn dal yn fyw a'r profiade'r un mor felys.

Jock

Un a chwaraeodd ym mhob un o'r profion i'r Llewod Prydeinig mas yn Ne Affrica yn 1968 o'dd yr Albanwr dawnus o'dd yn ganolwr (weithie'n faswr) tîm Gala (Galashiels) a'r Alban – Jock Turner. Fe ddatblygodd cyfeillgarwch agos rhwng y ddau ohonom; ro'n ni'n rhannu'r un diddordebe ac yn debyg i'n gilydd o ran ein cymeriade, ac ar ôl dychwelyd i Brydain ro'dd 'na alwade ffôn cyson rhwng Melrose a'r Waun. Yn flynyddol, fe fydde Jock yn ymweld â Chymru a bŵt ei gar yn llawn o offer pysgota, a fe fydde'r ddau ohonom yn treulio orie (liw nos, fel arfer) ar y Tywi neu'r Teifi yn ceisio denu ambell bysgodyn. Yn yr un modd fe fydden inne'n dianc y tu hwnt i Wal Hadrian a threulio amser yng nghartre Jock a'i deulu, ac yn darganfod hud a lledrith dyfroedd y Tweed o fewn tafliad pluen i'w gartre. Dro arall byddem yn dringo mynyddoedd neu'n crwydro gelltydd a ffriddoedd yn saethu grugieir a gwerthfawrogi prydferthwch a thawelwch cefn gwlad.

Ddechre'r nawdege derbynies wahoddiad i bysgota ar afon Tay. Ro'dd hi'n amhosib gwrthod! Cysylltes â Jock a phenderfynu treulio deuddydd yn ei gwmni ar y ffordd i ddinas Dundee. Ro'dd e'n cwyno bod rhywfaint o boen yn ei ysgwydd ond gohiriodd ei bwyllgore am y diwrnod a threfnu i ni bysgota ar lan afon Tweed. Fe geson ni ddiwrnod i'r brenin; ail-fyw'r gorffennol, rhamantu am y dyddie a fu, a dathlu rhwydo ambell bysgodyn, cyn ymlacio amser cinio mewn caban pysgota a mwynhau picnic godidog gan gynnwys glased neu ddau o win gwyn.

Do'dd hi ddim yn ddiwrnod delfrydol o ran pysgota – yr haul yn rhy gryf, y gole'n ein dallu, a'r pysgod yn gwbod fod rhywbeth o'i le. Penderfynwyd rhoi'r gore iddi. Fe grwydron ni'n hamddenol dros y brynie ac wedi cyrra'dd cartre Jock ro'dd rhaid mwynhau glased arall o win. Yna'n gwbwl ddisymwth fe ddioddefodd Jock drawiad difrifol. Bu farw'r Albanwr yn fy mreichie – yn ôl y doctor ro'dd e wedi marw cyn i fi ymestyn draw i'w ddal. Mynnodd y teulu fy mod yn cadw f'addewid ac yn mynd i bysgota yng nghyffinie Dundee. Galwes heibio ar fy ffordd yn ôl ar gyfer angladd ffrind annwyl.

Yr ochr seicolegol

Ro'dd Cymru, am y tro cynta yn ei hanes, yn teithio i Seland Newydd yn ystod haf 1969. Ar ôl dychwelyd o Dde Affrica fe dreulies i gryn amser ym mis Awst, cyn ailddechre yng Ngholeg Caerdydd ar gyfer y flwyddyn ola, yn meddwl yn ddwys am yr hyn ro'n i wedi'i ddysgu yn ystod y ddau dymor diwetha. Dwi'n cofio ishte yn y gegin un bore yn tynnu rhestr o'r prif bwyntie y dylsen i eu hystyried yn dilyn y gême a weles i yn erbyn Awstralia ac a chwaraees i yn erbyn y Crysau Duon a De Affrica. Ro'dd gweld Ken Catchpole a whare yn erbyn Chris Laidlaw a Dawie de Villiers wedi bod yn agoriad llygad, a'r profiade'n golygu fy mod i ac er'ill yng ngharfan Cymru yn prifio ac yn datblygu fel chwaraewyr. Ma'r darn papur wedi hen ddiflannu ond ma'r pwyntie ynglŷn â thîme Hemisffer y De yr un mor eglur ag erio'd:

- ro'n nhw'n gwbod shwd o'dd ennill
- do'n nhw byth yn twlu'r sbwnj mewn
- ro'n nhw'n gystadleuol o'r gic gynta i'r chwib ola
- y tîm o'dd yn bwysig, nid yr unigolyn
- ro'n nhw'n mynnu perffeithio sgilie drwy weithio'n galed, ac yn fwy na bodlon i losgi'r gannwyll
- ro'n nhw'n gweithio'n galed ar eu ffitrwydd.

Rhaid i mi gyfadde mod i'n edmygu'r hyn ro'n nhw'n geisio'i neud – do'dd 'na ddim bwriad i whare rygbi pert i greu adloniant. Bydde buddugoliaeth o un gic gosb i ddim mewn gornest ddiflas yn ddigonol, a ro'dd y gallu 'da nhw i newid patrwm eu whare hanner ffordd drwy gêm – os o'dd cynllun A yn aneffeithiol ac yn methu, yna mewn chwincad ro'dd modd addasu a mabwysiadu Cynllun B (neu C hyd yn oed).

Pan hedfanon ni mas i Seland Newydd ym mis Mai 1969, ro'dd Cymru a'r Crysau Duon wedi cystadlu yn erbyn ei gilydd ar y llwyfan rhyngwladol chwech o weithe – Cymru'n fuddugol deirgwaith a Seland Newydd deirgwaith. Ffaith gwbl anhygoel! Erith Gwynne Nicholls yn 1905, Claude Davey (o'r Waun) yn 1935 a Bleddyn Williams yn 1953 o'dd capteiniaid y tri thîm llwyddiannus o Gymru. I rai cefnogwyr, ennill yn erbyn Lloegr o'dd y gamp, ond yn bersonol ro'n i'n dal yn benderfynol o whare mewn tîme buddugol yn erbyn cewri'r byd rygbi – Seland Newydd.

Y tîm yn datblygu

'Nôl yn y chwedege, y nod i Gymru, Lloegr, yr Alban ac Iwerddon o'dd cipio'r Goron Driphlyg; hynny yw, llwyddo yn erbyn y tri thîm arall ym Mhencampwriaeth y Pum Gwlad. Ond o bryd i'w gilydd ro'dd modd breuddwydio am

Gamp Lawn drwy faeddu Ffrainc yn ogystal. Llwyddodd Cymru i gipio'r tlws 'nôl yn nhymor 1949/50 a thymor 1951/52 o dan gapteniaeth John Gwilliam. Y tîm diwetha i ennill pob un gêm yn y gystadleuaeth o'dd Lloegr yn 1957. Uchelgais pob chwaraewr rhyngwladol Ewropeaidd yw cynrychioli ei wlad ac ennill y Gamp Lawn.

Yn sgil ymddiswyddiad David Nash, penodwyd Clive Rowlands yn hyfforddwr cenedlaethol ar ddechre tymor 1968/69. Ro'dd Clive ('Top Cat' i holl gefnogwyr y gêm) newydd ymddeol ar ôl gyrfa lwyddiannus fel athro, ac yn berffeth ar gyfer y rôl. O fewn dim o beth ro'dd 'na strwythur pendant i'r sesiyne ymarfer a'r hyfforddi, a'r chwaraewyr yn ysu am ga'l cyrra'dd campws yr Afan Lido ar fore Sul er mwyn datblygu patrwm cyffrous o whare. Erbyn hyn ro'dd ymarfer a hyfforddi yn dod yn rhan o'r gêm, a diolch i ymdrechion yr Undeb Rygbi a mewnbwn y Trefnydd Hyfforddi Cenedlaethol, Ray Williams, ro'dd Cymru ar fla'n y gad ledled byd.

Yn ystod y tymor cipiodd Cymru'r Goron Driphlyg a'r Bencampwriaeth a dod o fewn trwch blewyn i hawlio'r Gamp Lawn. Ro'dd y gêm ola ond un yn erbyn Ffrainc, mas yn Stade Colombes, yn un hynod gystadleuol a chyffrous, a Chymru'n gyfforddus ar y bla'n ar yr egwyl o 8 i 0. Ro'n ni'n gymharol hyderus cyn y gic gynta, gan fod y *tricolores* wedi colli deg gêm yn olynol – hyn ar ôl ennill y Gamp Lawn am y tro cynta yn eu hanes yn nhymor 1967/68 dan arweiniad Christian Carrère. Defnyddion nhw 29 o chwaraewyr mewn pedair gêm a'r cefnwr, Pierre Villepreux, a'r ail reng, Élie Cester, o'dd yr unig ddau i whare ym mhob un gornest. Ond, d'ych chi byth yn gwbod beth a ddigwydd nesa yn erbyn y Ffrancwyr!

Ma' pob chwaraewr ym mhob camp yn hoffi ail-fyw'r dyddie a fu – rwy'n siŵr bod Alan Jones yn dal i gofio am un batiad arbennig neu un ergyd arbennig ar Sain Helen neu ar ga' Thomas Lord, a'r chwaraewr tennis o Abertawe, Michael Davies, yn hiraethu am gyfnod pan faeddodd e Hoad, Drobny, Davidson a Cooper. A dw inne ddim gwahanol! R'ych chi'r darllenwyr yn siŵr o fod yn meddwl mod i'n gyson yn ailchware'r cais sgories i i'r Barbariaid yn erbyn y Crysau Duon, neu'r ymdrech yn erbyn yr Alban pan gyrhaeddes i gynta ar ôl bylchiad, cic a chwrs i ganol y llacs cochlyd. Ond r'ych chi'n anghywir! Ro'dd y cais mas yn erbyn y Ffrancod yn nhymor 1968/69 yr un mor sbeshal â'r rheina.

Ma' gen i gof o Keith Jarrett yn rhedeg yn gryf a phasio i John Taylor. Nawr, mae beth 'ych chi'n neud pan *nad* yw'r bêl yn eich meddiant yn gwbl allweddol mewn gêm rygbi a phêl-droed. Llwyddes i i gynorthwyo John ar y tu fewn a derbyn y bàs gan sylweddoli fod modd creu anhrefn yn yr amddiffyn. Ma' 'da fi gof o sawl Ffrancwr yn cyffwrdd â nghrys i ond mla'n yr es i – nid rhedeg jyst er mwyn cyrra'dd y llinell gais, ond rhedeg ag ymwybyddiaeth mabolgampwr. Fe dda'th yr holl orie yn y gampfa ym Mhontardawe yn handi! Ro'dd y presenoldeb corfforol a'r gallu i gadw cydbwysedd yn dyngedfennol yn y rhediad. Ac yna, a minne'n ffyddiog mod i'n mynd i gyrra'dd y llinell gais, fe lwyddodd rhywun i hanner ffrwyno'r rhediad, ond fe lwyddes i i droi a throsi, cyflawni *pirouette* a pharhau! Am bwynt un o eiliad ro'n i'n ansicr – o fewn cyrra'dd i'r llinell gais ond yn ymwybodol o bresenoldeb Ffrancwyr er'ill o'm cwmpas. Diolch i gryfder corfforol a phenderfyniad fe gyrhaeddes i'r llinell ac un Ffrancwr yn fy nal gerfydd coler fy nghrys. Ma'r llun o'r cais yn datgan cyfrolau! Hwn, heb unrhyw amheuaeth, o'dd un o geisie gore fy ngyrfa.

Da'th ail gais i'r Cymry. Ma' cico'n rhan hollbwysig o *repertoire* mewnwr, a'r tro hwn ro'dd y gic wedi'i phwyso a'i mesur i'r fodfedd ar gyfer Maurice Richards, a fe a'th e fel milgi am y llinell gais. Pierre Villepreux o'dd arwr y Ffrancwyr – fe lywiodd e'r whare'n fedrus yn yr ail hanner drwy greu cais i André Campaes a llwyddo â chic gosb a throsiad. Gêm gyfartal, 8–8, a'r unig Gymro i wenu o'dd Phil Bennett. Dda'th e ar y ca' gydag ond eiliade'n weddill ar ôl i Gerald anafu'i benelin – yr eilydd cynta o Gymru i dderbyn ei gap, a seren y Sgarlets heb gyffwrdd â'r bêl!

Chwalwyd yr Albanwyr yng ngêm gynta pen-campwriaeth 1968/69 – Cymru'n cymryd mantais o gamgymeriade tîm Jim Telfer ac yn croesi am dri chais, a Barry, Maurice a finne'n eu hawlio. Y Gwyddelod o'dd y gwrthwynebwyr ar Barc yr Arfau ar yr 8fed o Fawrth mewn gêm danllyd. Ro'dd y ca' wedi ca'l ei weddnewid – hen eisteddle'r Gogledd wedi'i chwalu – a dim ond 29,000 o dorf yn bresennol, yn cynnwys Tywysog Cymru. Ro'n ni wedi bod wrthi'n paratoi ar gyfer yr ornest ac yn benderfynol o dargedu un gŵr yn arbennig – blaenasgellwr dylanwadol Iwerddon, Noel Murphy. Ro'dd Clive a'r blaenwyr wedi cynllunio ar ei gyfer ac am i mi, o sgrym gynta Cymru, gydio yn y bêl a rhedeg yn syth at Murphy. Fe fydde'r gŵr drwg yn gorwedd ar lawr wedi'r dacl ac yn rhoi cyfle i flaenwyr y cryse cochion gerdded ar ei draws ac estyn croeso cynnes iddo i Gaerdydd.

Yn anffodus, geson ni ddim un sgrym am ugen muned ac, yn y cyfamser, o fla'n naw mil ar hugen a thywysog, yn dilyn digwyddiad mewn sgarmes fe drodd Brian Price (y capten!) ac estyn ergyd nerthol i ên Noel. Fe gwmpodd Noel yn ffradach reit o fla'n y Tywysog! Ro'dd y Gwyddelod yn winad, y capten Tom Kiernan yn ei thampan hi ac yn gweld gweithred Brian yn gwbl annerbyniol. Tra o'dd Noel yn gorwedd ar lawr yn godro'r sefyllfa, ro'dd Tom yn cwrso ar fy ôl i ac yn bloeddio a sgrechen, 'Gareth – how could you do such a thing. It's the Murphy plan isn't it?' Yn onest, do'n i ddim yn gwbod am beth o'dd e'n siarad.

Am rai eiliade ro'dd sawl un ohonon ni ar y ca'n credu fod Brian yn mynd i ga'l ei hala bant gan y dyfarnwr o'r Alban, Doug McMahon. Yn ôl capten Cymru, ro'dd rhywun (Noel, siŵr o fod) wedi bod yn ei ddal e gerfydd ei lwnc, a dyna pam gollodd e'i limpin a thwlu clatshen a fydde wedi llorio bocsiwr proffesiynol. Fe brofodd i fod yn brynhawn corfforol a hyd yn oed Brian Thomas yn derbyn pwythe ar ôl i rywun ei gico yn ei ben. Fe alle pethe fod wedi mynd dros ben llestri. Y noson honno fe dda'th yr eglurhad. Ro'dd y Gwyddelod, y noson cyn y gêm fawr, wedi derbyn galwad ffôn gan unigolyn dienw. 'This is a friend of the Irish. Look out for the Murphy Plan!' Ro'dd Tom yn pallu siarad â ni am orie, a hyd yn oed heddi ma' fe'n dal i gyfeirio at y digwyddiad ac yn fy ngalw i'n 'little bastard'.

Mewnwr Iwerddon yn ystod y prynhawn o'dd un o'm ffrindie gore, y deintydd Roger Young. Yn ystod y bum muned gynta, anwybyddes i Roger yn llwyr, ac ar adege edryches yn gas i'w gyfeiriad a'i hwpo fe naill ochr cyn bwydo'r bêl i'r sgrym. Yna, tra o'n ni'n cerdded gyda'n gilydd i gyfeiriad lein, fe drodd y Gwyddel a datgan y llinell anfarwol, 'Gareth – have you fixed me up for tonight?' Anghofies i am y tensiwn a bosto mas i wherthin. Gyda llaw, fe enillon ni'r gêm o 24 i 11, diolch i geisie Stuart Watkins, Dai Morris, John Taylor a Denzil Williams (y prop hwnnw'n derbyn y bêl yn glou oddi wrth Keith Jarrett pan o'dd y gwŷr yn y gwyrdd yn meddwl bod Keith yn mynd at y pyst).

Yn dilyn y gêm gyfartal yn Ffrainc, da'th y Saeson i Gaerdydd a ninne'n gwbod y bydde buddugoliaeth yn selio Coron Driphlyg a phencampwriaeth. Ro'dd hon yn un o gême mwya cofiadwy fy ngyrfa ryngwladol, a hyd yn oed heddi, bron i ddeugen mlynedd yn ddiweddarach, ma' pobol yn dal i gyfeirio at y perfformiad – a phobol ifanc y presennol, ar ôl gwylio'r fideo ohono, yn rhyfeddu at y ceisie a sgoriwyd. Ro'dd y prynhawn yn un bythgofiadwy i'r asgellwr Maurice Richards, oherwydd fe sgoriodd e bedwar cais gan ddilyn camp Willie Llewellyn yn erbyn Lloegr ar faes Sain Helen yn 1899 a Reggie Gibbs yn erbyn Ffrainc ar Barc yr Arfau yn 1908. Yn dilyn anaf i Brian Price, fe dderbynies i'r anrhydedd o arwain Cymru yn heulwen Parc yr Arfau, a ro'dd 'na gryn ddishgwl mla'n i'r frwydr gan fod cyfle i dîm Budge Rogers gipio'r bencampwriaeth yn ogystal. Tri phwynt yr un o'dd hi ar yr egwyl ond fe lwyddon ni i redeg reiat yn yr ail hanner ac ennill 30–9, y golled waetha i Loegr yn erbyn Cymru er 1922 pan sgoriodd tîm Tom Parker wyth cais.

Ro'dd un cais cwbl anhygoel yn yr ornest, cais gan Barry John a enwebwyd yn ddiweddar gan BBC Cymru ar gyfer cystadleuaeth 'Cais y Gorffennol'. Rhyw ôl-redeg o'dd Barry ar y pryd, yn hofran yn ddanjerus tu ôl i Jarrett a Dawes, pan dda'th y bêl i'w feddiant. Nawr, do'dd e ddim yn ochrgamu na gwyro – rhyw gamu mla'n fel ysbryd wna'th e ac osgoi crafange'r Saeson trwy ddewiniaeth. Ro'dd fel petai'r maswr yn sglefrio ar iâ, a neb yn llwyddo i gyffwrdd ag e heb sôn am ei daclo. Anghredadwy – dyna'r unig air ma' modd ei ddefnyddio, ac ro'n i yno'n dyst i'r cwbwl.

Gwers

Ro'dd 'na gryn bwyse arnon ni wrth adael Maes Awyr Heathrow ar ein ffordd i wlad y cwmwl gwyn. Ro'dd y wasg yn ffyddiog y galle olwyr Cymru ddysgu gwers neu ddwy i'r Crysau Duon ond, a bod yn onest, ro'dd Clive, yr hyfforddwr, a phob aelod o'r garfan yn gwbod yn nêt y bydde tîm Brian Lochore yn ffefrynne clir ar eu patshyn eu hunain. Ac i Barry Llewelyn a finne ro'dd 'na bwyse ychwanegol gan ein bod yn gorffod ishte'n harholiade terfynol ar gyfer ein cwrs coleg mas yn Auckland!

Ro'dd proffwydoliaeth y wasg Brydeinig yn anghywir. Chwalwyd Cymru yn y prawf cynta yn Christchurch 19–0. Do'dd hynny fawr o sioc i'r chwaraewyr. Bu'n rhaid i ni whare gêm yn erbyn talaith Taranaki ddim ond dau ddiwrnod ar ôl glanio. Fe dreulion ni bum deg a dwy o orie yn yr awyr yn hedfan i bron bob gwlad rhwng Cymru a Seland Newydd – glanio yn Rhufain, Tel Aviv, Singapore, Perth a Sydney cyn cyrra'dd Auckland. Ac wythnos ar ôl glanio ro'n ni'n herio'r Crysau Duon yn y prawf cynta. Annerbyniol! A man a man i fi ddweud fy nweud, ac atgoffa pawb fod un ar bymtheg o ddynion 'da'r Crysau Duon ar y ca'. Ro'dd y dyfarnwr Pat Murphy yn un o'r swyddogion mwya unllygeidiog ddes i ar eu traws yn ystod gyrfa o ugen mlynedd ar ga' rygbi. (Y gwaetha, gyda llaw, o'dd dyfarnwr o Dde Affrica yn 1968 mewn gêm ranbarthol. Tra o'n i'n cydio yn y bêl a cherdded draw i'r sgrym nesa, gofynnes i'r cwestiwn ma' mewnwyr yn ei ofyn yn gyson, 'Sir, whose

127

ball is it?' Atebodd y swyddog unochrog heb feddwl ddwywaith, 'It's ours!' Do's dim ishe ychwanegu un gair arall, o's e?)

Fe gollon ni'r ail brawf yn Auckland 33–12 gyda Fergie McCormick yn hawlio record byd o 24 pwynt, yn cynnwys tri throsiad, pump cic gosb a chic adlam ardderchog o'r ystlys. Chwalwyd cyfanswm Dietlef Mare (De Affrica yn erbyn Ffrainc ym Mharc des Princes) a Daniel Lambert (Lloegr yn erbyn Ffrainc yn Twickenham 1911) o 22 pwynt gan gefnwr celfydd Seland Newydd – cymeriad dadleuol ac amhoblogaidd ar y ca' ond chwaraewr allweddol i'w dîm. Ma' 'da fi gof hefyd o McCormick yn disgleirio yn Twickenham yn 1967 yn y gêm yn erbyn y Barbariaid, a ninne o fewn trwch blewyn i gipio buddugoliaeth. Ro'n ni ar y bla'n 6–3 a phawb yn aros am y chwib ola, ond fe benderfynodd y dyfarnwr Meirion Joseph whare naw muned o amser ychwanegol; fe sgorion nhw ddau gais hwyr, diolch i ymdrechion MacRae a Steel, a chamu o'r ca'n fuddugol o 11 i 6. Fe achubodd McCormick gro'n y Crysau Duon ar ddau achlysur y prynhawn hwnnw drwy gwrso am ei fywyd ar ôl dau o chwaraewyr cyflyma'u cyfnod a'u hyrddio i'r llawr o fewn modfeddi i'r llinell gais – a phan fydda i am wylltio Gerald Davies a Keri Jones dwi'n dal i'w hatgoffa o'r digwyddiad! Petai *hooter* ar ga'l yn 1967 yn hytrach na dibynnu ar ewyllys da dyfarnwr, yna fe fydde'r Crysau Duon wedi colli gêm arall!

Ond 'nôl i'r gêm yna yn Auckland. Fe sgorion ni ddau gais yn y gêm, a ro'dd ymdrech Maurice Richards yn un rhagorol. Fe dderbyniodd e'r bêl a thwyllo'r gwrthwynebwyr yn llwyr drwy awgrymu ei fod am redeg ar y tu fewn, cyn ymestyn ei gam a gwibio'n hynod o gyflym ar ffurf *parabola* ar y tu fas. Ro'dd hyd yn oed gefnogwyr mwya unllygeidiog y byd rygbi ar eu tra'd yn gwerthfawrogi.

Ro'dd cefnwyr Cymru wedi profi'u gallu ar y daith ond ro'dd hi'n amlwg i bawb fod angen cyflwyno blaenwyr newydd i'r garfan er mwyn wynebu her y saithdege, ac ym mlwyddyn ola'r chwedege da'th gyrfaoedd nifer o hoelion wyth i ben, gan gynnwys Brian Price, Brian Thomas a Norman Gale.

Fe chwaraeon ni ddwy gêm arall cyn ffarwelio â Hemisffer y De, a ro'dd y gynta yn erbyn Awstralia ar Ga' Criced Sydney yn un arwyddocaol i un chwaraewr. Cyfrinach fawr Clive Rowlands fel hyfforddwr o'dd ei allu i ddod â'r gore mas ohonon ni fel chwaraewyr. Ro'dd e'n ddigon craff i gynnig rhyddid i ni: 'Chi sy mas ar y ca' – penderfynwch chi!' Yn ystod y cyfnod fe sylweddolodd e o'r cychwyn cynta fod 'na griw o chwaraewyr talentog a dawnus yn ei feddiant. Ro'dd dim ond cyfeirio at unigolion fel JPR, Gerald, Barry, Phil, JJ, Merv, Sid, Barry Llew, Delme, Basil (wel, a finne!) yn cyflymu curiad calon cefnogwyr, a fe benderfynodd Clive ar bolisi o'dd yn berffeth ar ein cyfer ni. Ei athroniaeth o'dd gwneud yn siŵr fod y blaenwyr yn ennill eu siâr o'r bêl a gadael i'r olwyr greu hafoc. Ac, o bryd i'w gilydd, fe fydde'r hyfforddwr o Gwmtwrch â'r weledigaeth i weddnewid gyrfa ambell unigolyn yn llwyr.

Ar ôl gadael Seland Newydd ac ychydig ddiwrnode cyn y gêm yn erbyn y Wallabies, fe dreuliodd Clive awr neu ddwy yng nghwmni Gerald Davies. Ro'dd pawb arall yn y niwl ynglŷn â natur y sgwrs ond fe dda'th pob dim yn glir pan gyhoeddwyd fod Gerald yn mynd i whare ar yr asgell yn erbyn Awstralia. Nawr, ro'dd Gerald yn fawr ei barch yn y canol, yn rhedwr twyllodrus o'dd â'r gallu i ochrgamu'n gelfydd. Ro'dd ei gyflymdra dros y llathenni cynta'n anhygoel, ac mewn gêm rygbi ma'r gallu i gyflawni hynny yn eich cario'n glir dros drigen llath a mwy. Ro'dd Clive o'r farn y bydde Gerald yn dal ei dir am flynyddoedd fel canolwr ond yn argyhoeddedig y bydde'r gŵr o Lansaint yn drydanol ar yr asgell. 'Ti'n gweld, un bach 'yt ti. Ma' ishe i ti osgoi'r holl draffic yng nghanol ca'. Ar yr asgell ma' mwy o le i ti.' Fe gytunodd Gerald, ac yn erbyn XV brwdfrydig mewn cryse aur fe groesodd e am gais cofiadwy a chreu un arall i John Taylor. Ar daith Air New Zealand o Auckland i Sydney fe lwyddodd Clive i ddylanwadu ar ei ddisgybl. Datblygodd yn un o sêr y saithdege, a hyd yn oed heddi pan fydd y gwybodusion yn dewis tîm y gorffennol, ma'r doetha a mwya gwybodus yn cynnwys T. G. R. Davies o Lansaint ar yr asgell dde.

Pan gyrhaeddes i gartre o Seland Newydd, derbynies gadarnhad mod i wedi pasio'r arholiade yng Ngholeg Addysg Caerdydd. Ond do'dd 'na ddim awydd mynd i ddysgu. Dyna o'dd y bwriad gwreiddiol, ond ro'n i ishws yn byw mewn tracwisg, ac erbyn hyn yn benderfynol nad o'n i am fod yn Athro Addysg Gorfforol. 'Ma' shwd beth â byta potsh â rhaw', fel ma' nhw'n ei ddweud yng Nghwm Tawe. Ro'n i mewn picil, yn ansicr iawn ynglŷn â'r dyfodol, a pharhau wna'th y cymhlethdode pan ymddangosodd *scouts* o Ogledd Lloegr a chynnig arian mawr i'm denu i gêm o'dd yn wir apelio. Ro'dd £20,000 yn arian mawr 'nôl yn 1969 a minne heb unrhyw sicrwydd am swydd.

Gwrthod y cynigion wnes i a derbyn swydd mewn cwâr (chwarel) ger Ewenni fel rheolwr dan hyfforddiant. Fues i ddim yno'n hir cyn imi, un noson, yng nghartref Stephen a

Nigel Hamer, ffrindie o gyfnod Millfield, dderbyn cynnig gan eu tad, Jack Hamer. Ro'dd e'n berchen ar sawl gwaith glo lleol ac yn Gyfarwyddwr Cwmni Dynevor Engineering yng Nghastell-nedd. 'Fyddi di ddim yn filiwnydd ond fe fydd y dyfodol yn gymharol sicr.' Gwir pob gair!

Fues i gyda'r cwmni am chwarter canrif a rhaid cyfadde i'r cyfnod fod yn un hapus iawn o safbwynt personol. Ro'dd e hefyd yn gyfnod proffidiol i'r cwmni, o'dd yn arbenigo yn y maes peirianyddol. Ro'n i'n gyfrifol am farchnata a gwerthu mewn oes pan o'dd y diwydiant trwm yn dal yn ei anterth; ro'dd yna weithfeydd dur yn Llanwern, o gwmpas y docie yng Nghaerdydd, Porth Talbot, Trostre a Felindre, a galw mawr am wasanaeth cwmni fel Dynevor Engineering o'dd â'r gallu i gynhyrchu deunydd o safon ac ar fyr rybudd.

Hywel 'Awful'

I mi'n bersonol, ro'dd dianc i gefn gwlad a cha'l siawns i dreulio amser ar lan afon yn nefoedd ar y ddaear. Da'th y cyngor a'r hyfforddiant pan o'n i'n fachgen ifanc yn handi, a ma'n amlwg bod 'na awch ac awydd cydio mewn gwialen o'r dyddie cynnar.

Ma' rhai'n synnu fod chwaraewr rygbi yn gallu ymddiddori mewn camp sy'n gwbl wahanol o ran disgyblaeth a thechneg, ac er'ill yn rhyfeddu fod mewnwr ar ga' rygbi yn gallu sefyllan yn yr unfan am orie ynghanol afon yn ceisio denu pysgodyn. Yn naturiol, r'yn ni'r pysgotwyr yn mwynhau'r profiad – hyd yn oed pan fydd dim yw dim yn y rhwyd ar ddiwedd sesiwn! A bod yn onest, petai wedi bod *raid* dewis rhwng rygbi a physgota, fe fydde'r penderfyniad wedi bod yn un anodd os nad yn amhosib. Chi'n gweld, ma' oes chwarae rygbi yn un fer, ond ma' modd pysgota nes bo chi'n gant oed! A ma'r cyffro o ddal samwn neu sewin mawr 'run mor gyffrous â sgorio cais mewn gêm ryngwladol. Petai modd pysgota bob dydd tan Ddydd y Farn, yna fe fydden i'n ŵr bodlon.

Ma' cymaint i'w ddysgu – dewis plu, taflu plu, daearyddiaeth afon, manylion am yr amser gore i bysgota, a llu o ffeithie er'ill. Ma' rhai pysgotwyr yn ca'l eu geni â'r ddawn i bysgota, a'r ddisgyblaeth yn y gwaed – do'n i ddim yn un o'r rheiny, ond ro'n i'n fodlon gwrando er mwyn gwella. 'Drwy ymarfer y perffeithir pob crefft' – ma' hynny'n berffeth wir i bysgotwr. Dwi'n dal i gofio ambell gais a sgories i Gaerdydd ac i Gymru, ond y ddelwedd sy'n gliriach o lawer yn seler yr hen gof na'r un sgôr a symudiad ar ga' rygbi, yw'r diwrnod y llwyddes i i dynnu sewin deuddeg pwys mas o afon Tywi. Dwi wedi bachu sawl pysgodyn mawr oddi ar hynny, ond ma'r un cynta dros ddeuddeg pwys yn dal i gyflymu curiad y galon.

Dwi'n cofio dyddie pan o'n i'n cyra'dd gartre'n hwyr y nos wedi blino'n llwyr, ac yn gorfod aros yn y gwely tan amser cinio dranno'th er mwyn atgyfnerthu. Ond, rhywsut, os o'n i'n gwbod mod i'n mynd i bysgota ben bore, ro'dd codi am bedwar o'r gloch yn bleser pur waeth pa mor flinedig o'n i'r noson cynt. Ac wrth yrru ar hyd lonydd cefn gwlad o'dd mor dawel â'r bedd, profiad bythgofiadwy o'dd sylwi ar fyd natur yn dihuno, a bod yno i weld y lliwie'n cynhesu ac yn cyfoethogi fel ro'dd yr haul yn dechre gwawrio. Ma' tipyn mwy i bysgota na loetran mewn afon a thynnu pysgodyn o'r dyfnderoedd – ma' gwerthfawrogi ysblander y cread a chymdeithasu â ffrindie yn rhan o'r gamp.

Un o gymeriade'r Waun o'dd Hywel Davies, neu 'Hywel

Awful'. Gofynnodd rhywun rywbryd, 'Pam ddiawl ma' nhw'n galw fe'n Hywel Awful?' Ro'dd yr ateb yn egluro pob dim: 'Wel, bachan yffach, Dai Awful o'n nhw'n galw'i dad e!' Ro'dd cymeriade o'r fath yn bresennol bron ymhob pentre 'slawer dydd – ma' nhw mor brin â samwn deunaw pwys y dyddie 'ma. Fe allech chi ddisgrifio Hywel fel gŵr drygionus – dihiryn, hyd yn oed, ond dihiryn gonest a physgotwr o fri. Tra o'n i'n safio'n gyson er mwyn prynu gwell gwialen neu offer defnyddiol, ro'dd Hywel yn dibynnu ar ei ffrindie ac yn gwario cyn lleied â phosib ar gyfarpar. A ninne wedi paratoi'n fanwl ar gyfer yr helfa, bron mor broffesiynol â Moc Morgan, fe fydde Hywel yn ymddangos wedi'i wisgo fel trampyn, yn dal gwialen o'dd yn embaras llwyr i'r *aficionados*, ond o fewn munude'n tynnu samwn neu frithyll sylweddol mas o'r afon.

Dilyn llwybr tarw o'dd athroniaeth Hywel, a bob hyn a hyn ro'dd hynny'n arwain at drafferthion. Yn ystod taith y Llewod i Seland Newydd yn 1971, dwi'n cofio bod yn fy nwble'n chwerthin ar ôl derbyn llythyr oddi wrth Maureen. Ro'dd Hywel wedi ca'l ei ddal gan feili lleol yn orie mân y bore yn potsian ar y Tywi, ond yn hytrach na chyfadde'i gamwedd fe benderfynodd Awful estyn ergyd i'r swyddog busneslyd. Ro'dd ei enw mewn llythrenne bras yn *y South Wales Guardian* lleol.

Ro'dd Hywel yn peri gofid i'r deintyddion lleol – do'dd dim un ohonyn nhw'n gallu ca'l dannedd dodi i ffito'i geg. Ro'dd e'n gyson yn dweud bod y dannedd yn neud iddo gyfogi; a bod yn onest ro'n nhw fwy mas o'i ben e nag i mewn. Yn amal ar nos Wener fe fydde'r ddau ohonon ni'n paratoi i ddianc dros y Mynydd Du i bysgota, a thra o'n i'n bwyta baged o *fish & chips* yn y gegin, fydde Awful wrthi'n paratoi ei bastai potsio anghyfreithlon. Do'n i ddim am fod yn rhan o'r cynllun ond ro'dd e yn ei chanol hi yn cymysgu wye samwn a rhywfaint o flawd: y gymysgedd fydde'n denu brithyll o bob rhan o'r afon. I mi, nid dyna o'dd pysgota, ond ro'dd wynebu peryglon yn rhan o natur a chyfansoddiad Hywel Awful.

Siomedigaethe

Weiren bigog uwchben y rheilie o gwmpas Parc yr Arfau, yr heddlu'n plismona'r ystlys ac yn amgylchynu'r ca', a heddlu ar gefn ceffyle wrth gefn jyst rhag ofn y bydde'r protestwyr yn mynd dros ben llestri. Dyna'r awyrgylch ar gyfer y seithfed gornest rhwng Cymru a De Affrica ar y 24ain o Ionawr, 1970 – a'r cryse cochion, hyd yn hyn, heb ennill yr un gêm. Y Springboks, tîm Dawie de Villiers, o'dd yn ca'l eu targedu gan y protestwyr gwrth-apartheid ond, ar ôl y gwrthdaro yn Abertawe (protest effeithiol a drefnwyd gan Peter Hain, un o ASau blaenllaw'r llywodraeth bresennol), llwyddwyd i whare'r gêm yng Nghaerdydd. Ro'dd 'na gyfle arall yn y brifddinas i'r protestwyr ddatgan eu hanfodlonrwydd â'r sefyllfa wleidyddol yn Ne Affrica.

Ro'dd hi'n ddiwrnod ofnadw – glaw yn ca'l ei sgubo ar draws y ddinas gan wynt twyllodrus, a Pharc yr Arfau mewn cyflwr difrifol wael. Fe gofiwch chi fod y ca' am bron i wyth deg o flynyddoedd wedi bod yn gartre i dîm rygbi Caerdydd yn ogystal â Chymru, a ro'dd yr holl whare'n straen ar y borfa a'r pridd. Ro'dd nifer fawr o'r chwaraewyr yn dishgwl fel rhyfelwyr cyntefig – wedi'u plastro mewn mwd trwchus – a'r dyfarnwr Larry Lamb yn ei cha'l hi'n anodd gwahaniaethu rhwng y ddau dîm.

A'r gêm bron ar ben, ro'dd De Affrica yn haeddiannol ar

y bla'n o 6 i 3. Gyda dim ond muned neu ddwy'n weddill, penderfynodd Phil Bennett, o'dd wedi ei ddewis ar yr asgell, dwlu pàs hir o'r ystlys i gyfeiriad Barry John o'dd wedi canfod rhywfaint o le. Ro'dd cic y maswr ar draws y ca'n un berffeth, ac er i Syd Nomis gasglu'r bêl o'r llawr, llwyddodd Ian Hall i'w daclo a sefydlu ryc. Fe ymddangosodd Barry Llewelyn (yn ca'l ei gap cynta i'w wlad) â'r bêl yn ei ddwylo, chwalu dau neu dri mewn gwyrdd, tynnu'i ddyn a thwlu pàs hyfryd ata i. Ro'dd 'na wir gyfle i gyrra'dd y cornel – rhyw bum llath ar hugen yn weddill ond ro'n i'n ffyddiog o gyrra'dd. Fe dda'th yr holl ymarfer ar y stepie ym Mhontardawe ac ar hen dip glo'r Maerdy yn handi, a chydag un ymdrech arwrol fe lwyddes i i blymio drosodd yn y cornel. Ro'dd y trosiad yn aflwyddiannus ond ro'dd gêm gyfartal wedi plesio'r cefnogwyr a'r cyfrynge, a ro'n i fel capten yn ddigon bodlon.

Ro'dd tymor 1969/70 yn gymysglyd o ran perfformiade'r tîm, a ro'dd rhesyme am hynny. Yn sgil arholiade terfynol ym Mhrifysgol Caergrawnt, penderfynodd Gerald Davies gymryd 'blwyddyn mas'. Hefyd, cafodd Maurice Richards a Keith Jarrett eu denu gan dîme proffesiynol Salford a Barrow yng ngogledd Lloegr, ac er bod Ian Hall, Jim Shanklin, Laurie Daniel, Keith Hughes a Roy Mathias yn ffwtbolyrs dawnus, ro'n ni'n brin o gyflymdra ar yr asgell. Yn ystod y tymor chwaraeodd saith asgellwr i Gymru, a chan ein bod yn dîm o'dd yn benderfynol o ledu a chreu cyfleoedd, ro'dd yr ansefydlogrwydd yn y safle yn creu pen tost i Clive fel hyfforddwr. Unwaith eto, derbynies yr anrhydedd o arwain y garfan, ond do'dd pethe ddim yn fêl i gyd.

Enillwyd y gêm gynta yn yr Alban yn gymharol gyfforddus ond a'th pethe o ddrwg i wa'th yn Twickenham. Gydag ugen muned yn weddill, ro'dd Lloegr ar y bla'n 13–6 ac yn llawn haeddu'r fantais. Es i i mewn yn galed i daclo mewnwr Lloegr, Nigel Starmer-Smith, ond fe gwmpodd Dennis Hughes, blaenasgellwr Cymru, ar fy mhigwrn ac achosi poen difrifol. Bu'n rhaid i mi adael y ca' i dderbyn triniaeth, a ro'dd angen gwneud penderfyniad. O'n i'n ddigon holliach i ddod 'nôl ar y ca', neu a fydde'n rhaid ildio i'r anaf a gadael i'r eilydd Ray 'Chico' Hopkins gamu i'r crochan berwedig a cheisio dylanwadu ar gwrs y gêm? Ildiais gan ddymuno pob dymuniad da i fewnwr Maesteg o'dd wedi disgleirio'n gyson i dîm yr Hen Blwyf yn ystod y tymor. Ma' gweddill y gêm bellach yn rhan o chwedloniaeth. Disgleiriodd Chico, a fe effeithiodd e'n fawr ar y whare a thawelu torf o 80,000 o Saeson â pherfformiad cwbl arwrol. O fewn munude ro'dd Chico wedi plymio drosodd am gais yng nghefn y lein, cais a droswyd gan JPR cyn i Barry lwyddo â chic adlam i selio'r fuddugoliaeth. Ro'dd chwaraewyr a chefnogwyr Lloegr yn fud, yn methu credu'r peth, gan eu bod yn gyfforddus eu byd gydag ond chwarter awr yn weddill. Dyma'r tro cynta i Gymru sgorio pedwar cais mewn gêm yn Twickenham, gyda Mervyn, Barry, JPR a Chico yn croesi.

A bod yn onest, ro'n i'n becso rhyw ychydig ar ôl y dathliade hwyrol yn y West End. Os o'dd Chico'n gallu whare fel'na am ugen muned, pa hud a lledrith alle fe wau am gêm gyfan? Cyfrinach byd y campe yw derbyn cyfle ac ymateb i'r her, a dyna wna'th Chico Hopkins. Ro'dd y papure dros y penwythnos yn hynod feirniadol o'm perfformiad i, a rhai yn mynnu ma' mewnwr Maesteg ddylse whare mas yn Nulyn. Ar ôl rhai diwrnode o ansicrwydd ynglŷn â'r anaf a chyfansoddiad y tîm, ro'n i'n bles i dderbyn cadarnhad ma' fi fydde'n arwain yn Heol Lansdowne – diwrnod a drodd allan i fod yn un reit drychinebus i'r tîm cenedlaethol, a phrynhawn pan ddysgwyd gwers i haneri Cymru, John ac Edwards!

Y wasg a'r werin yn feirniadol

R'yn ni i gyd am brynu'r papure dyddiol pan fydd pethe neis yn ca'l eu sgrifennu amdanon ni, on'd 'yn ni? Fe fydd Robert Croft yn galw yn y siop bapure yn yr Hendy a phrynu'r *Western Mail*, y *Telegraph* a'r *Times* ar ôl cipio pum wiced a chyfrannu at fuddugoliaeth! Ond cadw draw fydd y mwyafrif wedi i dîm ac unigolyn dangyflawni.

Fel'na ro'dd hi yn y saithdege ym myd rygbi i chwaraewr Cwm-gors, Abertawe, Cymru a'r Llewod. Ma' 'na bleser a balchder wrth ddarllen y penawde canmolus, ond rhywfaint o anfodlonrwydd pan fydd rhyw ohebydd sy'n amal yn gwbod dim am y gamp yn feirniadol ac yn awgrymu y dylse'r dewiswyr neu'r hyfforddwr ymddiried mewn chwaraewr arall. Dwi'n cofio clywed Syr Garfield Sobers yn dweud unwaith mewn cyfweliad hwyliog ma"r unig dudalen mewn papure newydd o'dd o unrhyw ddiddordeb iddo fe o'dd yr un a restrai enwe'r ceffyle am y rasys dyddiol! Ma'r campe, fel gwleidyddiaeth a busnes, yn fyd brwnt a chreulon, a fe alla i dystio i hynny, yn enwedig ar ôl arwain Cymru mas yn Heol Lansdowne yn erbyn y Gwyddelod ar y 14eg o Fawrth, 1970.

Fe geson ni'n chwalu, 'sdim dwywaith am hynny – a Chymru, cofiwch, o'dd y ffefrynne! Ro'dd sawl newid yn nhîm y Gwyddelod, a'r chwaraewyr a dda'th i'r adwy wedi'u hysbrydoli. Rheolwyd y whare gan dîm Tom Kiernan o'r gic gynta i'r chwib ola; y blaenwyr fel locustiaid o gwmpas y ca', a'r rheng ôl – yn enwedig yr wythwr Ken Goodall – yn creu hunlle i Barry a finne. Ro'dd y prynhawn yn un hanesyddol i'r ddau ohonom, yn torri record y ddau Dic (Dick Jones a Dicky Owen o Abertawe) drwy whare fel haneri yn y crys coch am yr unfed tro ar bymtheg – ond whare, os maddeuwch chi'r gymhariaeth, fel dau ddic wna'th John ac Edwards!

Ro'dd y gêm yn hunlle i Gymru, a dim unwaith yn ystod y prynhawn o'n ni'n dishgwl fel ennill, a fe aethon ni i bishys pan redodd Goodall trwy'r amddiffyn, a'r wythwr yn ymestyn ei gam yn fygythiol a rhedeg rhyw drigen metr am gais unigol gwych. Do'dd *neb* y noson honno, os nad oeddech chi'n Wyddel, am ddathlu ar lan y Liffey.

Ro'dd y wasg yn uchel eu cloch am ddyddie ar ôl y golled. Yn ôl un gohebydd, fe fydde Steptoe a'i fab wedi llywio'r gêm yn well. Er'ill yn teimlo fod whare ac arwain y tîm yn ormod o gyfrifoldeb i un mor ifanc â fi, a sawl sgrifennwr o Ganol Morgannwg yn teimlo fod Ray Hopkins yn haeddu cyfle o gofio'i berfformiad pum seren yn erbyn yr hen elyn.

Fe benderfynodd Barry a finne whare i Gaerdydd ym Mhenarth ddeuddydd ar ôl y golled, a cha'l amser caled gan ambell gefnogwr. Pan fydd miloedd yn bresennol ar Barc yr Arfau, neu ddege ar ddege o filoedd yn llenwi maes rhyngwladol, dyw'r chwaraewyr ddim yn clywed dim byd ond sŵn byddarol yn y cefndir, ond ym Mharc y Werin yng Nghwm-gors neu ar ga' ysgol ym Mhontardawe ma' pob gair a phob un frawddeg i'w clywed fel cloch. A fel'na o'dd hi ym Mhenarth y noson honno o fla'n rhai miloedd o gefnogwyr selog. Yn ystod y funed gynta, fe dwles i bàs anobeithiol i Barry, hwnnw'n slipo, a bloedd uchel yn dod o'r eisteddle: 'Rubbish! You two are worse than you were on Saturday!'

Ganol yr wythnos fe waethygodd pethe. Fe gas y wasg afael mewn stori yn canolbwyntio ar ffrae rhwng J. P. R. Williams a finne ar y ca' yn Nulyn – fi'n gofyn i JPR os o'dd e am gymryd cic, a hwnnw'n ymateb drwy ddweud ma' fi o'dd y capten ac i mi neud y penderfyniad. Do'n i ddim yn hoffi'i agwedd e ar y pryd a fe gymeres i'r gic, a honno'n 'gic potel bop' fel bydde Clive Rowlands yn ei ddweud. Ond, yn ôl yr adroddiade, ro'dd y ddau ohonon ni wedi bod yn ymladd yn ffyrnig yn yr ystafell newid ar ôl y gêm, oherwydd fod JPR wedi trio'i ore glas i fynd mas 'da Maureen rai wythnose ynghynt. Nonsens llwyr, ond dyna'r math o bwyse ma' chwaraewyr ar y lefel ucha'n gorfod ei wynebu. Dwi'n anobeithio'r dyddie hyn pan ma'r tabloids yn cynnwys rhai o'u llunie a'u storie ac, o mhrofiad i yn y gorffennol, dwi'n gwbod ma' celwydd noeth yw'r mwyafrif o'r ffeithie.

Wrth aros am y bagie wrth y *carousel* ym Maes Awyr Rhŵs, mynnodd Jack Young, un o'r dewiswyr a chymeriad ffraeth, ga'l dweud ei ddweud: 'You'll be lucky to keep your place in the team after that performance!' Dwi'n dal i gofio beth ddwedes i wrtho fe – 'Well, let me know during the next few days, as the fishing season starts in a few days. I can buy a licence in good time.' Nid yn unig aeddfedu fel chwaraewr o'n i!

Ar y ffordd 'nôl i'r Waun yn y Ford Capri newydd (a ro'n i mor browd o'r cerbyd ag y ma' Beckham o'i Bentley) fe ges i ac E. B. Davies o Rydaman, o'dd yn aelod o'r Undeb ac yn byw yn y Betws ger Rhydaman, dipyn o sioc. Ar ôl croesi'r bont dros afon Nedd yn Llansawel fe chwalwyd ffenest ffrynt y car yn ffradach gan garreg fach. I chi'r darllenwyr sy wedi profi digwyddiad o'r fath, ma' 'na rywfaint o banic am eiliad, ac yn sgil y perfformiad siomedig yn Nulyn ro'n i ac E.B. yn rhyw feddwl am ychydig fod asasin wedi trio saethu'r mewnwr!

Yn aml fe fydda i'n meddwl am y cyfnod o ryw bedwar tymor pan o'dd tîm Cymru'n diodde o ddiffyg ciciwr dibynadwy – pump neu chwech ohonon ni'n rhannu'r dyletswydde, a Barry John yn y tîm. Ar gyfer tymor y Gamp Lawn yn 1971 a thaith i Llewod i Seland Newydd, penderfynwyd ma'r maswr o Gefneithin fydde'n derbyn yr anrhydedd. Ma'r gweddill, ys gwedon nhw, yn rhan o hanes.

Rhannwyd y Bencampwriaeth yn ystod tymor 1969/70, diolch i berfformiad cadarn yn erbyn y Ffrancwyr yng Nghaerdydd. Fe gadwes i'n lle yn y tîm ond cyflwynwyd y gapteniaeth i John Dawes, a ro'dd ei bresenoldeb a'i ddylanwad e'n hollbwysig yn ystod y tymor canlynol. Do'dd gen i ddim cwyn ynglŷn â'r penderfyniad a fe brofodd John i fod yn arweinydd naturiol o'dd yn gwbl gartrefol yn y rôl, a llywio'r tîm i'r Gamp Lawn yn ystod tymor 1970/71 am y tro cynta er 1952.

Yr Oes Aur

Cipio Camp Lawn

Petai. 'Na chi air sy'n llawn arwyddocâd! Petai Llywelyn wedi cipio buddugoliaeth yng Nghilmeri yn 1282, ma'n o debyg y bydde'r darn tir y tu hwnt i Glawdd Offa yn llawn o Gymry Cymra'g naturiol. Petai Charles Evans wedi bod yn holliach ym mis Mai 1953, yna Cymro fydde wedi bod y cynta i gyrra'dd copa Everest. A phetai dau o ffwtbolyrs gore Ewrop (Ray Daniel a Trevor Ford), ac un o bêl-droedwyr gore'r byd (John Charles) wedi whare yn rownd Wyth Olaf Cwpan y Byd mas yn Sweden yn 1958, yna Cymru, o bosib, fydde wedi ennill Tlws Jules Rimet.

Yn ystod y gorffennol llwyddodd tîme ac unigolion i greu gwefr naill ai drwy gipio pencampwriaethe a medale neu drwy ein swyno â pherfformiade arallfydol. Ro'dd 1905 yn flwyddyn arwyddocaol ar y maes rygbi: curo Lloegr, yr Alban ac Iwerddon cyn llorio'r Crysau Duon, diolch i gais Teddy Morgan. Enillodd tîm pêl-droed Caerdydd Gwpan Lloegr o fla'n bron i gan mil yn Wembley yn 1927. Ma' campe a llwyddianne Jim Driscoll, Jimmy Wilde, Freddie Welsh, Tommy Farr, Howard Winstone, Colin Jones a Joe Calzaghe yn y sgwâr bocsio yn destun balchder a llawenydd. A beth am fedal aur Lynn Davies yn ninas Tokyo yn 1964? Fe'n gwefreiddiwyd gan berfformiade cricedwyr Morgannwg droeon a thro, yn enwedig yn y nawdege pan dda'th criw o Gymry at ei gilydd i herio gweddill Prydain.

Ro'dd gweld Colin Jackson yn camu dros y clwydi yn brofiad gwefreiddiol, a llwyddianne a phenderfyniad Tanni Grey-Thompson a Nicole Cooke yn ysbrydoli cynifer.

'Smo llwyddiant yn dod dros nos. Fel y sonies i ishws, ddiwedd y chwedege da'th gyrfa nifer fawr o hoelion wyth y genedl i ben ym myd y bêl hirgron, ac yn raddol cyflwynwyd wynebe newydd i'r garfan. Ar ôl cyfnod o setlo i lawr a dod yn gyfarwydd â'r system o whare, fe dda'th nifer i sylweddoli fod rhywbeth o bwys ar fin digwydd ar y llwyfan rhyngwladol. Ar gyfer tymor 1970/71 ro'dd y tîm yn un sefydlog, wedi profi llwyddiant a methiant ac wedi prifio ac aeddfedu o ganlyniad.

Yr unig wynebe newydd yn y tîm ar gyfer y tymor o'dd John Bevan, yr asgellwr o bentre Tylorstown yn y Rhondda, a Mike Roberts, ail reng corfforol a chystadleuol a chwaraeai i Gymry Llundain ond yn enedigol o Fae Colwyn, o bobman! Yn ystod y pedair gêm ryngwladol, dim ond un ar bymtheg o chwaraewyr a ymddangosodd ar y ca' – hyn yn destimoni i lwyddiant y tîm a ffitrwydd yr unigolion.

Does dim angen ailredeg rîls o ffilm – ma'r cyfan ar ga'l ar dâp, neu hyd yn oed DVD – ond rhaid sôn am un neu ddau o ddigwyddiade. Sgubwyd Lloegr o'r neilltu yng Nghaerdydd. Dychwelodd Gerald ar yr asgell dde a hawlio dau gais, a'r crwtyn ugen oed o Goleg Addysg Caerdydd, John Bevan, yn croesi am gais yn ei gêm gynta mewn crys coch. A phwy all anghofio'r drama a'r tensiwn a'r tyndra ym Murrayfield: cais Gerald yn yr eiliade ola yn dod â Chymru o fewn pwynt, a throsiad John Taylor, fodfedd o'r ystlys, yn hwylio rhwng y pyst ac yn sicrhau'r fuddugoliaeth o 19 i 18. Cofiwch, fydde neb wedi cwyno petai'r Alban wedi ennill – fe chwaraeon nhw'u rhan mewn epig o berfformiad. Yn un o symudiade ola'r ornest, fe dwlodd Frank Laidlaw, bachwr yr Alban, y bêl i'r lein, ond llwyddodd Delme – yn codi fel samwn – i ddwyn y meddiant a chynnig cyfle i'r olwyr drafod ar gyflymdra, a rhyddhau'r dewin ar yr asgell.

Y dyddie 'ma, yng nghanol y rhamantu am y gorffennol, dwi'n rhyfeddu shwd wna'th y wasg a'r cyfrynge lywio'r sefyllfa. Pawb, i radde, wedi anghofio ma' Gerald sgoriodd y cais yna yn Murrayfield – John Taylor sy wedi derbyn y clod a'r anrhydedd gan ma'r gic seliodd y fuddugoliaeth. Yna, wyth mlynedd ar hugen yn ddiweddarach, mewn gêm gartre yn Wembley, Scott Gibbs o'dd yn ca'l ei glodfori am chwalu amddiffyn Lloegr er ma' trosiad Neil Jenkins sicrhaodd y fuddugoliaeth. Rhyfedd o fyd!

Rhyw ddeuddeg mis ar ôl ca'l ein bychanu yn Nulyn, fe gariwyd y tîm cyfan oddi ar y ca' gan gefnogwyr ecstatig ar ôl cipio'r Goron Driphlyg am y deuddegfed tro, a rhaid cyfadde fod y prynhawn yn un emosiynol i mi o safbwynt personol. Ro'dd 'na rywfaint o nerfusrwydd ac ansicrwydd cyn y gêm – ro'n i'n dal i gofio am y siom o danberfformio yn erbyn y gwŷr yn y gwyrdd yn Heol Lansdowne, ac am ddechre â llechen lân. Ro'dd y perfformiad yn un graenus: Gerald a minne'n croesi am ddau gais yr un, a Barry, fel petai e'n whare 'da'i frodyr mas yn y bac yng Nghefneithin, yn llwyddo â dwy gic adlam.

Ma' 'da fi un atgof arall o'r gêm. Capten a chanolwr Iwerddon y prynhawn hwnnw o'dd Mike Gibson – yn fy marn i, un o chwaraewyr gore'r cyfnod, a ffrind agos sy'n dal mewn cysylltiad cyson â mi. Petawn i'n gorfod dewis tîm i whare gêm bwysig, yna fe fydde Michael Gibson o ddinas Belfast yn un o'r canolwyr – dwi wir ddim yn ei gofio fe'n whare *un* gêm gyffredin, ond ro'dd e hefyd bob amser yn whare'n deg ac yn onest. Yn ystod y gêm uchod yng Nghaerdydd, ro'dd y dyfarnwr, Johnnie Johnson o Loegr, yn rhy agos o lawer i Barry pan benderfynodd y maswr anelu am gôl adlam. Bu'n rhaid i Mr Johnson blygu'i benglinie a throi i ffwrdd neu fe fydde'r bêl wedi'i fwrw yn ei wyneb. O ganlyniad, do'dd dim clem 'da'r reffari a o'dd y bêl wedi hwylio rhwng y pyst neu beidio. Ond y tu ôl i'w linell gais, ro'dd Mike Gibson yn ymwybodol o bicil y dyfarnwr druan. Fe gododd y capten ei fraich yn uchel i'r awyr i ddynodi fod y gic yn un gywir, a fe ganiataodd Mr Johnson yr ymdrech gan ddiolch i'r Gwyddel am ei gymorth.

Cyn whare gêm ola'r tymor mas ym Mharis, cyhoeddwyd carfan y Llewod Prydeinig i deithio i Awstralia a Seland Newydd yn yr haf. Ro'dd un ar ddeg o Gymry wedi'u dewis; Barry Llewelyn a Jeff Young ddim yn dymuno ca'l eu hystyried, a Denzil Williams a Dai Morris yn anlwcus. Ro'dd y gêm yn glasur: Cymru'n fuddugol 9–5, ond yn ôl yr ymdrech a'r cyffro bydde 39–35 wedi bod yn bosib. Ro'dd y perfformiad yn un ardderchog o ran yr amddiffyn – pymtheg Cymro yn taclo fel JPR, a hyd yn oed Barry John yn amlygu'i hun ag un tacl hollbwysig ar Benoît Dauga. Fe dorrodd y maswr ei drwyn ond ro'dd e 'nôl ar y ca'' o fewn munude. Hon fydde buddugoliaeth gynta Cymru ym Mharis ers pedair blynedd ar ddeg, a'r Gamp Lawn gynta er 1952. Dau gais i'r cryse cochion, gyda JPR yn rhyng-gipio pàs Roger Bourgarel ac yn gwibio fel bollt o din gŵydd am 75 metr ar hyd yr ystlys, cyn gwyro tu fewn a gweld mod i yno ar y tu fas, reit yn ymyl yr ystlys. Ro'dd y bàs yn berffeth a'r cais yn un amserol cyn yr egwyl, ond y Ffrancwyr o'dd ar y bla'n o 5 i 3. Ro'dd yr ail hanner yr un mor gorfforol a gwaedlyd – ddim yn frwnt, cofiwch – mater o ddau dîm yn rhoi cant y cant i'r ymdrech. Ychwanegodd Barry gic gosb a gwau ei ffordd fel ysbryd i linell gais y gelyn a dau ar ei gefn, ar ôl i Jeff Young ennill y bêl yn erbyn y pen yn y sgrym.

Yn amal ma' pobol yn gofyn y cwestiwn: p'un o'dd y tymor mwya cofiadwy mewn crys coch? Anodd ateb gan i ni ennill tair camp lawn yn y saithdege – yn '71, '76 a '78. Ond, dwi bob tro yn ffafrio un '71 – nid am fod y tîm yn well, ond yn sgil yr ysbryd, y cyfeillgarwch a'r brawdgarwch. Ro'n ni i bob pwrpas yn un teulu, a rhaid rhoi clod i Clive Rowlands am greu'r fath awyrgylch. Ro'dd y penwythnose yn yr Afan Lido yn Aberafan yn dyngedfennol. Bob hyn a hyn fe fydden ni'n cyfarfod am benwythnos, ac yn cysgu mewn gwelye o'dd ar gyfer plant ysgol ac yn bwyta bwyd mewn cantîn digon diolwg, ond ro'n ni wrth ein bodde. Ro'dd 'na sesiyne ymarfer dwys ar y traeth (rhai'n gweddïo bob hyn a hyn fod y llanw mewn, a do'dd hyd yn oed Clive ddim yn berchen ar ddonie'r Brenin Canute) a'r cymdeithasu fin nos yn creu undod. Ro'n ni'n ymddiried yn ein gilydd. 'Bonding' yw *buzz word* y cyfnod presennol – ro'n ni'n giamstars ar y grefft ddeng mlynedd ar hugen yn ôl!

Clive!

Bron trwy gydol y cyfnod y bu Clive Rowlands yn hyfforddwr ac yn ddewiswr y tîm cenedlaethol, ro'dd 'na alwad ffôn gyson rhwng Cwmgors a Chwmtwrch Uchaf, a rhyw ddeugen mlynedd yn ddiweddarach dwi'n dal i gofio'r côd a rhif Clive: 0639 673 (ma'r rhif a'r côd wedi newid oddi ar gyfnod y deinosoriaid!).

Pwrpas y sgwrs o'dd trio ffindo mas a o'n i yn y tîm ar gyfer y gêm nesa, a fydde'r sgwrs yn dilyn y trywydd yma :

Fi: Margaret – os modd ca'l *un* gair bach â Clive?
           [Margaret o'dd fel arfer yn ateb y ffôn.]
Margaret: Clive! Ma' Gareth am ga'l gair â ti. Dere glou!
Clive: Ie. Be' ti'n mo'yn?
Fi: Wel, ma'r garfan yn ca'l ei chyhoeddi heno. Ydw i yn
           y tîm?
Clive: Gareth – alla i byth â dweud. Ma'n waith i fel
           hyfforddwr yn dibynnu'n llwyr ar onestrwydd a
           chadw cyfrinache. Dwi'n gwbod yr ateb i dy
           gwestiwn, ond 'smo i'n fodlon dweud.
Fi: Ond Clive . . . !
Clive: Sori, Gareth. R'yn ni'n nabod 'yn gilydd yn dda – y
           ddau ohonon ni'n siarad Cymra'g ac yn dod o'r un
           ardal, ond yn bendant, na!
Fi: Ond Clive . . . !
Clive: Dishgwl, Gareth. Alla i byth â dweud os wyt ti yn y
           tîm. Ond fe alla i ddweud hyn – dwyt ti ddim *mas*
           o'r tîm.
Fi: Diolch yn fawr iawn, Clive. Joia dy nosweth!

A fel'na fuodd pethe am bron i ddeng mlynedd – i radde, o'n i'n gwbod pwy o'dd mewnwr Cymru cyn y *Western Mail*, y BBC, TWW a'r dewiswyr er'ill!

Colli'r gapteniaeth

Fe gofiwch i mi ddweud ma' John Dawes o'dd capten y tîm adeg Camp Lawn 1971. Dewch i fi ga'l bod yn onest: ro'n i'n siomedig o golli'r cyfrifoldeb, ond y fi yw'r cynta i ddweud bod penderfyniad Clive Rowlands ar y pryd yn un doeth. Ro'dd John â'r gallu i ddarllen y gêm ac i weld pethe'n glir – y cyfnod o arwain Cymry Llundain ddiwedd y chwedege wedi talu ar ei ganfed – a ro'dd e'n ŵr o'dd wedi aeddfedu'n ifanc. Rhaid dweud hefyd ei fod e'n berchen ar weledigaeth, a'r gallu ganddo i neud penderfyniad yn gynnar iawn mewn symudiad. Ro'dd pawb yn hoffi whare 'da fe; ro'dd e'n amseru pob un bàs yn wych ac yn creu cyfle i chwaraewyr er'ill. Do'dd e ddim mor glou â hynny, ond ro'dd 'da fe gyflymdra meddyliol o'dd yn gynt na'r gwynt. Does dim cwyn 'da fi imi golli'r gapteniaeth i rywun fel John – ro'dd y ddau ohonon ni â pharch mawr i'n gilydd, a phob tro y chwaraeodd e mewn tîm lle ro'n i'n gapten, fe ges i bob cefnogaeth ganddo. Ro'n i'n dishgwl mla'n yn fawr i'r daith i Hemisffer y De o dan ei arweiniad.

Ennill cyfres – o'r diwedd

Llewod 1971 yw'r unig dîm o Brydain i ennill cyfres yn Seland Newydd. Do, fe gafodd tîme er'ill eu cyfleoedd, ond y diweddar Carwyn James yw'r unig hyfforddwr i ddychwelyd o wlad y cwmwl gwyn a gwên lydan ar ei wyneb. Ca'l a cha'l o'dd hi, cofiwch – trwch fest o'dd yn gwahanu'r ddau dîm, ond tîm John Dawes enillodd y gyfres o ddwy gêm i un.

Ro'dd un broblem yn wynebu'r tîm cyn gadael am Hemisffer y De – un cwestiwn heb ei ateb. Pwy fydde'r cicwr yn y gême prawf? Ro'dd Bob Hiller yn un o'r rhai mwya dibynadwy yn Ewrop, ond do'dd dim gobaith caneri 'da fe i gymryd lle JPR yn y pedwar prawf. Ro'dd Barry'n cico'n achlysurol i Gaerdydd ac wedi cyfrannu pwyntie i Gymru adeg tymor y Gamp Lawn. Atebwyd y cwestiwn ar y 15fed o Fai ar Ga' Criced Sydney yn y gêm yn erbyn New South Wales. Ro'dd y ca' mewn cyflwr gwael – glaw trwm wedi troi rhanne o'r maes yn gorstir, y llacs wedi dod i'r wyneb, a'r 22,500 o gefnogwyr (ar yr 'Hill' o dan ymbarelie llachar) yn difaru na fydden nhw wedi aros gartre. Yn ogystal â'r mwd trwchus ro'dd haenen o ddŵr yn gorchuddio'r ca', a galle'r dyfarnwr fod wedi gohirio'r gêm cyn y gic gynta.

A'th y Llewod ar y bla'n trwy dwyll! Fi'n rhedeg o sgrym heb y bêl, a'r dyfarnwr Craig Ferguson yn cosbi'r tîm cartre am gamsefyll. Llwyddodd Barry â chic gymharol rwydd. Funude'n ddiweddarach, ar ôl cic letraws o dro'd Barry, fe gas John Bevan ei dro'd i'r bêl rydd ac yno i hawlio'r cais o'dd y capten, John Dawes. Fe drosodd Barry heb fawr o drafferth. Ychydig ar ôl hanner amser, yn dilyn damshyl danjerus ar gefn John Bevan, penderfynodd Barry y bydde fe'n anelu at y pyst. Ro'dd pawb yn dishgwl yn dwp arno fe – wedi'r cwbwl ro'dd hi'n dal i fwrw'n drwm, a ro'dd y pellter yn afresymol o bell ac o'r darn tir mwya mwdlyd ar y maes. Gan ystyried yr amode, ro'dd ishe clymu'i ben e am fod mor eger! Ond fe lwyddodd â'r ymdrech, ac o hynny mla'n ro'dd pob Tom, Dic a Harri yn gwbod pwy fydde'n derbyn y cyfrifoldeb o gico yn y gême prawf.

Yn gorfforol ac yn feddyliol bu deg wythnos gynta'r daith yn rhywfaint o hunlle i mi'n bersonol. Do'n i ddim yn holliach – wedi tynnu llinyn yr ar ac yn brwydro'n ddyddiol i brofi mod i'n ddigon ffit i whare. Do'dd yr anaf ddim yn un difrifol ond ro'dd 'na rywfaint o amheuaeth yng nghefn y meddwl o'dd yn achosi pryder ac ansicrwydd. Ma' taith dri mis mewn gwlad bell yn brawf sylweddol o allu corfforol a seicolegol unrhyw chwaraewr. Pan ma' unigolyn yn diodde o anafiade, ma' 'na ysfa gre i ddychwelyd adre.

Enillwyd y prawf cynta 9 i 3. Bu'n rhaid i mi adael y ca' ar ôl dim ond deg muned o whare, a Ray Hopkins yn eilyddio. Er ei fod e hefyd wedi diodde anaf i'w goes, fe gyfrannodd e i'r fuddugoliaeth. Rhyw dri deg y cant o'r meddiant dda'th i ran blaenwyr y Llewod ond ro'dd Barry John ar ei ore. Yn dactegol ro'dd cico'r maswr o Gefneithin o'r safon ucha, a fe wna'th e fwnci o gefnwr y Crysau Duon, Fergie McCormick – un o gefnwyr gore'r byd, wrth gwrs. Hon o'dd gêm ola McCormick yng nghrys ei wlad, ac o bosib ro'dd penderfyniad dewiswyr Seland Newydd i'w adael e mas o'r tri phrawf nesa yn gamgymeriad mawr ar eu rhan.

Treulies i'r bythefnos nesa yn adennill yr hyder a'r ffitrwydd i ddychwelyd i'r tîm, ond siomi wna'th y Llewod yn yr Ail Brawf a'r Crysau Duon yn fuddugol o 22 i 12. Serch hynny, ro'dd Carwyn yn gymharol fodlon; ro'dd e wedi gweld digon i sylweddoli fod 'na lygedyn o obaith ar gyfer y Trydydd Prawf. Ro'dd hon yn mynd i fod yn gêm dyngedfennol: colli, a bydde'r gyfres ar ben.

Ond ro'dd 'na ryw hyder yn llifo drwy wythienne'r garfan gyfan. Ro'n ni'n ymwybodol o'r hyn o'dd yn ofynnol: ro'dd yn rhaid i'r tîm berfformio ar chwe sylindr. Ro'dd gwir angen i minne ddangos yn glir i bawb yn y byd fy mod yn holliach ac yn haeddu'r ganmoliaeth a dda'th i'm rhan yn ystod y tymhore blaenorol.

Ro'dd y Llewod wedi paratoi'n drwyadl, a Carwyn wedi targedu Sid Going ac wedi dewis Derek Quinnell fel blaenasgellwr tywyll er mwyn cadw llygad barcud ar fewnwr cyfrwys y Crysau Duon. Ro'dd rhaid ei ffrwyno.

Milgi mas o drap; bwled o faril gwn, a phêl goch ledr yn gadael bat y cricedwr Gavaskar ac ar ei ffordd drwy'r cyfar i'r ffin . . . Ro'dd angen i'r Llewod fod ar eu gore, a chamu'n hyderus ar y ca' wna'th pymtheg o chwaraewyr mewn cryse cochion ar Barc Athletic, Wellington. Ro'n i'n bersonol yn sylweddoli fod angen i mi fel unigolyn ffrwydro yn null y milgi, y bwled a'r bêl, a ro'n i'n barod ar gyfer yr her. Gwyddwn fod fy mherfformiad o dan y chwyddwydr, a bod *rhaid* disgleirio.

Ro'dd y tîm cyfan, o'r gic gynta tan y chwib ola, yn ymdebygu i anifeiliaid gwyllt ac aflonydd – yr osgo, yr edrychiad, y symudiade'n cadarnhau penderfyniad a bwriad y Llewod Prydeinig y prynhawn hwnnw.

Fe benderfynodd John Dawes, y capten, whare gyda'r gwynt yn yr hanner cynta. Ro'dd rhai'n ame doethineb hynny, ond ro'dd Carwyn wedi cysylltu â'r Swyddfa Dywydd yn y bore ac wedi derbyn cadarnhad fod y gwynt yn debygol o ostegu ganol y prynhawn. O fewn llai na chwarter awr ro'dd y Llewod dri phwynt ar ddeg ar y bla'n. Llwyddodd Barry John â chic adlam gynnar, yna fe fentres i ar yr ochr dywyll a chreu cais yn y cornel i Gerald Davies, cyn derbyn cyfle i saernïo cais arall i Barry John. Lein o'dd hi yn ddwfn yn nwy ar hugen y Crysau Duon. Derbynies y bêl o gefn y lein ar gyflymdra a brasgamu i gyfeiriad maswr y Crysau Duon, Bob Burgess; ar ôl sawl siomedigaeth ar y daith ro'dd angen byddin i fy rhwystro, a derbyniodd Burgess hwp llaw a fydde wedi llorio Joe Louis. Pasies y bêl i Barry a ro'dd e o dan y pyst mewn chwincad. Ro'dd dull y Llewod o whare yn y munude agoriadol wedi bod yn ben tost i'r tîm cartre – Going o dan bwyse, presenoldeb McBride yn ffrynt y lein yn achosi anhrefn, a phenderfyniad yr olwyr i fentro yn creu gofid i dîm Colin Meads. Y Llewod a'th â hi o 13 i 3, diolch i'r holl baratoade manwl a dawn a gallu'r tîm cyfan.

Cyfartal o'dd y prawf ola yn Auckland, ond ro'dd yn

ganlyniad boddhaol wrth i ni gipio'r gyfres am y tro cynta. Peter Dixon yn ca'l cais, a J. P. R. Williams yn llwyddo â chic adlam ryfeddol o ddeugen metr. Yn ôl pob sôn ro'dd John wedi dweud wrth ei gyd-gefnwr, Bob Hiller, ei fod e'n mynd i lwyddo â chic adlam, a hwnnw wedi ymateb drwy chwerthin yn uchel – do'dd neb yn cysylltu JPR â chicie adlam. Y tro nesa i chi weld llunie du a gwyn o'r digwyddiad, sylwch fod JPR yn troi'n syth i gyfeiriad Bob Hiller yn yr eisteddle ar ôl i'r gic hwylio rhwng y pyst, a gwenu'n fodlon wrth godi'i fraich yn uchel i'r awyr. A'th y dathlu mla'n tan orie mân y bore, a thrigolion Seland Newydd, sy mor gefnogol i'r tîm a'r achos, yn cydnabod ma'r Llewod o'dd yn haeddu'r fuddugoliaeth a'r gyfres.

Chwaraewyr sy'n ennill gême, ond bob hyn a hyn rhaid cydnabod cyfraniad yr unigolion sy tu cefn i'r tîm. Yn hanes taith y Llewod i Seland Newydd yn 1971 ro'dd rôl y tîm hyfforddi'n gwbl allweddol. Beth o'dd yn gyfrifol am lwyddiant Carwyn James fel hyfforddwr? Wel, ro'dd e'n deall yr unigolyn, a'r unigolyn o ganlyniad yn ymddiried yn llwyr ynddo fe. Pan o'dd Carwyn yn gofyn 'Shwd wyt ti?' – ro'dd y cwestiwn yn un diffuant, nid yn rhyw esgus i sbarduno sgwrs. Ro'dd pob aelod o'r garfan yn 1971 yn gwbod am ei allu i ddehongli a dadansoddi'r gêm – wedi'r cwbl, ro'dd e'n ymddangos yn gyson ar y teledu ac yn siarad yn ddeallus a gwybodus am y gêm yn Gymra'g ac yn Saesneg. Ro'dd pobun yn ymddiried yn llwyr ynddo. Ro'dd darllen ambell erthygl o'dd e wedi'u sgrifennu yn y papure dyddiol yn brawf pendant ei fod e'n astudio'r whare'n fanwl – erthygle wedi eu pwyso a'u mesur yn ofalus. Ro'dd hwn yn dadansoddi a dehongli'n graff cyn bwrw pìn ar bapur. Eto, ro'dd Carwyn yn ddigon parod i gyfadde nad o'dd e'n gwbod popeth. Ro'dd cyfrinache'r rheng fla'n yn aml yn ddirgelwch iddo, ac er mwyn gwella ar berfformiade'r tîm ro'dd e'n ddigon parod i drosglwyddo'r cyfrifoldeb i Ray McLoughlin, o'dd yn arbenigwr yn y maes.

Ro'dd Carwyn yn ŵr academig, ond eto'n gallu cyfathrebu'n naturiol â phob aelod o'r tîm – y brici, y beili a'r bargyfreithiwr. Ro'dd y sesiyne hyfforddi'n wahanol, rywsut, a'r chwaraewyr yn dishgwl mla'n i'r ymarfer – a ma' hynny'n ddweud mawr! Ambell waith ro'n ni'n debycach i gricedwyr – y chwaraewyr mewn hanner cylch a ninne'n plymio i bob cyfeiriad fel Simpson, Stewart a Sharpe yn y slips! Bob hyn a hyn fe fydde'r tîm yn barod am sesiwn galed, a'r hyfforddwr yn ymddangos â phêl-droed yn ei ddwylo gan ddweud, 'Reit te, bois – tri chwarter awr o ffwtbol y bore 'ma!'

Ro'dd taith y Llewod i Seland Newydd yn 1971 yn brofiad cwbl anhygoel, a'r tîm yn dychwelyd yn fuddugoliaethus. A wir, ma' 'na ryw deimlad 'da fi, yn sgil y safone uchel yn y wlad, ma' carfan Carwyn fydd yr unig garfan rygbi ryngwladol i ddychwelyd o wlad y cwmwl gwyn wedi ennill cyfres. Amser a ddengys.

Croeso 'nôl

Dwi'n naturiol yn cofio pob manylyn o'r daith i Hemisffer y De, ac yn cofio'r croeso cynnes pan gyrhaeddon ni 'nôl i Faes Awyr Heathrow. Ro'dd miloedd ar filoedd yno i'n cyfarch ni, ac yn ôl yr awdurdode do'dd y maes awyr ddim wedi gweld cymaint o bobol ers i'r Beatles ddychwelyd o America 'nôl yn 1963. Fe dda'th y gwragedd a'r cariadon i'n cyfarfod, a fe geson ni wledd mewn gwesty cyfagos. Pan ddes i 'nôl o Dde Affrica yn 1968, dwi'n cofio un o gymeriade'r Waun yn gofyn y cwestiwn, 'Ble ti 'di bod, Gareth?' Dyna'r gwahaniaeth rhwng ennill a cholli!

Drannoeth, ar ôl noson drafferthus (hynny yw, yn ffaelu cysgu!), bu'n rhaid teithio ar y trên tua'r gorllewin. Yng Nghaerdydd ro'dd 'na dipyn o balafa – criw camera'r BBC yn ein ffilmo ac yn ein holi'n ddiddiwedd, a ninne'n diodde o *jet lag*. Ro'dd 'na Lagonda hardd wedi'i barco reit tu fas i stesion Castell-nedd, a'r heddlu wedi gorfod dodi baricêds i drio cadw rhywfaint o drefen. Yno ro'dd pwysigion yr ardal, gan gynnwys Mam a Mam-gu, a'r ddwy'n derbyn blode gan gynrychiolwyr y Cyngor Sir. Ro'dd pobol ym mhobman – rhai ar dop adeilade a rhai yn hongian ar beipie. Fe fues i yno am ache yn llofnodi, cyn ymuno â Maureen yn sedd gefen y car – ro'dd y tywydd yn sych a'r *open top* yn golygu fod pawb yn gallu rhannu yn y dathliade. Ro'dd y siwrne o faes parcio'r stesion i dop y Cwm yn destimoni o'r hyn ro'dd y canlyniad yn ei olygu i drwch y boblogaeth. Ro'dd hi'n amlwg bod y fuddugoliaeth wedi cydio yn nychymyg pobol Cymru.

Ro'n ni'n dau'n teimlo fel y teulu brenhinol, a fe alla i ddweud wrthoch chi fod codi llaw yn gyson am awr a hanner yn flinedig. Synnes i weld cymaint o bobol wedi ymgasglu ar dyle Pen-y-wern, Bryn-coch, Rhos, yr Allt-wen a Phontardawe, a phawb yn bloeddio a sgrechen pan o'n ni'n paso. Ro'dd baneri, fflagie a *bunting* o bob lliw a llun yn hongian ymhob man, a'r olygfa'n debyg i ddiwrnod carnifal. Mla'n a'th y Lagonda, yn cripad yn bwyllog lan tyle Gelli-gron a thrwy Ryd-y-fro, a'i sedd gefen leder e'n dipyn mwy cyfforddus na sedde plastig Mini Bill Samuel slawer dydd! A ro'dd 'na'r *motorcade* rhyfedda yn dilyn – ugeinie o geir tu ôl i'r Lagonda, a phobol wedi gwisgo lan ac yn chwifio baneri am eu bywyde.

Ro'dd fflats Aber-nant yn gymharol dawel ond fe ddechreuodd y cyffro pan bason ni arwydd Cwm-gors. Ro'dd *pawb* mas ar yr hewl – y pentre ar stop, a phobun, ar ôl i'r car baso, yn ein dilyn ar ras i gyfeiriad y Welfare Hall. Profiad emosiynol o'dd camu i mewn i'r neuadd a'r lle'n llawn – ro'dd mwy yno na'r noson y dangoswyd *Ben Hur* am y tro cynta. Ro'dd canno'dd ar eu traed; Band Pres Gwauncaegurwen yn whare, a fe allech chi fod wedi clywed pìn yn cwmpo pan siaradodd y Cynghorydd Sirol Sid Woodward, Bill Samuel a finne. Ma'r Frenhines wedi bod yn dyst i sawl croeso yn ystod ei theyrnasiad, ond ddim byd mor ddiffuant ag a gafwyd yng Ngwauncaegurwen a'r ardal yn 1971. Fe gysges i'n sownd iawn y noson honno.

Samwn a sewin

Ro'dd ishe *mantelpiece* hyd ca' ffwtbol i ddala'r holl gardie, llythyre a thelegrame llongyfarch a gyrhaeddodd Coelbren Square yn yr wythnose'n dilyn y daith i Seland Newydd. Ma' nhw'n dal mewn drâr hen gwbwrt 'da Mam, a rhaid dweud ei bod hi 'run mor falch ohonyn nhw â'r cardie a dda'th yn dilyn genedigaethe a phriodase Gloria, Gethin a finne. Ond ro'dd un llythyr yn sbeshal. Ro'dd aelode Cymdeithas Bysgota Llandysul, yn dilyn llwyddiant y daith, wedi penderfynu yn eu cyfarfod misol eu bod am gyflwyno trwydded arbennig i mi bysgota ar y Teifi am bum mlynedd!

Ma' 'na hud a lledrith yn perthyn i afonydd. Ma' teithie pleser ar y Danube a'r Nîl yn apelio at rai, er'ill yn canŵio ar y Dordogne, tra bydde David Attenborough a David Bellamy yn croesawu mis ar yr Amazon neu'r Congo i astudio byd natur – ond i bysgotwr, ma'r Teifi ben ac ysgwydde'n well na'r gweddill. Ma'r afon yn tarddu yn y pylle uwchben Pontrhydfendigaid ac yn llifo'n hamddenol i gyfeiriad Tregaron, Llambed, Llanybydder, Llandysul a Chastellnewydd Emlyn, cyn ei throi hi am Gilgerran ac Aberteifi.

Yn ystod y pum mlynedd dilynol fe fues i'n ymwelydd cyson â glanne afon Teifi, a thrwy wrando ar gyngor Artie Jones a Jac Alma fe ddes i sylweddoli ma' prentis o'n i yn y maes. Ro'dd y ddau'n dwlu trosglwyddo gwybodaeth, a finne fel darn o bapur blotio yn gwrando'n astud ar bob un gair. Ro'dd Jac 'da fi pan ddales i'n samwn mawr cynta, a ro'dd e wrth ei fodd oherwydd mod i wedi dilyn ei gyfarwyddiade fe. Ro'dd Artie'n bysgotwr cystadleuol iawn ac o dan ei ana'l ro'dd e siŵr o fod wedi dweud, 'Damo! Licen i fod wedi dal y samwn 'na!'

Un arall o'm ffrindie penna yw Cyril Fox, gŵr sy'n gyfrifol am gadw llygad ar ddarne o afon Tywi o Ddryslwyn lawr i Nantgaredig. Pan o'dd y plant yn tyfu lan ro'dd hi'n anodd diflannu i'r gorllewin i bysgota; ro'n i'n teimlo'n euog ac yn teimlo rheidrwydd i helpu Maureen i gadw llygad ar y ddau grwt, Owen a Rhys. Ond ma' 'na un noson yn dal yn fyw yn y cof a dwi'n cofio pob manylyn ynglŷn â'r helfa. Yn aml ma' ffrindie'n gorfod fy mherswadio i i fynd i whare golff – dwi'n mwynhau whare'r gêm honno, ond ma' pysgota, fel dwi ishws wedi cyfadde, yn y gwa'd!

Do'n i heb fod yn pysgota am sewin ers peth amser, a ganol prynhawn fe ges i air 'da Rhys a gofyn a lice fe ga'l profiad o bysgota ar y Tywi yn hwyr y nos. Yn naturiol, i grwtyn deg oed, ro'dd yr holl beth yn antur, a phan gytunodd Maureen fe gysylltes i ar unwaith â Cyril. Ro'dd hi'n ganol haf, ac awgrym y cipar o'dd cyrra'dd tua naw yr hwyr. Tua amser te ro'dd hi'n pistyllu'r glaw ym Mhorth-cawl – y tywydd gwaetha ar gyfer pysgota. Ro'dd hi'n dal i fwrw tua saith yr hwyr ond fe ffonies i Cyril eto, a fe awgrymodd e'n bod ni'n trafaelu lawr ar unwaith gan ei bod hi'n sych yn y gorllewin. (Efalle ma' Grav sy'n iawn, wedi'r cwbwl – 'West is best!')

Fe ddodes i bopeth yn y car – y wialen, pob math o blu, *waders* uchel dan y cesail, a thortsh. Wedi cyrra'dd yr afon ro'dd Cyril mewn hwylie da, yr haul wedi hen fachlud a phob dim fel bola buwch. O fewn rhai munude ro'dd sewin yn y rhwyd, a'r digwyddiad wedi cynhyrfu rhyw ychydig ar Rhys ar ôl gweld y pysgodyn yn neidio drwy'r awyr, a sŵn y rîl yn sgrechen yn y tywyllwch. Ar ôl sgwrs fer a rhoi amser i'r afon dawelu ro'n i yn ôl yn yr un pwll, a chyn bo hir da'th y teimlad sy mor unigryw i bysgotwr. Ma'n anodd disgrifio'r peth ond ro'n i'n ymwybodol fod rhywbeth ar fin digwydd, y teimlad fod y lein ar fin cydio. Dyna ddigwyddodd a fe lwyddes i ddal sewin arall sylweddol o ran maint. Ro'dd hyd yn oed Cyril yn genfigennus! Ro'n i'n teimlo fod y noson yn debygol o fod yn un gofiadwy, ond unig eirie Rhys o'dd, 'Dad, fi 'di ca'l digon. Fi mo'yn mynd adre!'

Lwyddes i i dawelu'r crwt drwy rhoi cyfle iddo fe gydio mewn gwialen, a finne'n sefyll yno'n obeithiol gan weddïo y bydde fe'n teimlo'r wefr ac yn datblygu'n Foc Morgan y dyfodol. Ond do'dd genynne pysgotwr ddim yn rhan o gyfansoddiad Rhys – ro'dd e'n dal i gwyno! 'Muned arall, Rhys . . . ' – a chyda hynny, fe deimles i dynfa rhyfeddol ar y wialen. Fe fydde'r pysgodyn wedi tynnu Rhys a'r wialen i mewn i ddyfnderoedd y Tywi, ond ro'dd y pysgodyn yma'n delio gyda rhywun o'dd wedi gorfod ymrafael â Colin Meads a Frik du Preez! Do'dd hwn ddim yn mynd i ddianc! Bu brwydr hir ar lan y Tywi; pentrefwyr cysglyd Nantgaredig yn gwbod dim am yr ymdrech, ond ar ôl ychydig fe lwyddon ni i rwydo'r sewin mwya dwi wedi'i ddala yn fy mywyd – y cawr deuddeg pwys y sonies i gynne amdano.

Ma' Cyril yn *dal* i sôn am y digwyddiad, ond unig sylw Rhys o'dd, 'Allwn ni fynd nawr?' A dyw Rhys Edwards ddim wedi bod ar lan afon yn pysgota oddi ar hynny, a ma' fe bellach dros ei ddeg ar hugen oed!

Y cais! (Cymru yn erbyn yr Alban, 1972)

Parhaodd y llwyddiant ar y ca' yn ystod tymor 1972/73 gyda Chymru'n ennill pob un gêm, ond fe benderfynwyd peidio â theithio i Ddulyn yn sgil yr ymosodiade terfysgol. Ro'dd 'na dipyn o ansicrwydd gan fod y teuluoedd yn ofnus, ac ar ôl pwyso a mesur penderfynodd Undeb Rygbi Cymru ohirio'r ornest. Coronwyd Cymru'n bencampwyr ac, i lawer, y gêm yn erbyn yr Albanwyr yng Nghaerdydd o'dd uchafbwynt y tymor.

Ym myd y campe, ar y lefel ucha, ma' gyrfa sy'n parhau am ddegawd yn eithriadol. A bod yn onest, ma' bod ar y brig ar y lefel ucha am ddau neu dri thymor yn gamp aruthrol. Yn aml ma'r coese'n gwanhau, y llygaid yn ddiffygiol a'r nerfe'n pallu, ac ma'r unigolyn yn diodde cyfres o anafiade. Hefyd, yn naturiol, rhaid derbyn y ffaith fod chwaraewyr ifanc yn aeddfedu ac yn bygwth yr hoelion wyth. A hyd yn oed yn y saithdege, ro'dd 'na rywfaint o bwyse meddyliol yn effeithio ar berfformiade'r chwaraewyr amlyca. Fel y sgrifennodd Simon Barnes yn *The Times* yn ddiweddar, 'Sport is about the seizing of today because, for a thousand reasons, tomorrow may never come.'

Enillon ni'r gêm yn erbyn XV Peter Brown ar y 5ed o Chwefror, 1972, o 35 i 12, ond do'dd y sgôr ddim yn adlewyrchu'r hyn a ddigwyddodd. Ro'dd yr Albanwyr yn wrthwynebwyr anodd, ac ar y bla'n am ddau gyfnod yn ystod y prynhawn. Bu'n rhaid i ni fod ar ein gore glas i daro 'nôl. Ro'dd y prynhawn yn un bythgofiadwy i mi'n bersonol. Sgoriodd Cymru bum cais: Gerald Davies, Roy Bergiers a John Taylor yn hawlio un yr un, a finne'n bachu dau – yr ail, yn ôl yr arbenigwyr, yn un o'r goreuon a welwyd mewn gêm ryngwladol ar Barc yr Arfau.

Ro'dd Cymru ar y bla'n 16–12 pan benderfynes i redeg ar yr ochr dywyll o sgrym yn nwy ar hugen Cymru. Ar ôl cydio yn y bêl, fe oedes i am chwarter eiliad cyn penderfynu ffrwydro i'r ochr dywyll. Do'dd rheng ôl yr Alban ddim yn erfyn gweld mewnwr yn bygwth o'r fath sefyllfa. Ro'dd pob wan jac ohonyn nhw'n aros i mi dwlu'r bêl i gyfeiriad Barry, ac yn siŵr y bydde'r maswr yn ei chico i gyfeiriad eisteddle'r De. Whare'n saff o'dd yr opsiwn doetha ac, a bod yn onest, ro'dd hyd yn oed Barry yn aros yn amyneddgar am y bêl. Ond heb feddwl ddwywaith – ac efalle'n dychmygu mod i'n dal ar Ga' Archie ar y Waun, neu ym mhrawf cynta Clwb Rygbi Caerdydd ar Erddi Soffia – fe wibies i heibio i'r blaenasgellwr Rodger Arneil, o'dd yn dal ag un fraich yn sownd i'r sgrym a'r llall yn ymestyn yn obeithiol i'm cyfeiriad. Ro'n i'n agos iawn i linell yr ystlys ond yn ymwybodol fod y rhan fwya o amddiffynwyr yr Alban yn ail yn y ras. Serch hynny, sylweddoles fod Arthur Brown, cefnwr yr Alban, yn barod amdanaf a do'dd dim digon o le i'w osgoi. Cic dros ben y cefnwr o'dd yr unig opsiwn – y tro hwn ro'dd yr holl orie o whare pêl-droed i Coelbren Rovers o fudd, a'r gic yn aros ar dir y whare, yn sgrialu ar y tir mwdlyd ac yn hedfan i gyfeiriad y llinell gais. Cwrs amdani – nid chwaraewr rygbi o'n i bellach, ond athletwr ar drac yn benderfynol o gyrra'dd y llinell derfyn. Ro'dd pob un cam yn ymdrech, ond ro'n i hefyd, yn yr isymwybod, yn gwbod yn nêt fod yr ymdrech i gyrra'dd y bêl yn debygol o fod yn anodd i unrhyw Albanwr o'dd yn cwrso. Ac yna, gydag ond ychydig fetrau'n weddill, sylweddoles fod y ras wedi'i hennill. Plymiais yn fuddugoliaethus i gyfeiriad y bêl, ei chyffwrdd am y cais, a sleidro i ganol mwd cochlyd meddal y maes. Arhoses yno am eiliad neu ddwy cyn codi ar fy nhraed a cherdded 'nôl gan geisio ail-fyw'r symudiad. Ro'dd hanner can mil o gefnogwyr ar eu traed yn cymeradwyo; y profiad yn un emosiynol, a holl freuddwyddion plentyndod wedi'u gwireddu. Rhaid cyfadde fod y wâc yn ôl i'r dwy ar hugen, a finne wedi fy mhlastro mewn mwd coch, yn un o ddigwyddiade personol mwya cofiadwy fy ngyrfa. 'What a muddy marvellous try!' o'dd un o ddisgrifiade John Billot yn y *Western Mail* ar y bore Llun.

Y briodas

Ro'dd 1972 yn flwyddyn dda i sawl un – yn eu plith, Mark Spitz a Mary Peters yn ddau a ddisgleiriodd ym Mabolgampe Olympaidd Munich; Lee Trevino yn ennill yr Open yn Muirfield, a Leeds United yn drech nag Arsenal o fla'n can mil yn Wembley. Ro'dd hi hefyd yn flwyddyn dda i Maureen a finne!

Fe briododd y Parchedig R. J. Thomas y ddau ohonon ni ar ddydd Iau yng Nghapel Hermon, o'dd o fewn cic gosb i

Gomin y Waun. Do'dd dim rhyw lawer o ffỳs a ffwdan. Ychydig o'dd yn priodi ar ddydd Iau 'nôl yn y saithdege, a'r penderfyniad o'dd gwahodd y teulu'n unig gan fod Maureen am briodas dawel.

Pan dda'th y ddau ohonon ni mas trwy ddrws y capel ro'dd holl drigolion y Waun, Cwm-gors a Brynaman o'n blaene, criwie o gwmnïe teledu wedi parcio ar y tarmac, a'r *paparazzi* lleol wedi gosod eu tripods mewn manne cyfleus! *Y South Wales Guardian* a *Llais Llafur* o'dd *Hello* ac *OK* y cyfnod. Ma'n amlwg fod pawb o fewn hanner can milltir i'r Waun yn gwbod! Ro'dd mam Maureen, heb feddwl, wedi gadael y gath mas o'r cwd. Pan fydde cymdogion yn ffarwelio, gan ddweud, 'Wela i chi rywbryd yn ystod y penwythnos', ro'dd Mrs Edwards wedi ateb yn syth a dweud 'Na – dydd Iau!'

Ro'dd y diwrnod yn un heulog, braf, ac yn wahanol i gynifer o gyple priod y dyddie hyn sy'n treulio mis mêl yn Mauritius, Mexico neu Manley, troi'r car i gyfeiriad y Mynydd Du wnaethon ni a threulio wythnos yn y Gogledd. Beth alle fod yn well? Fe ddewises i Westy Tan-y-Groes yn y Ganllwyd ar gyfer y mis mêl, a ro'dd Maureen yn rhyw ddechre drwgdybio bod 'na ddrwg yn y caws pan welodd hi arwydd y gwesty ac arno'r geirie 'Wales's Foremost Fishing Hotel' wedi'u hychwanegu yn y cefndir! A dyw Maureen byth wedi madde i fi am ddewis man lle ro'dd angen cerdded drwy far yn llawn dynion busneslyd cyn cyrra'dd ein stafell wely. Ond, whare teg, fe ges i ddiwrnod yn pysgota yn yr ardal cyn dychwelyd adre!

O ie – ar y ffordd lan, hefyd, fe wnaethpwyd *detour* trwy Lanybydder er mwyn dymuno'n dda i'r maswr a'r sylwebydd Cliff Morgan, o'dd yn treulio wythnos yn pysgota yn yr ardal yng nghwmni David Coleman. Ro'dd Cliff newydd ddiodde strôc yn yr Almaen ac yn atgyfnerthu ar lannau'r Teifi. Fe gerddes i i mewn i swyddfa'r Heddlu yn Llanybydder a gofyn a o'dd rhywun wedi gweld y ddau. 'Pwy sy mo'yn gwbod?' medde llais awdurdodol y sarjant o stafell gyfagos. 'Mewnwr Cymru yw e, Sarj,' bloeddiodd y cwnstabl, ac o fewn rhai munude ro'dd y ddau ohonon ni'n croesi ca' llawn *Friesians* i gwrdda'r ddau gawr o fyd y campe. Ro'dd Maureen yn bictiwr, y wisg ar gyfer y mis mêl a'r sgitshe lleder o A. G. Meek yn gweddu'n berffaith â glaswellt Dyffryn Teifi. Wedi meddwl, fe fydde'n well petaen ni wedi bwco mewn i'r Cae Gurwen Hotel ('Cae' i'r *locals*) ar Sgwâr y Waun!

'Y da, y drwg a'r diolwg'
(taith y Crysau Duon i wledydd Prydain, 1972/73)

Fe weles i'r ffilm *The Good, the Bad and the Ugly* ar sgrîn fawr sinema'r Capitol yng Nghaerdydd pan o'n i'n fyfyriwr yn y ddinas 'nôl ar ddiwedd y chwedege. A ma' teitl y ffilm, dda'th ag enwogrwydd i Clint Eastwood, yn addas ar gyfer taith y Crysau Duon i wledydd Prydain yn 1972/73 –'y da, y drwg a'r diolwg' o'dd hi i lawer yn ystod misoedd yr hydref. Ga i ddechre gyda'r diolwg!

Chwaraeodd Clwb Rygbi Caerdydd yn erbyn y Crysau Duon ar y 4ydd o Dachwedd, 1972, y Sadwrn yn dilyn buddugoliaeth ardderchog Llanelli yn erbyn tîm Ian Kirkpatrick. Ro'dd 'na gryn ddishgwl mla'n; ro'dd rhai o'r farn y bydden nhw'n dal i ddiodde ar ôl y golled yn erbyn y Llewod yn 1971, ond do'n i'n bersonol ddim yn rhannu'r gred honno. Yn sicr, ro'dd perfformiad y Sgarlets wedi digalonni'r Crysau Duon – 'smo nhw'n lico colli! Ro'dd pob aelod o dîm Caerdydd yn gwbod fod 'na frwydr yn ein hwynebu. Ma' colli gornest rygbi yn ddigwyddiad prin i chwaraewyr Seland Newydd; ma' colli dwy o'r bron yn hunlle llwyr, ac yn golygu dianc i unigedd yr Antarctig i aelode'r garfan.

Ro'dd y gêm yn frwydr waedlyd o'r gic gynta i'r chwib ola. Ro'dd agwedd y Crysau Duon yn annerbyniol, y whare'n giaidd, golwg gas ar bron bob un mewn crys du, a bu'n rhaid i chwaraewyr tîm rygbi Caerdydd ddiodde sawl cic a chnoc yn ystod y prynhawn. Hwn o'dd y degfed tro i mi whare yn eu herbyn. Fe wyddwn i'n iawn eu bod nhw'n unigolion ffeind a dymunol oddi ar y ca', ond yn gallu troi'n anifeilaidd pan fydde'r reffarî yn chwythu'i chwib ar ddechre gêm. Ma' record llwyddiant y tîm hyd heddi'n un anhygoel, ac wrth hawlio'r pwyntie ac ennill gême rhaid cyfadde eu bod yn esiampl i holl wledydd rygbi'r byd – ma' techneg, cryfder a brwdfrydedd y blaenwyr yn galluogi'r olwyr i gyflawni symudiade ar gyflymdra, a symud y bêl yn gelfydd o un pen o'r ca' i'r llall. Ond, o bryd i'w gilydd, pan fydd y gwrthwynebwyr yn eu herio, ma'r whare'n troi'n gorfforol.

Ro'dd tîm y brifddinas wedi dechre'r tymor yn llawn addewid; wedi colli dim ond tair mas o un ar bymtheg o gême chwaraewyd. Siom o'dd colli'r capten Gerry Wallace wedi iddo dorri bys bawd, ac erbyn hyn hefyd ro'dd y Brenin, Barry John, wedi ymddeol. Os rhywbeth, ro'dd tîm Seland Newydd yn gryfach na'r uned a gollodd i'r Sgarlets – Sid Going yn ôl fel mewnwr, Grant Batty ar yr asgell, a Tane Norton ac Alex Wyllie yn cryfhau'r pac. Ro'dd *rhaid* i'r Crysau Duon ennill, costied a gostio!

Ma' edrych 'nôl ac ail-fyw'r prynhawn yn embaras llwyr.

Ma' 'da fi gywilydd o'r hyn a ddigwyddodd. Ro'dd y ddau dîm ar fai, a'r dyfarnwr o'r Alban, Jake Young, yn chwythu, pwyntio bys a phregethu, ond yn amharod i hala unrhyw un bant. Drwy gydol y whare gwelwyd unigolion yn twlu ergydion ac yn anelu ambell gic i gyfeiriad cyrff mewn ryc a thacl – fe dderbynies i ergyd *karate* a fydde wedi plesio Bruce Lee, a bu'n rhaid i brop Seland Newydd, Jeff Matheson, adael y ca' ar ôl derbyn pelten yn ei wyneb. Seland Newydd enillodd o 20 i 4, ac er i mi sgoro unig gais Caerdydd, do'dd yr anrhydedd yn golygu fawr ddim – gêm i dîm yw rygbi ac ennill yw'r nod. Ro'n i'n teimlo'n flin dros yr hanner can mil o gefnogwyr – do'n nhw ddim wedi ca'l gwerth eu harian, a fel wedes i, ro'dd *dau* dîm ar fai am hynny. Rhaid i mi gyfadde fod yr ymwelwyr yn ynysu'u hunain yn gymdeithasol; do'dd 'da nhw fawr ddim i'w ddweud, a'r drwgdeimlad a'r atgasedd yn gwaethygu o wythnos i wythnos.

Dyna i chi grynodeb o'r diolwg, ond beth am y drwg? Ddechre Rhagfyr yng Nghaerdydd, Cymru o'dd y ffefrynne ar gyfer yr ornest ryngwladol – y chwaraewyr cartre wedi'u paratoi yn dda ar gyfer yr her, ac yn ffyddiog fod 'na gyfle i ddysgu gwers i'r Crysau Duon am y tro cynta er 1953. Ar ôl colli'r gyfres yn erbyn y Llewod yn 1971, ro'dd nifer yn teimlo fod Seland Newydd ar groesffordd – ar fin datblygu criw o chwaraewyr newydd ar gyfer y dyfodol, ac yn barod i ffarwelio â nifer fawr o'r hoelion wyth.

Un cap newydd o'dd yn nhîm Cymru, y prop o Gwm Dulais, Glyn Shaw, tra o'dd tri o Seland Newydd yn cynrychioli'u gwlad am y tro cynta – Grant Batty, Joe Karam a Hamish Macdonald. Yr ymwelwyr a'th â hi o 19 i 16 ond rhaid pwysleisio ma'r cryse cochion o'dd yn haeddu'r fuddugoliaeth. Croesodd y prop tanllyd Keith Murdoch i'r Crysau Duon, a gwibiodd John Bevan am ddeugen metr ar hyd yr asgell chwith am unig gais Cymru.

Ond, fe ddylsen ni fod wedi ca'l cais arall – y cais a fydde wedi ennill y gêm. Ag un muned ar ddeg yn weddill, a'th y bêl i gôl y capten, Delme Thomas, ac a'th e fel trên i gyfeiriad y llinell gais. Fe lwyddodd e i ryddhau J. P. R. Williams ar eiliad allweddol, a hwnnw'n ca'l ei hanner dal ond fe a'th e yn ei fla'n a chroesi'r llinell gais. Am hanner eiliad ro'n ni'n siŵr fod y dyfarnwr Johnny Johnson am ganiatáu'r cais ond yna, wedi ailfeddwl, fe gosbodd e JPR gan ddweud fod 'na ailsymudiad. Do'dd 'na ddim! Ro'dd y digwyddiad yn hynod debyg i'r cais a ganiataodd y dyfarnwr i Murdoch. Do'dd 'na ddim byd cas yn y gêm hon, ond defnyddies i'r gair 'drwg' fel disgrifiad o berfformiad cyffredinol Cymru. Yn y ginio yn dilyn y gêm, cyfaddefodd capten y Crysau Duon, Ian Kirkpatrick, fod ei dîm wedi bod yn lwcus i ennill.

Bu'n rhaid sgrifennu am y ddwy gêm uchod â rhywfaint o dristwch. Ond diolch i'r drefn, yn dilyn y drwg a'r diolwg, fe lwyddwyd i lwyfannu'r da pan dda'th taith y Crysau Duon i wledydd Prydain i ben ar y 27ain o Ionawr, 1973, gyda gêm yn erbyn y Barbariaid yng Nghaerdydd. A thra bydd rygbi yn ca'l ei whare yn yr hen fyd yma, fe fydd 'na rywun, rhywle yn rhamantu am gêm a lwyddodd i ddal dychymyg gwir gefnogwyr y gêm o Inverness i Invercargill, ac o San Ffransisco i Sydney. Ro'dd hon yn bendant yn un o gême mwya cofiadwy fy ngyrfa i – yn bleser ac yn anrhydedd i whare ynddi.

Ma'n werth rhestru'r ddau dîm:

BARBARIAID		**SELAND NEWYDD**
J. P. R. WILLIAMS	15	Joe KARAM
David DUCKHAM	14	Bryan WILLIAMS
Mike GIBSON	13	Bruce ROBERTSON
John DAWES (c)	12	Grant BATTY
John BEVAN	11	Ian HURST
Phil BENNETT	10	Bob BURGESS
Gareth EDWARDS	9	Sid GOING
Ray McLOUGHLIN	1	Graham WHITING
John PULLIN	2	Ron URLICH
Sandy CARMICHAEL	3	Kent LAMBERT
W. J. McBRIDE	4	Hamish MACDONALD
Bob WILKINSON	5	Peter WHITING
Tom DAVID	6	Alistair SCOWN
Derek QUINNELL	8	Alex WYLLIE
Fergus SLATTERY	7	Ian KIRKPATRICK

Dyfarnwr: Georges DOMERCQ (Ffrainc)   Torf: 50,000

Carwyn o'dd yr hyfforddwr ar gyfer yr ornest, ond bu'n rhaid i Barry Llewelyn, Mervyn Davies a Gerald Davies dynnu mas o'r tîm oherwydd anafiade, ond da'th tri chwaraewr dawnus arall i gymryd eu lle – Sandy Carmichael, Tom David a John Bevan. Yn draddodiadol, ro'dd whare i'r Barbariaid yn chwa o awyr iach; ro'dd y canlyniad yn bwysig ond ro'dd 'na benderfyniad i redeg â'r bêl o bobman. Mynnai pwyllgor y Barbariaid fod rhaid whare a gwên ar wyneb, ac i chwaraewyr y cyfnod ro'dd gwisgo'r crys yn anrhydedd o'r mwya.

Ond ro'dd y gêm hon yn wahanol i'r gweddill. Ro'dd 'na awch gwirioneddol; ro'dd 'na benderfyniad ymhlith y chwaraewyr o'r funed y daethon ni at ein gilydd. Llwyddiant y Llewod yn Seland Newydd yn 1971 o'dd yn gyfrifol am yr agwedd yma – do'n ni ddim yn bwriadu colli, a'r agwedd hon a dreiddiai drwy'r tîm. I bob pwrpas ro'dd hon yn bumed prawf – nid y jamborî arferol i ffarwelio â thîm teithiol. Ro'dd y Crysau Duon yn anhapus fod y Barbariaid wedi dewis tîm o'dd mor debyg ag y galle fe fod i Lewod 1971 – ro'dd John Dawes 'nôl yn gapten ar ôl ymddeol o rygbi rhyngwladol, a Carwyn, fel dwedes i, yn hyfforddwr.

Do'dd 'na ddim pwyse arnon ni i ennill, ond yn sgil yr holl ddigwyddiade annymunol ar y daith ro'dd rhai yn y wasg, fel tîm rheoli'r Crysau Duon, yn cyfeirio at yr ornest fel pumed prawf, ac yn awgrymu ma'r Llewod, i bob pwrpas, o'dd yn herio'r Crysau Duon. Ac ar ôl colli'r gyfres yn 1971, bwriad Ian Kirkpatrick a'i dîm o'dd talu'r pwyth yn ôl. Ond dewch i ni ga'l pwysleisio un ffaith – nid Llewod 1971 o'dd ar y ca', ond Barbariaid 1973. Ro'dd 'na ddeunaw mis ers i'r Llewod ddychwelyd o Seland Newydd, a phenderfynwyd cynnwys dau chwaraewr o'dd heb whare ar y llwyfan rhyngwladol – Bob Wilkinson yn yr ail reng a Tom David yn y rheng ôl.

Am ddeuddydd cyn yr ornest ro'dd y paratoade ym Mhenarth yn drychinebus – gyda'r gwaetha yn ystod fy ngyrfa! Phil a finne'n cawlo sawl symudiad, yr olwyr yn aros am JPR, a'r cefnwr naill ai'n araf yn cyrra'dd neu'n gorredeg. Ond ro'dd 'na gryn ddishgwl mla'n, a'r papure'n datgan ma' Prydain o'dd Pencampwyr y Byd.

Ro'dd rhai cefnogwyr heb gyrra'dd y ca', er'ill heb setlo yn eu sedde pan benderfynodd Phil Bennett wrthymosod o'i ddwy ar hugen. R'ych chi i gyd siŵr o fod yn gwbod beth ddigwyddodd nesa – ma' fideos a DVDs o'r cais ac o'r gêm wedi bod ar frig rhestr gwerthiant W. H. Smith, Waterstones a Borders (heb anghofio Siop y Cennen yn Rhydaman!) byth oddi ar hynny – ond rhag ofn bod rhywrai ohonoch chi mo'yn ca'l eich atgoffa, mi ddweda i!

Da'th Kirkpatrick o hyd i Bryan Williams ar yr ochr dywyll o gwmpas hanner ffordd, a'r asgellwr pwerus yn codi cic uchel i gyfeiriad dwy ar hugen y Barbariaid ym mhen Stryd Westgate o'r ca'. Gellid dweud â sicrwydd fod symudiade'r deugen eiliad nesa yn rhan o hanes y gêm – Phil Bennett (yn dal i glywed geirie ola Carwyn cyn gad'el yr ystafell newid – 'Cofiwch whare gêm *naturiol*') yn casglu'r gic ac yn hypnoteiddio'r gwŷr yn y cryse duon. Ochrgamodd heibio i Alistair Scown, maeddu Kirkpatrick ac Urlich heb fawr o drafferth cyn trosglwyddo i J. P. R. Williams. Ro'dd e mewn picil, yn ffaelu ymestyn mas o'r dacl ond yn ddigon cryf i ryddhau'r bêl i John Pullin. Dolen gyswllt o'dd y bachwr, a phasiodd bron yn syth i John Dawes, a gyflawnodd ffug bàs glasurol cyn cyrra'dd hanner ffordd. Ro'dd Derek Quinnell yn cynorthwyo'n reddfol, ond llwyddodd y capten i ddenu Sid Going i'r dacl cyn pasio ar y tu fewn i Tom David. Ro'dd cyflymdra'r symudiad yn anhygoel – a fel un o'dd yn cynorthwyo ychydig y tu ôl i'r whare, ro'dd modd tystio i bob dim o'dd yn digwydd. Taclwyd blaenasgellwr Llanelli ond ro'dd ei nerth yn ddigon i hwpo'r amddiffynnwr bant, a rhywsut llwyddodd i ymestyn yn gelfydd â'r fraich arall a thaflu'r bêl, o'dd yn sownd yn ei law, i gyfeiriad Quinnell. Tu fas i'r wythwr ro'dd yr asgellwr John Bevan o'dd yn llygadu'r llinell gais. Bwriad Derek Quinnell o'dd twlu'r bêl i asgellwr Caerdydd a Chymru er mwyn iddo gwblhau'r symudiad, ond heb yn wbod iddo ymddangoses i ar gyflymdra i ryng-gipio'r bàs a pharhau i wibio cyn plymio ar ongl letchwith am y cais, reit yn ymyl y cornel chwith o'r ca' ar ochr afon Taf.

Crëwyd y cyffro o'r eiliad yr ochrgamodd Phil heibio i'r amddiffynnwr cynta. Cynyddu wna'th y sŵn, a phan sylweddolodd yr hanner can mil fod y cais wedi'i ganiatáu ro'dd y sgrechiade a'r gymeradwyaeth yn gwbwl fyddarol. Does dim amheuaeth, hwn o'dd un o'r symudiade gore erio'd ar ga' ffwtbol – hanner y tîm wedi trafod a thîm cyfan wedi cyfrannu. Ma' miloedd yn ystod y blynyddoedd wedi cwestiynu nghyfraniad i – onid yw hi'n rhyfedd fod unigolion a o'dd heb ga'l eu geni yn cymryd cymaint o ddiddordeb yn y cais? Wrth asesu'r cyfraniad bychan chwaraees i yn y cais, dwi'n dawel hyderus o un peth – ma'n amheus 'da fi a fydde John Bevan wedi cyrra'dd, oherwydd ro'dd amddiffyn Seland Newydd yn hedfan ar draws y ca'. Ma'n bosib y bydden nhw wedi'i ddal e, ond ro'dd y ffaith mod i'n derbyn y bêl ar gyflymdra wedi arbed eiliad – ac fel r'ych chi'n gwbod, ma' eiliad ar ga' rygbi yn gyfystyr â saith metr i rywun sy'n gwibio *flat out*!

Yn gyson ar ga' pêl-droed ro'dd hyfforddwyr yn bloeddio'r geirie, 'Beth 'ych chi'n bwriadu'i neud pan nad yw'r bêl 'da chi?' Dyw gweld chwaraewr canol ca'n pasio'n gelfydd ac yna'n aros yn yr unfan i edmygu'r bàs yn werth dim i neb. Rhaid gwibio, rhedeg a chynorthwyo er mwyn cynnig y cymorth sy mor angenrheidiol, ac i mi'n bersonol y rhedeg oddi ar y bêl a bod yno i dderbyn y bàs o'dd yn dyngedfennol ar derfyn y symudiad.

Ma' cynorthwy o'r fath, sy'n rhan o bêl-fasged, pêl-rwyd a phêl-droed, yn allweddol i'r chwaraewr rygbi. Ro'dd gôl gampus Wayne Rooney i Manchester United yn erbyn AC Milan ddiwedd Ebrill 2007 yn Old Trafford yn seiliedig ar ei weledigaeth, ei adnabyddiaeth o Ryan Giggs (y chwaraewr a lywiodd y bêl i'r gwagle), ac i'r ffaith fod y blaenwr ddim wedi stopio rhedeg o'r eiliad y cipiodd Giggs y meddiant ar hanner ffordd.

Do, fe dda'th fy nghais i yn y munude agoriadol, ond ro'dd yr awr a chwarter o'dd yn weddill yn hynod gyffrous. Ail gais i'r Barbariaid – Slattery yn croesi ar ôl i Going golli'r meddiant mewn sgrym; trydydd cais – Slattery yn taclo'r maswr Bob Burgess yn ddidrugaredd, cyn i Quinnell ryddhau Dawes ac yna Bevan, a groesodd yn y cornel. 17–0 ar yr egwyl, a hud a lledrith y Barbariaid yn amlwg.

Seren y prynhawn o'dd asgellwr Lloegr, David (Dai i ni'r Cymry) Duckham; ro'dd e ar dân ar yr asgell, yn gwibio, gwyro ac ochrgamu cyn dod o hyd i gymorth. Ond yna fe lwyddodd y Crysau Duon i daro 'nôl – cic gosb Karam, ac yna Burgess yn wyrthiol yn codi'r bêl o'r llawr, yn derbyn help gan Williams a Karam, ac yn creu cais i Batty. Ro'dd Grant Batty a Tom David yng nghanol brwydr bersonol, gyda'r ddau yn dadlau ar yr ystlys (Dafydd yn erbyn Goliath!) cyn i'r asgellwr tanllyd groesi am ail gais pert. Ro'dd Batty yno i dderbyn cic Hurst cyn cico heibio i JPR ac ennill y ras. 17–11 i ni, felly – ond dim ond cais a throsiad iddyn nhw a bydde'r gêm yn gyfartal!

Oni bai am y cais ar ddechre'r gêm, fe fydde pawb wedi bod yn sôn am y cais ar ddiwedd y gêm. Pob aelod o'r tîm yn trafod; muned a hanner o gyffro; y dorf yn ca'l ei gwefreiddio, ac ar un adeg ro'dd pethe'n dishgwl yn dywyll cyn i Duckham ailgynne'r fflam. Duckham o'dd y sbarc, ond ro'dd er'ill yno i barhau â'r symudiad cyn i JPR groesi yn y cornel. Gêm y ganrif? Digon posib. Ma'r hanner can mil o'dd yno'n dal i sôn am yr ornest, a ro'n i yn ddigon ffodus i fod ar y ca'. Yn wir, dri deg a phump o flynyddoedd yn ddiweddarach, ma' pobol ledled byd yn dal i sôn am y gêm.

Ma' canlyniade Cymru a'r Llewod yn y saithdege wedi mynd yn angof i radde erbyn hyn, ond ma' cyffro gêm y Barbariaid a'r Crysau Duon wedi'i saernïo yn y cof. Wrth annerch cymdeithase ym mhedwar ban byd, ma' llawer o'r cwestiynu a'r holi yn ymwneud â'r awr a hanner ar Barc yr Arfau yn 1973. A dewch i ni ga'l bod yn onest – fe *alle*'r Barbariaid fod wedi colli'r ornest. Do, fe sgorion ni geisie anghredadwy, ond yr amddiffyn sicrhaodd y fuddugoliaeth. Canolbwyntio ar y whare cyffrous ac anturus wna'th y wasg a'r cyfrynge, ond ro'dd pob chwaraewr – a'r hyfforddwr – yn barod i gyfadde taw'r taclo yn hytrach na'r ceisie a enillodd y gêm.

De Affrica 1974

Ddechre'r saithdege, Prydain o'dd pencampwyr y byd rygbi. Ma' fe'n ddweud mawr, ond ma'r canlyniade'n cadarnhau'r gosodiad. Trechodd Lloegr Dde Affrica mas yn ninas Pretoria yn 1972, ac yna maeddu Seland Newydd yn Auckland y flwyddyn ganlynol. Parhaodd eu llwyddiant – ddeufis yn ddiweddarach, cipiwyd buddugoliaeth haeddiannol yn erbyn Awstralia yn Twickenham o 20 i 3. Ro'dd nifer o gefnogwyr yn feirniadol o'r hen elyn yn ystod y cyfnod, a nifer o'r wasg yn eu bychanu, ond do'n i'n bersonol ddim yn un o'r rheiny! Efalle fod Cymru'n well *tîm* na nhw, ac yn eu maeddu'n rheolaidd, ond eto ro'dd 'da ni barch mawr i nifer fawr o'u chwaraewyr.

Ym mis Rhagfyr 1969, llwyddodd yr Alban i drechu tîm Dawie de Villiers yn Murrayfield, ac yna yn 1975 ennill gornest yn erbyn y Wallabies. Ro'dd Iwerddon hefyd yn dîm anodd i'w faeddu, fel y tystiodd Seland Newydd (10–10) yn 1973, a De Affrica (8–8) yn 1970. A da'th Cymru o fewn trwch blewyn i'r Crysau Duon yn 1972 yng Nghaerdydd, a hawlio gêm gyfartal â'r Springboks yn 1970 cyn chwalu Awstralia deirgwaith yn ystod y blynyddoedd dan sylw.

Ro'dd Llewod 1971 hefyd, wrth gwrs, wedi rhwbio halen i'r briw, a chyn i'r Llewod deithio i Dde Dffrica yn 1974 ro'dd gweddill y byd yn dechre cydnabod goruchafiaeth y Celtiaid a'r Sacsoniaid.

Ro'dd carfan 1974 yn wahanol i'r un a gipiodd y gyfres mas yng ngwlad y cwmwl gwyn yn 1971 – dim ond dau o'r olwyr a wisgodd y crys coch yn Seland Newydd o'dd yn y tîm ar gyfer y profion yn Ne Affrica, sef JPR a finne. Os rhywbeth ro'dd y blaenwyr yn gryfach, gyda phedwar o hoelion wyth '71 yn asgwrn cefn nerthol – y capten Willie John McBride, Gordon Brown, Ian McLauchlan a Mervyn Davies. Pan gyhoeddwyd y garfan ro'n i braidd yn ansicr o allu'r olwyr, gan fod enwe cyfarwydd yn absennol am wahanol resyme – bellach ro'dd Barry John, Gerald Davies, David Duckham, John Bevan a John Dawes yn rhan o hanes.

Ac wedi whare droeon yn Ne Affrica, ro'n i'n ymwybodol o'r holl beryglon. Fe geisia i egluro! Yn Seland Newydd ma'r amode a'r cyfleustere'n debyg iawn i'r hyn a geir ym Mhrydain – y caee'n debyg, y gwair yn debyg, y gwynt yn debyg, y llacs yn debyg, a glaw yw glaw. Yn ogystal, ma' gaeaf yn Seland Newydd rywbeth tebyg i aeaf cymedrol ym Mhrydain, ac wrth gwrs chwaraeir pob gêm ar lefel y môr, sy'n golygu fod y peli'n ymateb yn yr un modd yn Wanganui a Waunarlwydd. Ond ma' De Affrica'n wahanol! Yn gynta ma'r haul yn disgleirio – chwaraewyr yn chwysu ac yn ymladd am ana'l. Ma'r caee'n galed. Ma'r gwair yn wahanol. Ma'r aer yn deneuach ac yn sychach. Ma'r bêl yn trafaelu'n bellach ac yn gyflymach ac yn bihafio'n wahanol: ma'r bêl yn 'hobo' mwy – ddim yn aros yn yr unfan mewn ryc. Ma' chwaraewyr yn diodde anafiade'n gyson ac yn cymryd amser i wella. Rhaid cydnabod hefyd fod taclwyr yn taclo'n galetach drwy angori'r tra'd a dreifo i mewn yn bwerus, ac ym mhob un gêm ma' chwaraewyr yn diodde sgathrade ar y coese a'r breichie sy'n boenus ac yn gallu troi'n septig heb y gofal gore posib. Yn Ne Affrica hefyd ma'r cico'n wahanol; ma' cico at y pyst yn grefft, a chico tactegol yn ddisgyblaeth, gan fod y bêl yn symud yn wahanol drwy'r awyr.

Ro'dd y cyfan yn ddieithr i'r Llewod, ond ro'dd y Springboks wedi hen gyfarwyddo â'r amode a'r elfenne. I rai ro'dd y Llewod yn dechre fel ffefrynne gan fod y tîm cartre wedi'i ynysu'n gystadleuol yn sgil *apartheid* ac yn brin o chwaraewyr byd-enwog. Do'n i ddim yn rhannu'r safbwynt hwnnw – wedi'r cwbwl, do'dd y Llewod na'r Crysau Duon ddim wedi llwyddo i ennill cyfres yn y weriniaeth er 1896.

Yn myd rygbi, ma' De Affrica ar hyd y degawde wedi seilio'i chred ar egwyddorion cadarn: ma' nhw'n dewis chwaraewyr ar gyfer job o waith, ac yn teimlo bod profiad yn hollbwysig. Fe dda'th y Springboks o hyd i fformiwla lwyddiannus 'nôl ar ddechre'r ugeinfed ganrif, a ma' nhw wedi bod yn driw i'r patrwm byth oddi ar hynny. Ma' sgrym ddinistriol yn ganolog i athroniaeth y genedl ym myd rygbi. A dyna o'dd union athroniaeth hyfforddwr y Llewod, Syd Millar, yn 1974.

Prop o'dd Syd, ac o'r farn fod pob dim yn bosib petai'r sgrym yn bwerus – bydde'r haneri â'r gallu a'r amser i reoli; fe fydde 'na rwydd hynt i'r rheng ôl fod yn greadigol, gan gynnig cyfleoedd i'r haneri i greu hafoc a chreu rhywfaint o ryddid i'r asgellwyr redeg fel milgwn. Drwy sicrhau rhywfaint o oruchafiaeth yn y lein, y sgrym, y ryc a'r sgarmes, bydde modd perffeithio symudiade o'r ca' ymarfer a chynnig ambell i ffug bàs a siswrn gan fod y tîm ar y dro'd fla'n. Yn yr un modd, bydde'r gwrthwynebwyr ar y dro'd ôl – eu haneri o dan bwyse, y rheng ôl yn ddiwerth, a'r olwyr yn neud eu gore glas i gymoni'r annibendod o dan amode amhosib. Ma' cyfnode hir o amddiffyn yn dreth meddyliol ac yn arwain at anhrefn a phanic.

A whare teg i Syd, dyna fel droiodd pethe mas yn Ne Affrica – blaenwyr y Llewod yn rheoli'n llwyr am y gyfres gyfan, yr olwyr yn rhedeg reiat ar y tir caled, a'r Springboks yn y pen draw yn chwilio am gymorth seicolegol. Yn 1937, ar ddechre taith De Affrica i Seland Newydd, anfonodd y cyn-gapten Paul Roos deligram i'r Springboks yn cynnwys tri gair: '*Skrum, skrum, skrum.*' A dyna neges glir hyfforddwr Llewod 1974 cyn i ni esgyn i'r entrychion o Faes Awyr Heathrow.

Ro'dd y wasg wedi ca'l modd i fyw ar ôl cyhoeddi'r garfan. Ro'n i'n teimlo'n flin am Clive Rowlands – ar ôl llywio tîm Cymru mor llwyddiannus, ro'dd nifer fawr yn teimlo taw Arglwydd Cwmtwrch fydde'n hyfforddi'r

Llewod, ond yn sgil penodiad Alun Thomas fel Rheolwr, do'dd dim gobaith i'r awdurdode benodi Cymro arall i swydd allweddol. Dyna o'dd gwleidyddiaeth y byd rygbi yn ystod y cyfnod – a bod yn onest, does fawr ddim wedi newid hyd heddi! Anwybyddwyd nifer fawr o chwaraewyr amlyca'r cyfnod – do'dd dim lle i Derek Quinnell, Peter Dixon, John Pullin, Peter Wheeler nac Alistair McHarg, ac, ar ôl pwyso a mesur, penderfynodd David Duckham, Gerald Davies a Mike Gibson aros gartre.

Rheolwyd y whare gan dîm Willie John – o'r gic gynta yn Potchefstroom ar y 15fed o Fai, 1974, i'r chwib ola yn Johannesburg ar y 27ain o Orffennaf. Ma'r ystadege'n adrodd cyfrole – y Llewod o'dd y tîm cynta i ennill cyfres yn y weriniaeth er 1896; fe sgorion ni fwy o bwyntie mewn cyfres yn erbyn y Springboks nag unrhyw dîm arall; 28–9 yn Pretoria o'dd y golled waetha erio'd i Dde Affrica mewn gêm brawf; cawsom ddeg cais yn y pedwar prawf, pedwar ohonynt i'r asgellwr J. J. Williams. A bod yn onest, do'dd y Springboks ddim yn gwbod os o'n nhw'n mynd neu'n dod! Fe geson nhw'u chwalu ym mhob un agwedd o'r whare. Ro'dd bod yn fewnwr tu ôl i bac o'dd yn gryfach, yn ddoethach ac yn gyflymach na'r gwrthwynebwyr yn bleser pur – blaenwyr y Llewod yn cwrso rownd y ca' fel moths, a'r Springboks druain yn tuchan ac yn grwgnach o sgrym i lein. A'th holl gynllunie'r tîm cartre i'r gwellt ac, i neud pethe'n wa'th, fe benderfynon nhw newid eu tîm o brawf i brawf: fe ddefnyddion nhw dros ddeg ar hugen o chwaraewyr gan gynnwys tri mewnwr gwahanol.

'Ro'dd rygbi yn y weriniaeth wedi derbyn cnoc sylweddol – y Llewod am unwaith o'dd y meistri, a'r gwrthwynebwyr yn brin o ran strategaeth a syniadaeth. Ro'dd pob dim mor hawdd â phoeri i'r Llewod, a'r gwrthwynebwyr ar ddiwedd sawl prawf yn edrych ac yn teimlo fel hen fagie te. Ar ôl degawde o deyrnasu a rheoli'r byd rygbi, y Springboks y tro hwn o'dd yn gwisgo'r trowsus byr ac yn ymdebygu i gryts ysgol gynradd. Ro'dd pethe'n argoeli'n dda i rygbi yn Hemisffer y Gogledd.

Ro'dd y tîm cyfan i'w ganmol am gyfrannu i'r fuddugoliaeth. Ro'dd Phil Bennett yn dipyn o athrylith ar y tir calcd, ei gyflymdra a'i gyfrwystra'n peri gofid i'r gwrthwynebwyr a'i gais yn Pretoria yn brawf o'i allu ar y lefel ucha; J. J. Williams yn un arall o'dd wrth ei fodd yn rhedeg ar y tir caled, a ro'dd y meddiant cyson yn fêl ar fysedd chwaraewr o'i ddawn ef. Enillwyd y gyfres 3–0, er rhaid nodi i'r Springboks fod yn dipyn mwy cystadleuol yn y prawf ola a hawlio gêm gyfartal.

Ro'dd y *post mortem* yn ddiddorol – holl ohebwyr rygbi am unwaith yn canmol i'r cymyle ond ambell un yn cwestiynu gallu'r gwrthwynebwyr. Ro'dd John Reason, yn un, yn atgoffa'i ddarllenwyr yn y *Daily Telegraph* ma' dim ond un chwaraewr o dîm De Affrica fydde wedi hawlio lle yn nhîm y Llewod – yr ail reng, J. G. Williams. 'Y Llewod gore erio'd' o'dd disgrifiad y rheolwr Alun Thomas mewn araith yn dilyn y prawf ola. Dwi'n bersonol ddim yn siŵr o hynny – do'dd Alun ddim yn bresennol mas yn Seland Newydd yn 1971 pan o'dd pob un gêm yn gêm brawf.

Ro'dd John Reason hefyd yn ei erthygle yn feirniadol o'r dull o whare, gan bwysleisio fod yna ormod o gico, a'i fod yn teimlo y gallai'r Llewod fod wedi ennill pob prawf o ddeugen pwynt. Dwi'n anghytuno. Prif amcan y daith o'dd ennill y gyfres, a gwnaethpwyd hynny. Fe fydde rhedeg y bêl o bobman a chyflawni camgymeriade wedi whare mewn i ddwylo'r Springboks, a rhaid cofio nad o'dd John Dawes a Mike Gibson yn ganolwyr yn 1974. Fe chwaraeon ni i'n cryfdere ac ennill cyfres, a dyna o'dd y nod.

'Bachgen *yw e!*'

Ychydig ddiwrnode cyn i fi adael Cymru i deithio i Dde Affrica fe anwyd Owen, ein plentyn cynta. Ro'dd yr amseru'n berffaith! Owen yn ca'l ei eni, finne'n diflannu, a Maureen yn ca'l ei gadael wrthi ei hunan i ofalu am y newyddanedig mewn cyfnod pan o'dd ishe pâr sbâr o ddwylo. Dwi'n dal i deimlo'n euog a dyw Maureen byth wedi anghofio'r *Great Escape*!

Fe anwyd Owen yn Ysbyty'r Waun yng Nghaerdydd, ac er mwyn ca'l rhyw ychydig o lonydd a dianc o grafange'r wasg a'r cyfrynge fe benderfynon ni aros yng nghartre Nick Williams yn ardal yr Eglwys Newydd, o'dd o fewn cic gosb i'r ysbyty.

Ro'dd ein doctor ni ym Mhorth-cawl, Dr John Owen, yn un o'r 'hen ysgol', yn teimlo na ddylai'r gŵr fod yn bresennol ar adeg genedigaeth ei blentyn ei hun. Cofiwch, ro'dd popeth drosodd mewn chwincad, a fe geson ni syrpréis ma' bachgen o'dd e – ro'dd Maureen wedi'i hargyhoeddi ma' merch o'dd ar fin cyrra'dd!

Wncwl Jac

I mi'n bersonol, am ddegawd a mwy, ro'dd rygbi'n gamp deuddeg mis y flwyddyn. Felly, bob un haf, ces y cyfle i deithio'r byd a hynny wrth gynrychioli tîme rygbi gwahanol mewn cryse gwahanol – o bryd i'w gilydd yng nghryse cochion Cymru a'r Llewod, ac yna bob hyn a hyn yng nghryse streipiog Caerdydd a'r Barbariaid. Ac yn ystod y

176

teithie hyn cawn gyfle i flasu awyrgylch gwlad arall, i werthfawrogi ei golygfeydd a'i diwylliant, i gymdeithasu a gwledda a whare rhyw ychydig o golff a dala ambell bysgodyn. Dwi'n flin am y chwaraewyr cyfoes sy'n gaeth i'r gwesty ac yn colli mas ar yr ochr gymdeithasol. I ni weithiau, hefyd, ro'dd ambell i daith haf yn gyfle i ymlacio oherwydd bod ein gwrthwynebwyr yn wan a'r canlyniad yn sicr cyn i ni gamu ar y ca'. A dyna ddigwyddodd mas yn Siapan yn 1975.

Ro'n i rywfaint yn sensitif ynglŷn â'r daith – ro'dd brawd Dad, Jac, wedi diodde caledi aruthrol tra o'dd e'n garcharor i'r Siapaneaid mas yn Singapôr ac Osaka adeg yr Ail Ryfel Byd. 'Nôl yn y chwedege a'r saithdege, fydde neb yn ein tŷ ni wedi prynu Datsun. Dwy ar bymtheg oed o'dd Jac ar y pryd, a byth ar ôl dychwelyd ro'dd e'n amharod i siarad am yr holl brofiade erchyll gafodd e yno. Bob tro byddwn i'n gweld y ffilm *The Bridge over the River Kwai* byddwn yn teimlo ngwa'd yn corddi, a ro'n i'n teimlo i'r byw ynglŷn â'r hyn a ddigwyddodd i Wncwl Jac.

Fe dda'th e lawr i'r Waun i ga'l gair â fi cyn i fi gadarnhau mod i ar ga'l ar gyfer y daith. 'Shwd 'ych chi'n teimlo mod i'n mynd i Siapan?' o'dd y cwestiwn o'dd yn rhaid i fi ei ofyn iddo. Do'dd 'da fe ddim gwrthwynebiad imi fynd, a phenderfynes neud hynny pan glywes i ma' Les Spence, un o'r dynion mwya dymunol ar wyneb daear, o'dd y rheolwr. Yn debyg i Wncwl Jac, fe ddioddefodd Les yn ddirfawr yn un o wersylloedd y Siapaneaid ond, fel sawl un arall, ro'dd e wedi madde i'r drwgweithredwyr ac am adeiladu pontydd ar gyfer y dyfodol. Cofiwch – ac erbyn hyn dwi'n teimlo'n euog ynglŷn â'r peth – fe ddioddefodd un neu ddau ym munude agoriadol y prawf cynta yn Stadiwm Hanazono,

Osaka. Fe games i mas i'r ca' fel rhyw ddyn gwyllt, a hyrddio'n gorfforol galed i mewn i sawl tacl, gan feddwl am yr hyn a ddigwyddodd i Wncwl Jac. Pharodd yr agwedd ddim yn hir gan ei bod hi'n 90 gradd a ro'n i'n ddigon parod i adael y ca' ar ôl tynnu llinyn yr ar – dim byd difrifol! Enillwyd y ddwy gêm (56–12 yn Osaka ac 82–6 yn Tokyo), gyda Gareth Jenkins, cyn-hyfforddwr Cymru, yn cynrychioli'i wlad am y tro cynta – yn anffodus, yn ystod y cyfnod yna, do'dd dim capie yn ca'l eu cyflwyno am gême yn erbyn Siapan.

Dwi wastod (fel rydych chi wedi casglu bellach) wedi bod yn chwaraewr cystadleuol – unwaith ro'n i ar ga' neu gwrt, neu ar batshyn tir ar gomin y Waun, ro'dd *rhaid* rhoi cant y cant a ro'dd *rhaid* ennill. Yn yr un modd, mewn gêm o Ludo neu Monopoly yn y parlwr, ro'dd ennill yn uchelgais cryf – o fewn y rheole, cofiwch! Ond do'n i byth yn un o'dd yn pwdu wrth golli; ar ddiwedd gornest bydde 'na estyn llaw i'r buddugol, ac edrych mla'n i'r tro nesa gan addo y bydde'r canlyniad yn wahanol. Ar y cwrs golff mae Maureen yn aml yn colli'i thymer drwy ddweud mod i'n rhy gystadleuol ac yn cymryd gormod o amser cyn ergydio, ond yn y bôn mae e'n rhan o nghyfansoddiad i.

Cofiwch, do'n i ddim mor ddiened â JPR! Ro'dd e a fi wedi derbyn gwahoddiad i whare gêm o dennis yn ystod y daith i Siapan. Ro'dd y Siapaneaid wedi clywed fod John wedi ennill 'Junior Wimbledon' yn ei arddege, ac am ddangos fod y gwŷr o'r dwyrain yn drech na'r Cymry mewn un gamp o leia! Ro'dd y ddau ohonom yn cystadlu yn erbyn chwaraewyr proffesiynol clwb tennis adnabyddus yng nghysgod y stadiwn bêl-fas genedlaethol yn ninas Tokyo. Ro'n ni bump i lawr yn y set gynta, cyn i JPR gamu draw a dweud yn blwmp ac yn blaen wrtha i, 'Gwna dy ore i ga'l y bêl dros y rhwyd a fe wna i'r gweddill. D'yn ni'n dau ddim yn mynd i golli i'r rhain.' Fe wrandawes i ar ei gyngor e, setlo i lawr a chanolbwyntio'n llwyr, ac enillon ni'r ornest o ddwy set i ddim! Yn rhyfedd ro'dd nifer fawr yn ishte o gwmpas yn edrych ar y whare, a bob hyn a hyn fe fydde 'na gymeradwyaeth anhygoel i'w glywed o'r stadiwm bêl-fas gyfagos i gyd-fynd ag un o ergydion bendigedig JPR! Ro'dd yr holl orie o ymarfer ar gyrtie tennis Gwauncaegurwen wedi talu ar ei ganfed. Fe fydde Wncwl Jac wedi bod wrth ei fodd!

'Get to the hospital quick!'

Fel gyda geni Owen, ein mab hyna, ro'dd genedigaeth ein hail fab, Rhys, hefyd yn gysylltiedig â thaith rygbi – mi ellwch chi fentro!

Ro'n i newydd ddod 'nôl o'r daith i Siapan, a Maureen yn gorwedd yn gysurus yn adran y genedigaethe a finne wrth ei hymyl. 'Bydd y babi sbel cyn dod' o'dd y neges glir. 'Fe allwch chi fynd i ymarfer – dewch 'nôl tua naw o'r gloch.'

Ffarwelio wnes i am y tro, a threulio awr yn rhedeg ar Erddi Soffia cyn i'r tirmon, Richard, gerdded draw â glased o siampên a neges reit berthnasol: 'Get to the hospital, quick – your wife has just given birth!'

Parc des Princes, 1975 – gêm gynta Grav

Un fuddugoliaeth mewn tair gêm ar ddeg – dyna record drychinebus y cryse cochion ar y Parc des Princes. Bu'r lle'n gaer i'r Ffrancwyr o 1973 tan 1997, a ma' Undeb Rygbi Ffrainc siŵr o fod yn difaru ffarwelio â'r maes sy erbyn hyn yn gartre i dîm pêl-droed Paris St Germain – ers iddyn nhw symud i ardal St Denis a champws Stade de France, ma' Cymru wedi ennill tair o'r pum gêm a chwaraewyd yno.

Da'th yr unig fuddugoliaeth i Gymru ar y Parc des Princes ar y 18fed o Ionawr, 1975, a dwi'n dal i ddihuno ganol nos a rhyfeddu at ansawdd y perfformiad. Ro'dd chwe chap newydd yn nhîm Cymru – Graham Price a Charlie Faulkner o Bont-y-pŵl yn y rheng fla'n; Trevor Evans o bentre'r Garnant yn Nyffryn Aman yn y rheng ôl; John Bevan o Aberafan yn faswr, a Steve Fenwick a Ray Gravell – dau gymeriad bywiog ac annwyl – yn ganolwyr.

A dewch i mi ga'l bod yn onest a chyfadde ma' Ffrainc o'dd y ffefrynne, gan fod yna gymaint o newidiade yn nhîm Cymru. Ro'dd hyd yn oed JPR a finne, o'dd fel arfer mor bositif a chystadleuol, yn ame doethineb cyflwyno cynifer o wynebe newydd – mas ym Mharis, o bobman! Dishgwl 'nôl, 'smo fi'n cofio rhyw lawer am yr awr a hanner ar y ca', ar wahân i rediad a chais Graham Price, tacl ardderchog John Bevan ar Gourdon, a brwdfrydedd ac egni'r pymtheg ar y ca'. Ro'dd y fuddugoliaeth o 25 i 10 i'r cryse cochion yn un ardderchog. Fel ddwedes i, ma'r cyfan braidd yn niwlog – ar wahân i rai cameos o'r penwythnos hwnnw sy'n ymwneud â'r cawr o Fynydd-y-Garreg, Grav.

Ro'dd ennill ei gap cynta a gwisgo'r crys coch yn ddigwyddiad hanesyddol ym mywyd y Cymro addfwyn, Ray Gravell. Sgrifennwyd sawl erthygl am yr 'ecsoset' o Orllewin Cymru yn y dyddie cyn gadael Maes Awyr Rhŵs. Ro'n i'n ei nabod yn weddol dda bryd hynny, wedi whare yn ei erbyn droeon, ond do'n i ddim yn sylweddoli ei fod e shwd gymeriad annwyl, yn dedi bêr o ran ei agosatrwydd, a'i bersonoliaeth glòs a chynnes yn ei neud yn boblogaidd

gan bawb a phobun. Ro'dd e hefyd yn yffach o chwaraewr
da – y teip o'ch chi am whare *gyda* fe ac nid yn ei erbyn.

Ro'dd e yn ei ddagre cyn gadael yr ystafell newid, yn
hiraethu nad o'dd ei dad, y diweddar Jac Gravell (cyn-
golier yng nglofa Pentremawr ym Mhontyberem) yno i'w
weld e'n whare. A phan gyrhaeddodd y teligram oddi wrth
Twdls y gath yn dymuno'n dda iddo, bu'n rhaid ca'l gafael
mewn bocs arall o *Kleenex*. Ma' 'na duedd y dyddie 'ma,
wrth ganmol canolwyr y degawd diwetha – chwaraewyr fel
Brian O'Driscoll, Philippe Sella, Tim Horan, Jeremy Guscott
a Tana Umaga – i anghofio a diystyru cewri'r gorffennol, a
ro'dd Ray Gravell yn gawr, credwch chi fi! Weithie'n
greadigol, weithie'n ddinistriol – ro'dd rhai yn ei
ddisgrifio'n *crash ball centre*, ond braidd yn anneg o'dd
hynny. (Yn ystod cyfnod hynod lwyddiannus Llanelli yn y
saithdege a'r wythdege, ro'dd 'na, efalle, reswm dros y
disgrifiad.) Ro'dd Ray yn chwaraewr pwerus a thuedd i
edrych am ei wrthwynebydd a'i chwalu. Ond mas ym
Mharis pan o'dd John Bevan yn creu hanner bwlch, ro'dd
Ray yn chwaraewr pert, yn gelfydd â'r bêl yn ei ddwylo. Ar
y 18fed o Ionawr, fe fydde'i dad wedi bod yn browd iawn
ohono – fe brofodd Ray ei fod e nid yn unig yn *juggernaut*
o ran nerth a phenderfyniad, ond hefyd yn ddawnsiwr bale
o ran steil.

Ddwy flynedd yn ddiweddarach, ar yr un ca', ro'dd Ray
'run mor ddrygionus ag erio'd. Yng ngwres y frwydr ar y
Parc des Princes ro'dd Ray ar waelod ryc, yn edrych lan i'r
cymyle. Ar ei ben gorweddai'r ail reng, Jean-Luc Joinel,
o'dd 'run maint a 'run sbit â 'Desperate Dan', ac yn drewi o
garlleg. Am ryw reswm, gafaelodd Ray yng ngwddf y
creadur a bloeddio, *'Froggie! Froggie! Froggie!'* Edrychodd

Jean-Luc yn syn i fyw llygaid Ray, ond cyn i'r Ffrancwr symud na bys na bawd (na dwrn o ran hynny) gwenodd Ray a dweud, 'Only joking! Only joking!' Bum muned yn ddiweddarach, a Ray yn codi ar ei draed ar ôl neud tacl galed arall, chwalwyd Mistar Mynydd y Garreg gan weret yn ei wyneb. Ro'dd y gwa'd yn llifo, y sêr yn dawnsio, dyn y sbwnj yn cynnig helpu; ac yna, ynghanol y pandemoniwm, parablodd Monsieur Joinel (yn wên o glust i glust ac yn llawn teimlad) y geirie anfarwol: 'Joking! Only joking!'

Byth oddi ar y cap cynta mas ym Mharis, yn ystod tymhore dwy Gamp Lawn yn 1976 ac 1978, ac yn ystod cyfnod o ddatgan barn ar S4C a chyfrynge'r byd, ma'r cyfeillgarwch gwreiddiol wedi parhau. Does dim gair drwg 'da Ray i'w ddweud am neb, a ma'r gŵr barfog o Fynydd-y-Garreg yn ca'l ei barchu a'i edmygu ym mhedwar ban byd. Yn ddiweddar, yn dilyn salwch clefyd y siwgr, bu'n rhaid iddo dderbyn triniaeth fawr, ond megis dechre ma' gyrfa Ray Gravell. O fewn misoedd iddo golli'i goes ma' Ray yn ei ôl ar y radio, yn gyrru cerbyd sy wedi'i addasu ar ei gyfer gan gwmni ceir adnabyddus o Gydweli, a'r wên a'r cyfarchiad 'run mor llydan ag erio'd. Ma'r dywediad Saesneg yn hollol addas ar gyfer Grav: 'What you see is what you get.' Ie, Ray – 'West is best!' Fel y canodd y prifardd Robat Powell amdano:

> Ennill gwych neu golli gwael,
> Ymrwyfai i'r ymrafael!

Y gapteniaeth

Ym myd chwaraeon, ma' angen bod yn dipyn o *all rounder* i lwyddo fel capten. 'Smo jyst whare'r gêm yn ddigonol –

ma' angen bod yn gyfathrebwr, darllenwr tywydd, ffermwr, seiciatrydd, mathemategydd, gwleidydd a nyrs!

Ar faes y gad, mewn pwyllgor, yn San Steffan ac ym myd y campe, ma' dylanwad arweinydd neu gapten yn allweddol i lwyddiant byddin, gwlad a thîm. Meddyliwch am nifer o fawrion y gorffennol – Owain Glyndŵr, Llywelyn ein Llyw Olaf, Genghis Khan, Napoleon Bonaparte, Winston Churchill, Montgomery a'u tebyg – ro'dd 'na allu i gynllunio, i weithredu ac i ysbrydoli. Ma' ambell arweinydd yn dawel yn y cefndir, er'ill yn swnllyd yng nghanol berw'r frwydr. A dyna'n union y rhinwedde sy'n nodweddu arweinwyr mwya dylanwadol byd y bêl – unigolion o galibr Claude Davey, John Dawes, Franz Beckenbauer, Bobby Moore, Richie Benaud, Mike Brearley, Steve Waugh, a Brian Lochore, yn eu gwahanol gampe.

Ma' arweinwyr naturiol yn ca'l eu geni. Ac o mhrofiad i ym myd rygbi, ma' nifer fawr ohonyn nhw yn gymeriade hoffus oddi ar y ca' ond yn deigrod ar faes y gad!

Ganol y chwedege, ar ôl diodde coten mas yn Ne Affrica, fe ddechreuodd dewiswyr Cymru baratoi ar gyfer gwell dyfodol. A bod yn onest, ro'n nhw gam o fla'n pawb arall – fe apwyntion nhw Gyfarwyddwr Hyfforddi, penodi hyfforddwr i'r tîm cenedlaethol, dewis carfan newydd o chwaraewyr ifanc ac, yn groes i'r arfer, fe ddechreuon nhw ystyried rôl y capten. Fe ges i newis i arwain fy ngwlad ar dri achlysur ar ddeg a rhaid i mi gyfadde mod i, bob amser, wedi croesawu'r cyfrifoldeb.

Ro'dd barn gohebyddion y papure amdana i yn amrywio'n fawr, yn arbennig y tro cynta – 'y pwysau'n ormodol' yn ôl rhai; er'ill yn rhannu'r gred na 'dyw bachgen ugen oed ddim yn barod ar gyfer cyfrifoldeb o'r fath'. Ro'dd cyn-faswr Cymru a Chadeirydd y Dewiswyr, Cliff Jones, yn gefnogol, ac yn teimlo y gallen i arwain y garfan am flynyddoedd; yn yr un modd ro'dd yr hyfforddwr, Clive Rowlands, yn cytuno â'r dewis.

Ro'dd y dewiswyr yn ansicr – ro'dd y gapteniaeth yn newid dwylo o gêm i gêm, a Brian Price, John Dawes a finne'n gyson yn cwestiynu'r dewiswyr drwy ofyn, 'Pwy yw e tro 'ma?' Ar y pryd, whare o'dd yn bwysig; do'dd becso ynglŷn â derbyn anrhydedd ychwanegol ddim yn golygu mod i'n colli cwsg. Do'dd dim drwgdeimlad na chenfigen o fewn y garfan; ro'dd yr ysbryd yn ardderchog a Clive i'w ganmol am greu uned deuluol gref. Pan ma' tîm yn ennill, yna ma'r capten yn ca'l ei ganmol gan y wasg a'r cefnogwyr, ond ma' colledion yn arwain at feirniadaeth gas a chreulon. 'Mae'r pwyse yn effeithio ar gêm Gareth' o'dd un pennawd sbeitlyd. Dwi'n fodlon cyfadde ma' cymysglyd o'dd y canlyniade pan o'n i wrth y llyw, ond rhaid cofio fod diwedd y chwedege yn gyfnod o ailadeiladu.

Dim ond unwaith yn fy ngyrfa o'n i wir yn siomedig o golli'r gapteniaeth. Yn dilyn y golled yn erbyn y Crysau Duon ym mis Tachwedd 1975 (gornest answyddogol), penderfynwyd ymddiried yng ngallu arweiniol Mervyn Davies. Cofiwch, er yn winad, ro'dd 'da fi barch aruthrol i Mervyn a dwi'n cofio dweud wrtho fe, 'Merv, dwi'n siomedig, ond dwi gant y cant tu ôl i ti'. Ond wir, do'n i ddim yn deall y rhesymeg dros y penderfyniad. Erbyn hynny ro'n i'n un o'r chwaraewyr mwya profiadol, wedi bod yn hollbresennol yng nghyfarfodydd Llewod 1974 ac yn rhannol gyfrifol am yr holl dactege. Ro'dd Clive Rowlands yn un o'r dewiswyr ar y pryd ac, yn ddoeth, wedi gadael penderfyniad penodi'r capten yn nwylo'r hyfforddwr newydd, John Dawes. Ond ro'dd nifer fawr yn teimlo ddiwedd y chwedege fod whare yn unig yn ddigon i'w roi ar blât chwaraewr ifanc, ac efalle ma' nhw o'dd yn iawn. Petai'r gapteniaeth wedi dod ar ôl ymddeoliad John Dawes yn 1971, yna ma'n bosib y bydde'r anrhydedd wedi bod yn un parhaol. Pwy a ŵyr? Petai Clive yn dal yn hyfforddwr, dwi'n ffyddiog y bydde fe wedi cyflwyno'r gapteniaeth i fi. Yn sicr, fel sonies i ishws, do'n i ddim yn un i bwdu – fe gnoies i nhafod a rhoi cant y cant i'r ymdrech!

Clwb Rygbi Caerdydd

Yn aml ma' modd cysylltu rhai chwaraewyr ag un clwb penodol – Bobby Charlton â Manchester United, Phil Bennett â Llanelli, a finne â Chaerdydd. Yn yr oes broffesiynol bresennol, ma' teyrngarwch wedi diflannu drwy'r ffenest. Yn ddiweddar, gofynnodd Stuart Pearce gwestiwn i un o'i chwaraewyr ifanc, addawol: 'Beth fydde'r dewis, car Ferrari ynteu cap i Loegr?' Atebodd hwnnw, 'O! Ferrari; ma' nhw'n geir ffantastic, ond 'yn nhw?' Shiglo'i ben mewn anghrediniaeth wna'th cyn-reolwr Manchester City. Ma'r stori'n adrodd cyfrole am agwedde chwaraewyr y presennol.

Ma' nghysylltiad personol i â Chlwb Rygbi Caerdydd yn mynd 'nôl i ganol y chwedege. Pan o'n i'n dal yn y chweched dosbarth, chwaraees i mewn gêm brawf ar Erddi Soffia a cha'l fy swyno â'r hanes, y traddodiad, dawn nifer fawr o'r cyn-chwaraewyr ac ansawdd y rygbi a gâi ei whare. Does dim amheuaeth nad yw Caerdydd yn un o glybie mawr y byd rygbi, a phan fydd ffyddloniaid y bêl hirgron yn cyrra'dd y brifddinas o bellafoedd byd, ma' Parc yr Arfau a'r Amgueddfa yn y Clwb Athletig yn Fecca. Ma'n amlwg fod cefnogwyr a chwaraewyr o Hemisffer y De wedi rhannu hanesion â'u hwyrion am gême a digwyddiade a phersonoliaethe a greodd argraff ar y maes – yn aml ma' pobol o Seland Newydd, De Affrica ac Awstralia yn gwbod mwy am H. B. Winfield, Gwyn Nicholls, R. T. Gabe, Wilfred Wooller, Bleddyn Williams a Haydn Tanner na'r cefnogwyr presennol!

Am ddegawd a mwy, ro'dd gwisgo crys rygbi Caerdydd yn un o uchafbwyntie fy ngyrfa. Enillon ni ddim mo'r cwpan yn ystod y cyfnod, ond ro'dd mwynhad a phleser yn uchel ar y rhestr flaenoriaethe. Y bwriad o'dd whare a gwên ar wyneb, a cheisio creu adloniant drwy redeg y bêl o bobman – a dyna, ma'n debyg, o'dd y prif reswm fod y chwaraewyr a ymunai â'r 'blue and blacks' yn hapus eu byd ac yn amharod i symud i glybie cyfagos. Ro'dd Gary Samuel yn enghraifft berffaith o hyn; ro'dd y mewnwr yn ffwtbolyr talentog a allai fod wedi disgleirio i dîme er'ill yng Nghymru, ond cafodd ei blesio gymaint â'r awyrgylch ar Barc yr Arfau fel mai yno yr arhosodd am rai blynyddoedd cyn ymuno â Phontypridd.

Brodyr!

Ma'n dipyn o anrhydedd i *unigolyn* gynrychioli'i wlad ar y lefel ucha, ond ma' meddwl am ddau o'r un teulu yn llwyddo i neud hynny yn gamp aruthrol. Ma' tîme rhyngwladol yn ystod y blynyddoedd wedi tystio i ddonie Jack a Bobby Charlton; John a Mel Charles; Ivor a Len Allchurch; Richie a John Benaud; Steve a Mark Waugh; Colin a Stan Meads; Andre a Guy Boniface; Scott a Craig Quinnell; Terry a Len Davies, a Richard a Paul Moriarty. Ac, o bryd i'w gilydd, ma'r genynne'n dod i'r amlwg pan welir mwy na dau yn disgleirio – y brodyr Ian, Gregg a Trevor Chappell yn cynrychioli Awstralia; Hanif, Mushtaq, Sadiq a Wazir Mohammed yn gricedwyr dawnus i Pakistan, ac yna Paul, Richard a David Wallace yn gwisgo cryse gwyrdd y Gwyddelod a choch y Llewod. Yng Nghymru, ma' record y brodyr Williams o bentre Ffynnon Taf yn un eithriadol: fe chwaraeodd *wyth* o'r brodyr i Gaerdydd – Gwyn, Brinley, Bleddyn, Lloyd, Vaughan, Cenydd, Elwyn a Tony – dau ohonyn nhw wedi ennill capie rhyngwladol (Bleddyn a Lloyd), a Bleddyn wedi cynrychioli'r Llewod yn Seland Newydd ac Awstralia yn 1950, ac yn gapten mewn tri prawf.

Rhaid i minne gyfadde fod y profiad o whare gyda Gethin fy mrawd yn un bythgofiadwy. Fe gynrychiolodd e Ysgolion Cymru dan 18 fel mewnwr, ond Geth o'dd y maswr pan chwaraeodd Caerdydd mas yn Rhodesia yn 1972. Yn anffodus, prin fu ei ymddangosiade ar y lefel ucha – effeithiodd anaf i'w gefn ar ei yrfa, a ro'dd hynny'n drueni achos ro'dd e'n chwaraewr pert.

Siom

Siom i nifer fawr o hoelion wyth clwb Caerdydd o'dd colli ym mlwyddyn gynta Cwpan Her yr Undeb 'nôl yn 1972 i enillwyr y gystadleuaeth, Castell-nedd, yn y rownd gyn-derfynol. Ca'l a cha'l o'dd hi wedi bod yn rownd yr Wyth Olaf. Mewn gornest danllyd ar Barc yr Arfau, profodd Coleg Addysg Caerdydd i fod yn wrthwynebwyr styfnig gan wrthod ildio, a'u blaenasgellwr, Baden Evans, yn wir arwr ar y diwrnod. Enillwyd y gêm 7–6 gan Gaerdydd ond, fel cyn-fyfyriwr o'r coleg, dwi'n credu iddyn nhw fod yn anlwcus i golli. Chwaraewyd y rownd gyn-derfynol ar Gae'r

Bragdy ym Mhen-y-bont, ac yn ei lyfr ardderchog, *Cardiff Rugby Club – History and Statistics 1876–1975 – 'The Greatest'*, ma'r awdur, D. E. Davies, yn datgan bod y tîm o'r Gnoll yn haeddu'r fuddugoliaeth o 16 i 9. Mr Davies – anghywir!

Ro'dd *ennill* yn gwbl angenrheidiol i mi, a ro'n i'n ceisio sicrhau hynny drwy whare'r math o rygbi o'n i'n arfer ei whare ar Ga' Archie slawer dydd. Do'dd dim ishe i neb 'y mharatoi i'n seicolegol ar gyfer gornest – ro'dd y cartre, y gymuned a'r addysg wedi llwyddo i neud hynny. Y dyddie 'ma – fel y gwyddoch chi'n dda bellach – dwi bob hyn a hyn yn feirniadol o agwedd chwaraewyr cyfoes. Ma' llawer ohonyn nhw am dderbyn yr arian ond o bryd i'w gilydd yn brin o'r cymeriad sydd ei angen i sgubo gwrthwynebwyr o'r neilltu.

'Arwain Cymru dair ar ddeg o weithie ond heb ei ethol yn gapten ar ei glwb.' Ma' sawl un yn barod i ddatgan hynny'n gyhoeddus, a sawl un yn barod i fy nghwestiynu ynglŷn â'r ffaith. Unwaith – dwywaith, o bosib – fe ofynnwyd i mi ystyried derbyn yr anrhydedd. Drwy ran helaeth o ngyrfa ryngwladol, bydde cytuno i arwain tîm Caerdydd wedi bod yn anodd os nad yn amhosib. Yn syml, o ganlyniad i'r teithie tramor bob haf gyda Chymru a'r Llewod, ynghyd â phrysurdeb swydd a dyletswydde teuluol, bydde derbyn y cyfrifoldeb yn ystod y blynyddoedd hynny wedi bod yn dreth arna i. Ond pan benderfynes i, ganol y saithdege, fy mod i mewn sefyllfa i gystadlu am gapteniaeth y clwb, pleidleisiodd y chwaraewyr dros Gerald (Davies). Ro'n i'n hynod o siomedig, oherwydd ro'n i'n fwy na pharod i dderbyn yr her, a'r teulu a nghyflogwyr wedi rhoi sêl eu bendith ar y syniad hefyd. Ro'n i hyd yn oed yn barod i roi cant y cant yn y sesiyne hyfforddi!

Dwi'n cofio gyrru bant o Barc yr Arfau yn addo na fyddwn yn dychwelyd yno, ond pan gyrhaeddes y cartre ym Mhorth-cawl ro'n i wedi pwyso a mesur yr holl oblygiade, ac wedi penderfynu derbyn y newyddion a dishgwl mla'n yn hyderus i'r dyfodol. Ro'dd y gêm wedi bod yn garedig i mi – rhaid o'dd ymdopi'n aeddfed ag ergydion o'r fath. Pan agorodd Maureen ddrws y tŷ, ro'n i'n wên o glust i glust. Fe wnes i ddatgan yn syth ma' Gerald o'dd y capten yn nhymor y canmlwyddiant, ac y galle fe ddibynnu arna i am gefnogaeth lwyr. A dyna o'dd diwedd y bennod.

Yr hanner canfed cap

Y fi o'dd y Cymro cynta i gyrra'dd 'yr hanner cant', sef yr hanner canfed cap dros fy ngwlad. Rhaid i mi gyfadde bod 'na falchder yn gysylltiedig â'r achlysur. Chwaraewyd y gêm hollbwysig yn Twickenham ddechre Chwefror 1978, yn ystod fy nhymor ola un ar y llwyfan rhyngwladol. Y dyddie 'ma, ma' chwaraewyr yn llwyddo i hawlio cant a mwy o gapie heb fawr o drafferth gan fod cymaint o gême'n ca'l eu whare'n flynyddol – George Gregan wedi cynrychioli Awstralia 139 o weithie; Jason Leonard dros 120 i Loegr, a'r ddau Ffrancwr, Philippe Sella a Fabien Pelous, wedi hen basio'r cant. Ma'r asgellwr a greodd gymaint o gyffro yn ystod yr wythdege a'r nawdege, sef yr 'Aussie' o dras Eidalaidd, David Campese, hefyd yn un o'r criw dethol. Gareth Thomas, canolwr y Gleision, sy ar frig y rhestr i Gymru, ac fe gyrhaeddodd e'r cant mas yn Ffrainc yn ystod Cwpan Rygbi'r Byd eleni.

Ddeugen mlynedd yn ôl, ro'dd gofyn whare am ddegawd

yn ddi-dor er mwyn cyflawni'r gamp gan ma' dim ond rhyw bump neu chwech o gême o'dd yn ca'l eu whare'n flynyddol. Ro'dd tymor Camp Lawn 1975/76 yn gyfle i dorri sawl record – un ohonynt o'dd dod yn gyfartal â chyfanswm capie Ken Jones, yr asgellwr o Gasnewydd a'r Mabolgampwr Olympaidd (medal arian yn Llundain, 1948), yn Nulyn ar yr 21ain o Chwefror. Y prynhawn hwnnw hefyd, fe lwyddes i i ddod yn gyfartal â champ Teddy Morgan, sef sgorio cais i Gymru mewn pum gêm ryngwladol o'r bron. Ro'dd fy nghyfanswm o ddeunaw cais yn record arall – er, ro'dd Gerald Davies yn closio'n dynn! O dan arweinyddiaeth Mervyn Davies, enillwyd Camp Lawn arall drwy faeddu'r Ffrancwyr yng Nghaerdydd; dyna lle enilles i gap rhif 45 a Ken o'dd y cynta i'm llongyfarch.

Ddwy flynedd yn ddiweddarach fe wawriodd y diwrnod hir ddisgwyliedig. Cyhoeddwyd y tîm ar gyfer gêm gynta'r tymor a finne'n bartner i'r capten, Phil Bennett. Prynhawn yr hanner canfed cap! Mewn gyrfa o gynrychioli Cymru yn amlach na gwisgo crys y rhanbarth, dylid talu sylw i un ffaith anghredadwy: bu un mis ar ddeg rhwng cap rhif 49 G. O. Edwards a'i hanner canfed!

Ro'n i'n aros yn Knightsbridge ar gyfer y penwythnos. A bod yn berffaith onest, ro'dd y pili pala'n dawnsio yn y bol o'r funed y gadawes i Borth-cawl i gyfarfod â'r garfan yng Nghaerdydd. Cysylltodd y wasg a'r cyfrynge yn ystod y pythefnos cyn y diwrnod mawr i ofyn cant a mil o gwestiyne – 'Pa gais hyd yn hyn a'ch plesiodd fwya?'; 'Pa fuddugoliaeth o'dd yr un fwya cofiadwy?'; 'Pa wrthwynebydd oeddech chi'n ei barchu fwya?' ac yn y bla'n. Ro'dd 'na gynifer o ymddangosiade ar deledu a radio nes bod y meicroffon bron wedi dod yn estyniad naturiol o'r corff, a ro'dd yr holl sylw'n creu rhywfaint o embaras i mi.

Gwawriodd y dydd yn wlyb ac yn ddiflas, a'r orie cyn cychwyn ar y daith i gyfeiriad Hammersmith, Kew, Richmond a mla'n i Twickenham yn rhai hir a phoenus. Ro'dd pobol yn garedig yn dymuno'n dda inni, ond ro'dd y mwyafrif ohonom am ddianc o'r holl brysurdeb ac yn ysu am awr neu ddwy o ryddid. Ro'dd Cymry o Gaergybi i Gaerdydd wedi meddiannu canol Llundain: ro'dd Harrods, Hamleys a Hyde Park yn fôr o goch, ac acenion y cymoedd yn amlwg, a *phawb* yn dymuno ysgwyd llaw!

Ar y bws, a'r glaw yn dal i gwmpo, meddylies am y blynyddoedd diwetha. Sylweddoles mod i'n wirioneddol freintiedig: bydde sawl un wedi rhoi ffortiwn am ga'l cynrychioli Cymru *unwaith*, heb sôn am hanner cant o weithie. Cames o'r bws a chydnabod y cyfarchion – ro'dd canno'dd wedi amgylchynu'r cerbyd, eu gwalltie a'u hetie'n socan potsh, a'r tîm cyfan yn rhyw feddwl, 'Mae'n amhosib siomi'r rhain!'

Ro'dd y wasg drwy gydol y saithdege yn proffwydo buddugoliaethe cyfforddus i Gymru yn erbyn yr hen elyn, ond do'dd neb yn ystafell newid Cymru yn rhannu'r gred honno – yn enwedig yn 1978. Yn gyson, ro'dd rhaid gweithio'n galed am fuddugoliaeth yn erbyn Lloegr; yn wir, trwy'r blynyddoedd, do'n i a'r tîm byth yn cymryd dim yn ganiataol. Ar ôl newid, cames i dawelwch ystafell y baddone. Ro'dd yno bymtheg o faddone unigol, jyst ar ein cyfer ni ac, ar brynhawn gwlyb ac oer, meddyliais ma' nefoedd ar y ddaear fydde gorwedd mewn bath o ddŵr cynnes ac ymlacio'n llwyr ar ôl buddugoliaeth.

Ga i'ch atgoffa chi o'r ddau dîm ar y prynhawn bythgofiadwy hwnnw yn Twickenham:

LLOEGR		CYMRU
Alastair HIGNELL	15	J. P. R. WILLIAMS
Peter SQUIRES	14	Gerald DAVIES
Barry CORLESS	13	Steve FENWICK
Paul DODGE	12	Ray GRAVELL
Mike SLEMEN	11	J. J. WILLIAMS
John HORTON	10	Phil BENNETT (c)
Malcolm YOUNG	9	Gareth EDWARDS
Barry NELMES	1	Charlie FAULKNER
Peter WHEELER	2	Bobby WINDSOR
Mike BURTON	3	Graham PRICE
Billy BEAUMONT (c)	4	Allan MARTIN
Nigel HORTON	5	Geoff WHEEL
Mike RAFTER	6	Jeff SQUIRE
John SCOTT	8	Derek QUINNELL
Rob MORDELL	7	Terry COBNER

Dyfarnwr: Norman SANSON (Yr Alban)

Gofynnwyd i mi gamu i'r ca' o fla'n pawb arall. Ro'n i'n teimlo braidd yn ansicr, ac erio'd wedi teimlo mor nerfus. Y dyddie 'ma, ma' rhywun byth a beunydd yn rhedeg mas gynta er mwyn dathlu hanner cant neu hyd yn oed gant o gapie, ond 'nôl yn y saithdege ro'dd digwyddiade o'r fath yn brin. Arhoses am eiliad – yna cerddes gan bwyll i gyfeiriad y ca' gan feddwl y bydde tîm Cymru yn dynn wrth fy sodle. Ond ro'dd Ray Gravell wedi dala'r gweddill 'nôl yng ngheg y twnnel, a phan edryches i gyfeiriad yr ystafell newid i chwilio am gyfaill i dderbyn y bêl, do'dd neb yno! Ro'dd y gymeradwyaeth yn gynnes a gwresog, a bron wyth deg mil, yn Gymry ac yn Saeson, ar eu traed ac yn cydnabod y gamp o wisgo crys coch Cymru am yr hanner canfed tro. Rhaid cyfadde bod yr eiliade hynny'n rhai llawn emosiwn, ac am ychydig meddylies am y teulu o'dd wedi bod mor gefnogol – ro'n nhw, rwy'n siŵr, 'run mor ddagreuol â finne.

Do'dd y gêm ddim yn glasur, a'r gwynt a'r glaw yn golygu fod y bêl fel baryn o sebon, gyda'r asgellwyr yn sefyllan yn segur ar yr esgyll a fawr o obaith derbyn pàs ar brynhawn mor stormus. Ro'dd y ca'n llawn llacs, a phac Lloegr yn bwerus ac yn benderfynol o strwa prynhawn y mewnwr o'r Waun. Do'dd dim i wahanu'r ddau dîm – Phil Bennett yn llwyddo â thair gôl gosb i Gymru ac Alastair Hignell yn ymateb â dwy i Loegr. Pan gosbwyd Lloegr ddwy waith rhyw ddeugen metr o'r pyst, ro'dd Allan Martin a Steve Fenwick yn barod iawn i gynnig eu gwasanaeth i'r capten Phil Bennett. Gwrthod wna'th y dewin o'r Strade a llwyddo heb fawr o drafferth. Ond pan gosbwyd Bob Mordell, blaenasgellwr Lloegr, ugen metr mas ac o fla'n y pyst, do'dd Allan a Steve ddim ar gyfyl y lle!

Sgrabwyd buddugoliaeth. Ro'dd Undeb Rygbi Cymru ar ben eu digon a chaniatawyd i'r gwragedd deithio 'nôl i ganol Llundain ar y bws. Yfwyd galwyni o siampên a llwyddes i ishte 'nôl a darllen llond sach o deligrams o'dd wedi cyrra'dd o bedwar ban byd. Yn y cinio yn yr Hilton yn Park Lane cyflwynodd Undeb Rygbi Lloegr fowlen dseina werthfawr i mi – ro'dd hanner cant wedi'u creu ar gyfer canmlwyddiant rygbi yn Lloegr yn 1971, a fe dderbynies i'r hanner canfed. Da'th rhodd arbennig iawn hefyd o goridore cartre Undeb Rygbi Cymru yng Nghaerdydd (y 'Taf Mahal'!) – cap go unigryw sy'n golygu cryn dipyn i mi. Ond fe gewch chi glywed mwy am hwnnw yn nes mla'n.

Dwy gamp lawn arall

O dan gapteniaeth Mervyn Davies yn nhymor 1975/76 a Phil Bennett yn 1977/78, llwyddodd y cryse cochion i hawlio dwy Gamp Lawn arall, a golygai hyn inni gipio'r anrhydedd deirgwaith mewn naw tymor – record anhygoel.

Ca'l a cha'l o'dd hi yn 1976: ennill tair gornest yn gyfforddus yn erbyn Lloegr, yr Alban ac Iwerddon, cyn i dîm y diweddar Jacques Fouroux ddod o fewn trwch blewyn i gipio buddugoliaeth yng Nghaerdydd. Fydde neb wedi cwyno petai Ffrainc wedi ennill, a dweud y gwir – croesodd Jean-François Gourdon a Jean-Luc Averous am geisie i Ffrainc, a J. J. Williams yn hawlio unig gais Cymru. Bu'n rhaid i ni ddibynnu ar gicie cosb Phil Bennett, Steve Fenwick ac Allan Martin i sicrhau'r fuddugoliaeth. Parhaodd y ddrama tan yr eiliade ola – Ffrainc yn rhyddhau Gourdon ar yr asgell dde ond tacl J. P. R. Williams yn chwalu'r asgellwr yn ymyl y lluman. Ro'dd nifer yn mynnu bod tacl JPR yn un anghyfreithlon oherwydd iddo ddefnyddio'i ysgwydd yn hytrach na'i freichie. Y Gwyddel, John West, o'dd y dyfarnwr – y gŵr a wrthododd gais tyngedfennol i J. J. Williams yn Twickenham yn 1974. O'r diwedd fe gawson ni'n haeddiant!

Bu'n rhaid i ni frwydro i'r eitha i sicrhau buddugoliaethe yn ystod tymor 1977/78. Ro'dd gêm yr hanner canfed cap yn un gystadleuol a chlòs, a chwalwyd yr Albanwyr yng Nghaerdydd cyn i ni hedfan i Ddulyn i wynebu'r Gwyddelod. 'Corfforol a chaled' o'dd y geirie a ddefnyddiwyd gan y wasg drannoeth i ddisgrifio'r ornest, ac am unwaith ro'n nhw yn llygad eu lle. Hon o'dd un o'r gême caleta y chwaraees i ynddi erio'd. Ro'dd rheng fla'n Pont-y-pŵl yn dal yn eu cryse awr ar ôl y chwib ola.

Bythefnos yn ddiweddarach fe gyrhaeddodd y Ffrancwyr y brifddinas – a'r ddwy wlad yn brwydro am y Gamp Lawn. Ro'n i'n dal yn llawn brwdfrydedd ynglŷn â'r gêm, yr un mor awyddus ag erio'd ac yn dal i roi cant y cant i'r ymdrech. Ond ro'n i'n dawel fach yn dechre meddylu: pryd fydde'r amser priodol i ymddeol? Bellach ro'n i'n whare i ennill; ro'dd y mwynhad, rhywsut, yn dechre mynd ar goll.

Yn yr ornest am y Gamp Lawn fe sgoriodd Phil Bennett ddau gais, y tro cynta er 1952 i Gymro groesi am ddau gais yn erbyn y *tricolores*. Yn nhair gêm gynta'r ben-campwriaeth, ro'dd mewnwr ifanc Toulon, Jérôme Gallion, wedi hawlio cais ym mhob un gêm – ro'dd hi'n ymddangos ei fod am gyflawni Camp Lawn ei hun! Rheolwyd y whare gan y cryse cochion a ro'dd ein buddugoliaeth yn un haeddiannol. Ar ddiwedd y whare, y 'new kid on the block' Gallion o'dd gynta i ysgwyd llaw â fi, a chyfadde: 'Today, I was the pupil and you were the master.'

Tair Camp Lawn yn ystod y saithdege a chyfnod euraidd i'r cryse cochion, felly – ac, yn y wasg, cryn ddyfalu am ddyfodol y mewnwr cenedlaethol. Ro'n i'n trafod hyn yn ddyddiol gyda Maureen a'r teulu, a'r penderfyniad o'dd aros am ychydig cyn gwneud cyhoeddiad. Do'n i ddim dan bwyse ond ro'n i'n ymwybodol o'r rheole – pan fydde llyfr yn cofnodi fy ngyrfa yn ca'l ei gyhoeddi, yna bydde'r cyfnod fel chwaraewr ar ben. Dyna shwd o'dd hi ar y pryd. Cysylltodd fy asiant, Malcolm Hamer, â'r papure torfol er mwyn ceisio'u perswadio i gynnwys penode o'r llyfr arfaethedig am bris, a dangosodd y *News of the World* ddiddordeb. Y nhw o'dd â'r *exclusive* yn ymwneud â'r ymddeoliad ond, yn anffodus, fe lwyddodd gohebydd o bapur arall i ga'l gafael yn y stori cyn y Sul, a strwa'r datganiad swyddogol. Yn naturiol, do'n i ddim yn hapus ynglŷn â'r weithred, ac yn teimlo'n siomedig bod yr un gohebydd hwnnw wedi fy mradychu.

Bywyd wedi'r ymddeoliad!

Grandstand *a golff*

Parhau i fod yn gystadleuol a cheisio meistroli camp arall – dyna o'dd y bwriad ar ôl ymddeol o rygbi ar y lefel ucha. Haws dweud na gwneud! Dôi cant a mil o alwade imi neud hyn a'r llall, ond pan gynigiwyd cytundeb i fod yn ail lais i Bill McLaren wrth sylwebu ar gême rhyngwladol ar *Grandstand* bu'n rhaid derbyn – ac anghofio, dros dro, am yr holl fwriadau ac addewidion er'ill.

Yn aml, byddwn yn ystyried ymaelodi â chlwb golff lleol a thalu am wersi. Bydde fy nghyflogwr, Jack Hamer, perchennog Dynevor Engineering, yn trin a thrafod y gêm yn y gwaith, a ro'dd 'na chwant prynu set o glybie a whare'n gyson. Derbynies sawl gwahoddiad i gymryd rhan mewn cystadlaethe lle ro'dd chwaraewyr proffesiynol yn cyd-whare â sêr o wahanol feysydd. Bu'n rhaid gwrthod, oherwydd do'n i ddim wedi cymryd y gêm o ddifri yn ystod fy arddege a do'n i ddim am neud ffŵl o'n hunan!

Ac yna, un prynhawn, ar ôl gorffen sylwebu ar gêm yn Twickenham, dyma ddechre sgwrsio ag Alastair Scott, cynhyrchydd *Grandstand* ac un o gynhyrchwyr *Pro-Celebrity Golf* o'dd yn hynod boblogaidd gan y gwylwyr ac yn ca'l ei ddarlledu ar BBC2. Ro'dd diddordeb 'da fi mewn ymuno â'r syrcas flynyddol, ond ro'dd rhaid ca'l *handicap* o un ar bymtheg! Dyna o'dd y sbardun o'dd ei ishe er mwyn bwrw ati a chanolbwyntio'n llwyr ar y gêm.

A'th deufis heibio; anghofies bopeth am yr her, tan i Alastair ffonio un prynhawn a dweud mod i'n whare yn Gleneagles ym mis Gorffennaf. Gleneagles?! Bu bron i mi ga'l haint! Ro'dd hyn yn gyfystyr â dweud wrth gyw o gricedwr 'i fod e'n whare ar faes Thomas Lord, neu ffwtbolyr o gynghrair llai y bydde fe'n rhedeg mas yn Wembley ymhen pythefnos. Gleneagles! A finne heb whare rhyw lawer ar gyrsie Pontardawe a Phorth-cawl hyd yn o'd . . .

Dyma gysylltu ar unwaith â Simon Cox, cyn-chwaraewr amatur o fri a chyn-bencampwr Cymru. Gan mod i'n byw ym Mhorth-cawl ac yn gweithio yng Nghastell-nedd, treulies orie yn ymarfer ar faes ymarfer Heol Las ger yr M4 yng Ngellifedw. Ar ôl i Simon ddodi camera mewn man cyfleus fe ddes i ddeall mecaneg y gêm a fe wellodd pethe'n aruthrol. Ond ro'n i'n feddyliol rhacs pan ffoniodd Alastair i ddweud mod i a Tom Watson yn cystadlu yn erbyn Greg Norman a Terry Wogan. TOM WATSON?! Un o fawrion y gêm; enillydd yr 'Open' deirgwaith mewn pedair blynedd ddechre'r wythdege. Ro'dd yr holl beth yn afreal!

Ro'dd y profiad o whare 'da cewri'r gêm yn un cwbl fythgofiadwy, a rhaid cyfadde fod y gêm yn un hynod bleserus, yn union fel whare 'da'ch ffrind gore ar fore Sadwrn. Er, cofiwch, 'sdim llawer o ffrindie 'da fi sy'n whare fel Tom Watson! Sicrhawyd y fuddugoliaeth gan Terry a Greg, ond dwi'n dal i gofio'r geirie caredig o gymeradwyaeth a dda'th o ene Mr Watson ar ôl cwblhau'r ornest.

Byth oddi ar hynny dwi wedi cymryd y gêm o ddifri – y diddordeb wedi cydio, a'r mwynhad a'r pleser o herio cyfeillion a chyfarfod dieithriaid llwyr wedi cyfoethogi fy mywyd. A chan ein bod yn byw mor agos i'r cwrs ym Mhorth-cawl, fe benderfynodd Maureen hefyd ddechre whare, a ma'i gweld hi'n taro pêl a chystadlu'n frwd wedi fy mhlesio i'n fawr. Braf yw cystadlu gydag ac yn erbyn hoelion wyth fel Ian Woosnam, Seve Ballesteros, José Maria Olazabal, Nick Faldo a Jack Nicklaus, heb sôn am gyfarfod cymeriade bywiog megis Jimmy Tarbuck, Bryn Terfel, Kenny Dalglish, Jasper Carrott a Max Boyce. Ond does dim byd fel codi ben bore a chroesi'r hewl a whare deunaw twll yng nghwmni ffrindie personol. Dyna yn y bôn yw gwir gyfrinach y gamp.

Ffrancwyr

Ma' Maureen a fi'n dwlu ar Ffrainc – ar un adeg, am ryw ddeng mlynedd, ro'dd tŷ 'da ni yn ardal Rochefort-en-Terre yn Llydaw, a ro'dd dianc ar y fferi o Portsmouth i St Malo a threulio mis yng nghefn gwlad Ffrainc yn nefoedd ar y ddaear.

Beth sy mor arbennig am y wlad? Rhaid rhestru'r tywydd, y bwyd, y gwinoedd, eu hagwedd tuag at fywyd, eu merched *chic* a gosgeiddig (dim ond *dishgwl* fydda i, cofiwch!), y ffaith na fyddan nhw byth yn cydymffurfio'n ormodol, y ffordd o fyw hamddenol (a gobeithio na fydd yr Arlywydd newydd, Nicolas Sarkosy, yn newid pethe'n ormodol) – ac, yn naturiol, eu ffordd o whare rygbi. Ma' rhai o'm ffrindie gore'n dod o'r wlad, megis Pierre Villepreux, Jean-Pierre Rives, Jean-Claude Skrela, y diweddar Jacques Fouroux, y brodyr Spanghero, Jean Gachassin, Gérard Cholley a'r dewin Denis Charvet. Ma' dod i adnabod Ffrancwyr yn dda yn fodd i greu perthynas gydol oes.

Ond, bob hyn a hyn, rhaid bod yn garcus! O bryd i'w gilydd gall cyfeillgarwch arwain at gamddealltwriaeth, a dyna'n union a ddigwyddodd i fy nith, sef Julie, merch Diana (chwaer Maureen) a David Beynon o Rydaman. Ma' Julie'n wraig fusnes lwyddiannus yn y Bontfaen, ac yn ferch ifanc brydferth, smart, a dyna o'dd barn un o ganolwyr mwya dawnus Ffrainc, Denis Charvet. Yn y bwffe yn dilyn gêm dysteb Ieuan Evans ar y Strade ddiwedd y nawdege, gofynnodd Julie a fydde hi'n bosib ca'l llofnod y Ffrancwr o'dd yn denu sylw pob menyw o fewn cyrra'dd gyda'i wallt hir a thywyll, ei bersonoliaeth fagnetig, a'r math o wyneb a alle fod wedi concro Hollywood. Treuliodd Denis rai munude'n pendroni cyn sgrifennu llith ar dudalen llyfr llofnodion Julie.

Rai misoedd yn ddiweddarach, a finne'n barod i fynd i'r gwely, canodd y ffôn. Ro'dd yr acen yn gyfarwydd a'r llais yn adnabyddus.

'Gareeth. Où est Ne-eth?'

'Denis,' atebais, 'it's about five miles from Swansea.'

'Non, non, non! Where is Ne-eth?'

Mewn llais araf, gofynnes, 'Neath? Pourquoi Neath, Denis?'

Ro'dd Denis erbyn hyn yn ei cha'l hi'n anodd i'w egluro'i hun.

'Oui – Ne-eth! You remember, I met her at Ieuan's match.'

Ac yna fe gwmpodd y geiniog: 'Oh! My *niece*. You mean my niece, Julie?'

Ro'dd Denis draw yn Ne Cymru am w'thnos yn gweithio i gwmni teledu Canal Plus, ac am ga'l rhif ffôn Julie er mwyn mynd â hi mas am bryd o fwyd! Ta beth, yn dilyn y sgwrs fe gysylltodd â Julie, a fe dreuliodd y ddau noson yn ciniawa yng nghyffinie'r Fro. Ac yna, a hithe braidd yn hwyr, fe ddywedodd Julie fod yn rhaid iddi hi fynd, gan ddweud, 'I have to go to my cat.' Dwi'n cytuno – esgus pitw! Ro'dd Denis mewn stad o anghrediniaeth ac yn shiglo'i ben yn ddryslyd. 'You live with . . . *"my cat"*?'

Ro'dd Julie yn methu'n lân â chredu'i ymateb gan fod ganddi, yn wir, gath gartre. A'th Denis yn ei fla'n:

'Julie, tell me truth. Where you go now?'

'Denis, I love my cat. I have to go home to him now!'

Ro'dd Denis wedi wynebu cewri'r byd rygbi ac wedi gorfod herio blagardiaid o bedwar ban byd, ond ro'dd eglurhad Julie wedi'i lorio'n llwyr.

Rhai wythnose'n ddiweddarach fe weles i Julie, ac yn naturiol bu'n rhaid ei chwestiynu am y *glamour boy* o Ffrainc.

'O! Ma' fe'n fachan hyfryd – yn ddrygionus, yn ddoniol ac yn hynod ddymunol, ond ar ddiwedd y noson, ar ôl egluro fod rhaid imi fynd adre at 'y nghath, fe a'th e'n reit od a phwdu rhywfaint.'

'Beth yn hollol ddwedest ti?' gofynnais, gan drio datrys y broblem yn null Marjorie Proops.

'Wel, fe ddwedes i, "I have to go home to my cat"!'

Ar ôl meddwl am rai eiliade sylweddoles yn hollol beth o'dd wedi digwydd. 'Julie, ro'dd Denis wedi meddwl dy fod ti'n byw gyda *Mike Catt*, canolwr rygbi Lloegr!' Ar ôl bosto mas i chwerthin, bu'n rhaid i mi geisio ateb un cwestiwn arall a dda'th o ene Julie:

'Gar-eth . . . Pwy yw Mike Catt?'

Oes, wedi meddwl, ma' 'na bethe llawer pwysicach na byd y campe!

Andy Haden a Garth

Wrth whare am ddeuddeg mlynedd i Gaerdydd, Cymru, y Barbariaid a'r Llewod, fe rannes i stafelloedd, tactege a chyfrinache â dwsine os nad canno'dd o chwaraewyr o Gymru a gwledydd er'ill Prydain. Ond ma' 'na un ffaith sy'n dal yn dipyn o ryfeddod. Y dyddie 'ma, ma' nifer o'm ffrindie penna'n chwaraewyr o'dd yn cynrychioli'r gwrthwynebwyr – unigolion o'dd yn elynion ar y maes whare, unigolion o'n i am eu hyrddio i ganol y llacs a'u chwalu, unigolion ro'n i'n eu casáu am awr ac ugen muned ar brynhawn Sadwrn. A dyna yn y bôn sy'n gwneud rygbi yn wahanol iawn i bob un camp arall.

Un aelod ifanc o garfan Seland Newydd ar y daith i Brydain Fawr yn 1972/73 o'dd yr ail reng – yn enedigol o Wanganui, ac yn cynrychioli talaith Auckland – yr anfarwol Andy Haden. Fe dda'th yn ffrind mynwesol, yn benna oherwydd ein diddordeb mawr mewn pysgota. Yn aml dwi'n codi pac a dianc am dair wythnos i Ynys y Gogledd yn Seland Newydd a threulio amser yng nghwmni Andy ac yn pysgota afonydd y wlad. Yn yr un modd fe fydd e'n ymddangos ar stepen ein drws ym Mhorth-cawl ac wrth ei fodd yn crwydro glannau'r Tywi. Ond i'r mwyafrif o gefnogwyr rygbi Cymru ma' fe'n ddihiryn o'r radd flaena: y fe a Frank Oliver a blymiodd mas o'r lein yng Nghaerdydd yn 1978, a thwyllo'r dyfarnwr Roger Quittenton. Dyfarnwyd cic gosb i'r Crysau Duon, llwyddodd Brian McKechnie â'r gic, ac enillodd Seland Newydd o 13 i 12. Efalle taw fi yw'r unig un sy wedi madde iddo! Ond, arhoswch funed, darllenwch mla'n – ma' 'na un Cymro arall yn ei barchu'n fawr!

Yn ystod taith drychinebus y Llewod i Seland Newydd yn

2005, ro'dd Maureen, y wraig, yn siopa yn Wellington un prynhawn cyn yr Ail Brawf. Yn sydyn, yr ochr arall i'r hewl, fe welodd hi Garth Morgan o Frynaman – gŵr Linda, un o ffrindie agosa Maureen yn ystod dyddie plentyndod ar y Waun. Bu'r ddau'n clebran am fywyd ar balmentydd un o strydoedd mwya bishi'r ddinas, cyn i Maureen ofyn y cwestiwn, 'O's ticed 'da ti ar gyfer y gêm?' Do'dd Garth ddim yn un o'dd wedi teithio'n bell, ar wahân i drip blynyddol tîm rygbi Brynaman i Southend slawer dydd, ymweliade'r teulu i'r garafán yn Aberaeron, ac ambell bythefnos ar dra'th Marbella a Palma. Ond, yn 2005, penderfynodd criw o Frynaman deithio i Seland Newydd ar ôl ca'l cymorth gan y brodyr McIntosh o Bontypridd – ro'dd Garth yn gweithio yn y dref, ac wedi ca'l addewid y bydde mam y ddau frawd yn gofalu amdanyn nhw yn Auckland.

Ma' Garth yn un o gymeriade mwya bywiog a ffraeth y Gorllewin, ac yn dal yn winad fod Andy Haden wedi neido mas o'r lein yna yn 1978, ond ro'dd Maureen yn benderfynol o'i helpu pan gyfaddefodd e nad o'dd ticed gyda fe ar gyfer y gêm fawr. Fe dynnodd Maureen ei ffôn symudol mas o'i bag mewn chwincad a chysylltu â fi:

'Gareth. Ma' Garth – Garth Morgan – 'da fi fan hyn, a 'sdim ticed 'da fe ar gyfer y gêm fory. O's modd i ti ffono Andy?'

Dyw Maureen byth yn derbyn 'Na' fel ateb! Bu'n rhaid cysylltu ar unwaith â'r blaenwr cyhyrog, a fe ges i ateb positif ganddo bron ar unwaith. Erbyn hyn ro'dd Maureen a Garth yn Starbucks yn Wellington yn clebran ymhellach am fywyd, ac o fewn chwarter awr da'th cadarnhad fod 'na ddau docyn ar ga'l i gyn-asgellwr Brynaman, dim ond iddo alw amdanyn nhw yng Ngwesty'r Inter-Continental yn y ddinas, lle ro'dd 'na dderbyniad a chinio i'r rheiny o'dd wedi cynrychioli'r Crysau Duon.

Ro'dd Garth siŵr o fod yn teimlo braidd yn lletchwith pan ddwedodd Maureen wrtho ma' Andy Haden o'dd wedi ca'l gafael ar y tocynne iddo – yr un Andy Haden ag a neidiodd mas o'r lein yn 1978! Ond, am un ar ddeg y bore, ro'dd Garth tu fas i un o stafelloedd moethus y gwesty yn ca'l ei gwestiynu'n dwll gan un o'r swyddogion diogelwch. 'There's no way you're going in here, mate. This is for All Blacks!' Fe gysylltodd Garth yn uniongyrchol ag Andy ar ei ffôn symudol ac o fewn eiliade ro'dd un o hoelion wyth y gorffennol yn camu drwy'r dryse i'w groesawu. Fe dreuliodd e amser yng nghwmni Andy, derbyn y tocynne a derbyn gwahoddiad i alw am goffi yn ei gartre yn Auckland cyn y prawf ola. Ma'n debyg i Garth ddychwelyd i Glwb Rygbi Brynaman a dweud wrth ei ffrindie, 'Do's dim un ffordd 'wna'th Andy Haden neido mas o'r lein 'na yn 1978!'

Gérard Cholley

Pan dda'th fy ngyrfa i i ben ar Barc yr Arfau ar y 18fed o Fawrth 1978, fe addawes i na fydden i byth yn camu ar ga' rygbi ar ôl hynny. Wedi'r ffarwelio fe chwaraees i mewn sawl gêm bêl-droed i godi arian i achosion da, ond ro'n i'n benderfynol o wrthod gwahoddiade i whare rygbi. Ar ôl bod mor lwcus o fod heb erio'd ddiodde anaf cas, ro'n i'n sylweddoli fod whare'r gêm heb baratoi'n gorfforol yn siŵr o arwain at gyfnod mewn ysbyty.

Ond, naw mlynedd yn ddiweddarach, fe dorres i'r addewid a whare rygbi mewn gêm ddathlu yn nhre Castres, rhyw ddeugen milltir i'r dwyrain o Toulouse! Ro'dd 'da fi esgus – ro'dd yr achlysur yn un arbennig gan ei fod yn dathlu degawd oddi ar i Gérard Cholley, fy ffrind mynwesol a'r arwr lleol yn y rhan honno o Ffrainc, whare i'r *tricolores* yn ystod tymor eu Camp Lawn yn 1977. *'Jubilé de Cholley'* o'dd y geirie mewn llythrenne bras o gwmpas y dref. Ro'dd Cholley yn gawr chwe throedfedd a thair modfedd a dwy stôn ar bymtheg – dyma'r feri boi y byddech chi am gerdded yn ei ymyl wrth droedio trwy borthladd Marseille neu strydoedd y Bronx. Y dyddie 'ma, 'smo dyn yn siŵr beth sy'n gyfrifol am gyrff ambell i unigolyn – ai tabledi neu beth – ond crëwyd Gérard â gofal gan enynne teuluol a bwydydd cartre o'r fferm ac o'r farchnad yn Castres. Ro'dd hi'n amhosib dweud 'Na' wrth y prop o'dd yn anghenfil ar y ca' ond yn dedi bêr annwyl yn y bar ar ôl y whare!

Fe gyrhaeddodd Maureen a finne'r maes awyr yn Heathrow a chyfarfod â Fergus Slattery, Ken Kennedy a'u gwragedd – ro'dd y ddau Wyddel hefyd wedi cytuno i whare. Yn anffodus, yn sgil storm ddifrifol yn Ne Lloegr, bu'n rhaid i'r awdurdode ohirio'r daith am rai orie, a fe benderfynodd y chwech ohonom bod cyfle inni fynd am bryd o fwyd reit chwaethus er mwyn gwastraffu amser. Pan esgynnodd awyren Air France i'r entrychion yn hwyr y nos, ro'dd y chwech ohonom yn y 'Club Class' a digon o samwn, siampên a gwinoedd i blesio byddin. Ym maes awyr Toulouse, ro'dd Gérard yno i'n cyfarfod, y shiglad llaw yn ddigon i chwalu pob un asgwrn, ac ychydig wedi un o'r gloch y bore fe gyrhaeddon ni Castres.

Ro'n ni'n ysu am ga'l cyrra'dd y gwesty, ond mynnodd Gérard ein cludo i ginio answyddogol lle ro'dd rhyw ugen o'r ffyddloniaid yn bresennol. Ro'n ni'n dychmygu y bydde pawb wedi gadael ond fe gerddon ni i mewn i ystafell gartrefol a derbyn croeso twymgalon gan y criw cyfeillgar o'dd wedi aros yn amyneddgar amdanom, ac a o'dd ar eu traed yn ein cymeradwyo. Fe gyrhaeddodd y siampên, hambyrdde arian yn llawn cimwch a wystrys, yn ogystal â photeli o win Burgundy gwyn. Ar ôl clirio'r bwydydd môr, fe gyrhaeddodd y *chateaubriand* a gwin Burgundy coch a fydde wedi plesio teuluoedd brenhinol. Yna'r caws i'w fwyta gydag ystod o win gwahanol, cyn i'r profiad *gastronomique* ddod i ben am bedwar o'r gloch y bore â glased sylweddol o frandi hynafol mewn bar yn y dref – *'pour le digéstif'* o'dd geirie Gérard! A ro'dd hi'n galondid i Maureen a finne, ar ôl yr holl wledda, fod matras ein gwely yn gorwedd ar fframyn solet o haearn Ffrengig!

Rhyw dair awr yn ddiweddarach fe'n dihunwyd gan wynt y *café crème* a'r *croissants* boreol. Do'dd dim amser i'w wastraffu – ro'dd bws tu fas i'r gwesty i'n tywys ar hyd yr hewlydd cefn gwlad i gastell a alle fod wedi ei adeiladu gan dylwyth teg. A'r rheswm – wel, ie, wrth gwrs, pryd bwyd arall pum cwrs, a ro'dd 'na amser ar ôl gadael y castell a chyn cyrra'dd y gwesty i alw mewn *auberge* ar ochor afon am *cognac* hwyr y prynhawn – rhag ofn bod rhywrai'n sychedig! Ro'dd chydig o amser am napyn cyn newid ar gyfer y *banquet* hwyrol 'nôl yng Nghlwb Rygbi Castres, a'r tro 'ma ro'dd 'na wyth cwrs i'n cadw'n fishi! Y dyddie 'ma, ma'r dietegwyr yn cadw llygad barcud ar y bwydydd ma' chwaraewyr yn ei fwyta – ro'dd Gérard a'i garfan o chwaraewyr yn perthyn i oes wahanol.

Ro'n ni wedi bod yn Castres am ddiwrnod a hanner ac wedi treulio bron bob muned yn bwyta ac yfed – a'r menywod druain heb ga'l cyfle i grwydro canol y dref i siopa! Yna, ddwy awr cyn y gic gynta, ro'dd rhaid cymryd ein lle ar gyfer pryd canol dydd – stecen drwchus, tato potsh a photeli di-ri o win coch. Ac nid gêm ffwrdd-â-hi o'dd hon yn debygol o fod, gyda thîm Camp Lawn Ffrainc 1977 yn herio tîm cymysg o sêr rhyngwladol – Jo Maso a Mike Gibson yn ganolwyr; Phil a finne'n haneri; JPR yn gefnwr, a'r ddau frawd Spanghero – Walter a Claude – yn yr ail reng.

Ro'dd 20,000 yn bresennol i dalu teyrnged i'r 'geriatrics', a rhaid cyfadde i'r gêm – a chwaraewyd mewn ysbryd ardderchog – fod yn gyfle i atgoffa'r hen a'r ifanc o ddonie chwaraewyr y saithdege. Fe arhoses i ar y ca' am awr, ond ar ôl un rhediad o ddeugen metr fe glywes i lais Maureen yn bloeddio nerth ei phen, 'Gareth! Stopa! Paid rhedeg *cam* arall!' Ro'dd hi'n ofni y bydden i wedi bosto ar ôl bwyta'r holl fwyd.

'Doedden nhw'n ddyddie da?'

Oes, ma' 'na atgofion – cant a mil ohonyn nhw. A bob hyn a hyn, fe fydd y cameos yn ymddangos mewn lliwie llachar ar ffurf *wide screen* o ddyfnder seler y cof: hwpo Bob Burgess (un o'r Crysau Duon) mas o'r ffordd yn y trydydd prawf yn Wellington yn 1971 a chreu cais i Barry John; rhedeg o'r sgrym i gyfeiriad Stryd Westgate yn erbyn yr Alban yng Nghaerdydd yn 1972, cyn cwrso'r gic yn lledobeithiol a phlymio i ganol y llacs cochlyd am y cais; rhedeg mas o fla'n rhyw wyth deg mil o gefnogwyr yn Twickenham yn llawn emosiwn a balchder fel y Cymro cynta i ennill hanner cant o gapie; derbyn pàs Derek Quinnell wrth gynrychioli'r Barbariaid a choroni un o symudiade gore'r ganrif ddiwetha; pysgota ar y Tywi am dri o'r gloch y bore yn ymyl Pont Nantgaredig; ennill tair Camp Lawn yn 1971, 1976 ac 1978, yn ogystal â chipio dwy gyfres i'r Llewod yn

Seland Newydd yn 1971 a De Affrica yn 1974 . . . Petai 'da fi iPod i storio'r holl ddelwedde, fe fydde dyfais cwmni Apple yn llawn dop!

Ma'n braf ail-fyw'r cyffro, ac er bod y cameos yn dechre pylu ychydig, rhaid cyfadde fod 'na rywfaint o anghrediniaeth wrth ramantu am y dyddie a fu. Bellach, rhaid sylweddoli fod y gême, y symudiade a'r holl ddigwyddiade yn rhan o hanes, ac i radde'n golygu fawr ddim i'r to ifanc sy'n datblygu'n chwaraewyr ac yn gefnogwyr y presennol a'r dyfodol. Ro'dd y saithdege'n ddegawd hynod gyffrous i ni'r chwaraewyr ac i'r cefnogwyr, a phleser pur o'dd whare rhan yn nrama'r cyfnod.

Diolch i dwf a datblygiad yn y maes technolegol, bu'r cyfnod yn un cofiadwy os nad yn *fyth*gofiadwy i fyd y campe. Ro'dd modd i drwch y boblogaeth dystio i'r holl lwyddianne yn y parlwr o fla'n y set deledu, a hynny mewn lliwie caleidosgopaidd. Ma'n wir nad o'dd 'na fawr o ddewis o raglenni, ond ro'dd y cystadlaethe'n ca'l eu darlledu'n fyw, a phawb o'dd yn berchen ar setie Murphy, Philips neu Ultra yn gallu gwerthfawrogi pob dim.

Y saithdege o'dd degawd gorneste Muhammad Ali (neu Cassius Clay, bryd hynny); ro'dd enw Red Rum yn adnabyddus hyd yn oed i'r rheiny o'dd yn casáu rasio ceffyle; 'Donnay' o'dd racedi tennis y mwyafrif ohonom, a 'Fila' o'dd y tracwisgoedd mwya poblogaidd yn sgil llwyddiant y dewin o Sweden, Björn Borg. Da'th gymnasteg yn gamp boblogaidd, diolch i Olga, Nellie, Ludmila a Nadia; gwefreiddiwyd y byd criced gan gampe Ian Botham yn Headingley, ac ro'dd y cricedwyr Viv Richards, Sunil Gavaskar a Dennis Lillee yn *role models* i'r ifanc; hawliai pêl-droedwyr Brazil, yr Iseldiroedd a'r Ariannin y sylw a'r penawde ledled byd wrth whare ffwtbol o blaned arall – Cruyff, Pelé, Jairzinho, Carlos Alberto, Beckenbauer, Neeskens, Kempes, Ardiles, Platini a Luque o'dd yr arwyr mawr.

Ond ro'dd pobol y byd chwaraeon yn canu clodydd tîm rygbi Cymru a'r Llewod! Ro'dd y dull anturus o whare yn golygu fod papure Lloegr a'r cyfrynge torfol yn dechre cymryd mwy a mwy o ddiddordeb yn y gamp, ac yn sôn am Gerald Davies, Phil Bennett, Andy Irvine a David Duckham ar yr un anadl â mawrion y byd pêl-droed. Dyma Oes Aur yng ngwir ystyr y gair. Ac nid yn unig y chwaraewyr – ro'dd galw mawr am wasanaeth prif hyfforddwyr Cymru, Carwyn James, Clive Rowlands a Ray Williams, i deithio'r byd i ddylanwadu ar wledydd Hemisffer y De, gan gynnwys Awstralia, Seland Newydd a De Affrica. Ro'dd pob dim mor hawdd â phoeri i Gymry'r cyfnod ym myd rygbi.

Newid ddaeth

Yn drychinebus, diflannu wna'th y dyddie da fel gwlith y bore. Bu'r wythdege'n gyfnod aflwyddiannus a chefnogwyr yn dechre anobeithio. Cymerwyd pethe'n ganiataol, o bosib – credu ein bod ni'n well na beth o'n ni. Hefyd, ro'dd pobol ifanc yr wythdege am gerdded a dringo mynyddoedd; er'ill yn codi cyn eu bod nhw'n gall er mwyn syrffio ar draethe Penrhyn Gŵyr ac Ogwr. Ro'dd sawl un a allai fod wedi whare rygbi dosbarth cynta am gymryd 'blwyddyn mas' a bacpacio yn yr Andes ac Awstralia. Ac, wrth gwrs, ro'dd mwy o ddewis o chwaraeon ac o bopeth arall ar y teledu, gyda Sianel Pedwar yn dechre darlledu pêl-fasged a phêl-droed Americanaidd ar amsere anghymdeithasol, a phlant a phobol ifanc yn dwlu ar y ddarpariaeth. Do'dd dim ishe iddyn nhw drafaelu i wylio rygbi ym Mhen-y-bont, Caerdydd, Abertawe, Casnewydd a Phont-y-pŵl mwyach – ro'dd gême byw ac uchafbwyntie ar ga'l yn eu cartrefi.

Fe ges i'r neges yn glir un nos Lun yng nghyffinie Ffynnon Taf ddiwedd yr wythdege. Trafaelu o'n i i ga' rygbi'r pentre lle ro'dd y ddau fab, Owen a Rhys, a dau o'u ffrindie'n whare gêm rygbi. Gwrando ar y radio o'n i tra o'dd y pedwar yn y cefen yn lapan am fywyd, ond yna'n sydyn fe glywes i ddau air dierth – wel, nid yn hollol ddierth, ond rhaid cyfadde fe ges i rywfaint o sioc. Ro'n nhw'n siarad am gêm bêl-droed Americanaidd ac yn trin a thrafod rhinwedde'r 'quarterback', Dan Marino! Ac nid yn unig canolbwyntio ar Marino. Fe aethon nhw yn eu blaene i sôn am y tîm ac aelode er'ill o'r garfan.

Wyth mlynedd ar hugen ynghynt ro'dd 'da finne arwyr – pob un ohonyn nhw'n ganolwyr rygbi! Ro'dd pawb yn y pentre'n cyfeirio byth a beunydd at 'the prince of centre threequarters', Bleddyn Williams, a finne'n ffan mawr o Cyril Davies ar ôl ei weld e'n whare i Lanelli, Caerdydd a Chymru.

Yr ail chwaraewr gore erio'd!

Mewn pleidlais ar gyfer cystadleuaeth yn ddiweddar, fe ges i'n anrhydeddu â thlws 'Y chwaraewr rygbi gorau erioed'. Yn naturiol, ro'n i'n bles i glywed am benderfyniad y panel – ond, yn anffodus, do'dd neb wedi dweud wrth Mam!

Un gêm chwaraees i erio'd i Gwm-gors. Chwaraees i i'r tîm ieuenctid yn erbyn yr Aman ar nos Fercher ddechre Medi 1964, dim ond ychydig ddiwrnode cyn dechre yn Ysgol Millfield. Huw Bach (Huw Llywelyn Davies, wrth gwrs) o'dd y mewnwr y noson honno a finne'n gorfod whare fel bachwr, ac yn erbyn *hooker* reit brofiadol, sef yr actor Dafydd Hywel. Dwi'n cofio cyrra'dd 'nôl y noson honno a dweud wrth Mam a Dad, 'Wel, meddyliwch fod Huw Bach wedi whare fel mewnwr, a finne wedi gorfod whare yn y pac!' Ro'dd y geirie wedi stico yng nghof Mam.

Ddechre'r flwyddyn yma, yn dilyn y cyhoeddiad am chwaraewr rygbi gore'r blaned, fe alwodd Huw Bach yn nhŷ'r teulu yn Coelbren Square i weld Mam, a fe a'th y sgwrs rywbeth fel hyn:

Huw: Llongyfarchiadau, Mrs Edwards! Ma' Gareth wedi ca'l ei neud yn 'chwaraewr gore erio'd'.
Mam: Tîm Rygbi Caerdydd, ife?
Huw: Na.
Mam: Cymru, 'te?
Huw: Na!
Mam: Llewod?
Huw: Na, Mrs Edwards. Ma' pobol bwysig y byd rygbi wedi penderfynu ma' Gareth yw'r chwaraewr rygbi gore yn y byd, a'r scrum-half gore erio'd!
Mam: Ond Huw bach – ma' hynny'n amhosib.
Huw: Be 'chi'n feddwl, Mrs Edwards?
Mam: Wel, 'smo ti'n cofio? Ti o'dd y scrum-half pan chwaraeoch chi i ieuenctid Cwm-gors yn erbyn yr Aman – gorffodd Gareth whare fel *hooker*!

I'r gofod

Lyn Davies o'dd ar y ffôn – wedi ymuno ag Undeb Rygbi Cymru fel Swyddog y Wasg ar ôl gyrfa hir a llwyddiannus fel sylwebydd. Gofynnodd imi, 'O'r holl *memorabilia* a dderbyniest ti yn ystod dy yrfa, beth yw'r *un* peth rwyt ti'n ei drysori fwya?' Dyna ichi gwestiwn anodd i'w ateb! Ai un o'r cryse a dda'th i law ar ôl gême bythgofiadwy? Tybed a allwn i gyflwyno llun arwyddocaol – y cap cynta, efalle? Cyn datgan barn, bu'n rhaid imi ofyn, 'Pam? Be' sy 'da ti mewn golwg?' A'th Lyn yn ei fla'n i ddweud fod gofodwr ifanc o wlad Canada, Dr Dafydd Rhys Williams – ei dad yn Gymro i'r carn o Fargoed – ar fin esgyn i'r entrychion o Cape Canavaral, ac am fynd â *mementos* o Gymru gydag e ar daith fydde'n cynnwys 256 orbit o'r ddaear yn y llong ofod *Columbus*. Ro'dd NASA wedi rhoi sêl eu bendith ar y daith.

Ro'dd Lyn yn teimlo rhywfaint o embaras – ro'dd yr awdurdode perthnasol wedi cysylltu â'r Undeb, a'r uwch-swyddogion wedi awgrymu eu bod nhw'n cysylltu'n uniongyrchol â siop chwaraeon a phrynu rhywbeth a fydde'n addas! Does fawr ddim yn y byd 'ma yn newid . . . Ro'dd Lyn, yn un, yn sylweddoli pwysigrwydd y cais. Meddylies am rai eiliade cyn awgrymu taw'r feri peth ar gyfer taith o'r fath fydde'r hanner canfed cap!

Fel arfer, un cap ma' chwaraewr yn ei dderbyn am chwarae dros ei wlad, ond ma' 'da fi ddau! Ma'r hanner canfed – yr un dderbynies i yn 1978 yn dilyn y gêm yn Twickenham – yn cynnwys y ffigwr '50' a rhestr o'r gwledydd y chwaraees i yn eu herbyn. (Y dyddie 'ma, ma' 'na ffatri'n cynhyrchu'r dilledyn gan fod cymaint o gême'n ca'l eu whare, a chymaint o chwaraewyr yn cyrra'dd y nod.)

Ro'dd Lyn ar ben ei ddigon. Pwysleisiodd y bydde'r cap yn ca'l ei ddychwelyd ar ôl y daith unigryw hon. Anghofies inne am y peth nes i Maureen a finne, un noson, wylio'r newyddion a gweld y cap ar ben y Cymro balch yn y gofod. Ro'dd y digwyddiad wedi hawlio sylw cenedlaethol, a phan dda'th y cap yn ei ôl, derbynies dystysgrif hardd yn cadarnhau bod y dilledyn, rhwng yr 17eg o Ebrill a'r 3ydd o Fai, 1998, wedi teithio 6.3 miliwn o filltiroedd!

Mater o farn

Un o'm dyletswydde wythnosol y dyddie 'ma yw sgrifennu colofn i'r *Western Mail*, papur sy'n ca'l modd i fyw am ddeuddeg mis y flwyddyn drwy gynnwys yr holl glecs am fyd y bêl hirgron. Ma' cyfartaledd uchel o ddarllenwyr y papur yn bobol rygbi ac, yn nhyb y golygydd, am wbod y storie a'r 'sgandals' yn ymwneud â'r bêl hirgron. Hyd yn oed yn ystod haf eleni (2007), tra o'dd mwyafrif y boblogaeth naill ai'n darllen nofel ddiweddara Jilly Cooper ar dra'th yng Nghymru neu'n loetran yn segur mewn maes awyr ar eu ffordd tua'r haul, ceid 'sgŵps' dyddiol am hynt a helynt y rhanbarthe, y tîm cenedlaethol a bywyd beunyddiol Gavin Henson.

R'ych chi ddarllenwyr y golofn yn ymwybodol nad ydw i'n aelod o *fan club* Syr (neu Sant, erbyn hyn) Clive Woodward. Ond rhaid cyfadde fod ei eirie diweddar yn arwyddocaol ac yn llawn eironi. 'Mae yna degwch a gonestrwydd yn perthyn i bêl-droed,' medde fe – 'o leia mae'r wasg a'r cyfrynge yn eich trywanu yn y frest!' Dyna i chi ymgais i godi dau fys ar y gamp a fu'n gwbl ddidostur ag ef a'i garfan ar ôl methianne taith y Llewod yn 2005. Yn bersonol, dwi'n benderfynol o fod yn deg wrth feirniadu. A rhaid gwneud hynny mor adeiladol â phosib fel bod modd i'r chwaraewyr eu hunain ddarllen, cymryd sylw a gobeithio gwella fel chwaraewr.

Byd creulon yw byd y campe. Ma'r mwyafrif erbyn hyn yn cofio am ddiffygion a holl wendide Syr Clive yn Seland Newydd – cofio hynny yn hytrach na rhamantu am y dyddie yn Awstralia yn 2003 pan o'dd e mor uchel ei barch. A dyna sy'n digwydd mewn meysydd er'ill: caiff meistri ym myd cerddoriaeth, gwleidyddiaeth, llenyddiaeth a chelf eu mesur ar eu cynnyrch diweddaraf yn hytrach na'u campweithie cynnar.

Dwi'n hynod falch y penderfynes i ymddeol ar yr amser cywir. Droeon yn y gyfrol, cyfeiries at y ffaith mod i wrth fy modd yn whare'r gêm, a bod teithio i bedwar ban byd wedi fy nghyfoethogi fel person. Bu pwyse cynyddol arnaf i deithio i Seland Newydd yn 1977 yn aelod o dîm y Llewod o dan arweiniad Phil Bennett a'r hyfforddwr John Dawes. Gwrthodes – am sawl rheswm. Nid chwaraewr rygbi proffesiynol yn ystyr gyfoes y gair o'n i – ro'dd angen canolbwyntio ar fy ngyrfa; ro'dd angen help ar Maureen i fagu'r plant ac, yn dawel bach (a fydden i ddim wedi cyfadde hyn i neb arall ar y pryd!), ro'n i'n rhyw deimlo fod fy ngyrfa ar y llwyfan ucha yn dirwyn i ben. Yn sicr, fe *allen* i fod wedi cyfrannu, a fe allen i fod wedi teithio yng nghrys Cymru mas i Awstralia yn 1978 ac, o bosib, ymweld â De Affrica am y trydydd tro yng nghrys y Llewod yn 1980. Ond roedd yr amser wedi dod i mi ddechre paratoi ar gyfer y dyfodol.

Dyfodol y gamp – a'r campe

Ond beth am y dyfodol i'r gamp a fu mor ganolog yn fy mywyd i? Ydw i'n genfigennus o'r chwaraewyr proffesiynol presennol? Yn syml, nac ydw. Yn gynta, ma'r mwynhad yn ymddangos ar goll. Fe sonies i ishws na allen i ddim meddwl am deithio yn aelod o dîm i wlad dramor, a cha'l ein carcharu mewn gwesty trwy gydol taith dros eich gwlad. Nodais hefyd fy ngofid bod cyfri banc yn bwysicach na chanlyniad gêm i rai chwaraewyr cyfoes. Ai'r freuddwyd yw gwisgo'r crys cenedlaethol a chynrychioli'r Llewod mewn gêm brawf ynte bod yn filiwnydd? A bod yn onest, dwi'n gofidio am ddyfodol y campe'n gyffredinol, gan fod anghenion cwmnïe teledu'n difetha'r mwynhad gyda chynifer o gystadlaethe dibwys yn ca'l eu trefnu ar gyfer teledu lloeren.

Ma'r gêm wedi newid yn chwyldroadol. Ydw, dwi'n ca'l gwefr o weld Daniel Carter yn rheoli gêm, Brian O'Driscoll a Gordon d'Arcy yn rhwygo amddiffynfeydd, Shane Williams yn gwau hud a lledrith, a donie greddfol y mewnwr Dwayne Peel. Ond ma'r holl bwyslais ar amddiffyn yn groes i'r hyn o'dd 'da William Webb Ellis mewn golwg pan gydiodd e yn y bêl gron a rhedeg nerth ei draed ar gaee Ysgol Rugby 'nôl yn 1823. Tybed ydi'r holl hyfforddwyr cyfoes yn ofn mentro, ac am aros am gamgymeriade yn hytrach na mabwysiadu agwedd bositif, iach o'r gic gynta?

Dyddie gwell i Gymru?

Yn ôl rhai, ma' Cymru'n ddiweddar wedi diodde o 'Gamp-Lawn-itis', os oes 'na'r fath glefyd yn bodoli! Diflannu wna'th dawn, disgyblaeth a dewiniaeth tymor Camp Lawn 2005, ac yn ystod y gême diwetha cyhuddwyd y tîm, a'r rheiny sy wrth y llyw, o ddiffyg hyder, diffyg gweledigaeth a diffyg ymroddiad. Dywedir bod Cymru, i raddau, mewn cyfnod o drwmgwsg. Gobeithio fod 'na ddyddie da ar fin dychwelyd.

Yng Nghymru, ma' cyfle parhaol i'r chwaraewyr-wrth-gefn i ddangos eu bod yn ddigon penderfynol a chelfydd i fanteisio ar gyfleoedd. Y gŵyn gyffredinol yng ngholofne'r papure newydd yw nad oes yna ddyfnder yn y gamp. Cryfder hyfforddwyr craff yw ymddiried yn y to ifanc, dibrofiad a'u hargyhoeddi eu bod yn ddigon medrus i gynrychioli'u gwlad. Awgrymaf fod yr ifanc sy'n cynrychioli'r rhanbarthe mewn rygbi yn mabwysiadu agwedd o'r fath – mynnu na fydd neb arall yn hawlio'u crys ar ôl iddyn nhw brofi rygbi ar y lefel ucha.

Ma' perffeithrwydd ym myd y campe'n gwbl amhosib, ond drwy anelu'n uchel ma' modd cyrra'dd yr uchelfanne. Llwyddodd Duncan Fletcher yn ystod Cyfres y Lludw 2005 i ysbrydoli'r garfan griced genedlaethol, a phleser o'dd tystio i broffesiynoldeb y tîm. Dyna o'dd cryfder Cymru yn y saithdege ac yn nhymor y Gamp Lawn. Gan ma' cenedl o ddwy filiwn a thri chwarter yw Cymru, rhaid derbyn y ffaith nad 'yn ni'n debygol o goncro'r byd rygbi. Y gobaith penna yw datblygu agwedde iach o whare'r gêm, a dod â gwên i wynebe'r cefnogwyr. Yn sgil holl siomedigaethe Cwpan Rygbi'r Byd 2007, fe fydde buddugoliaeth yn Twickenham yn y flwyddyn newydd, a hynny am y tro cynta ers ugen mlynedd, yn rhoi modd i fyw!

Ac i gloi . . .

Y dyddie 'ma dwi mor brysur ag erio'd – galwade dyddiol fel cyfarwyddwr nifer o gwmnïe yn Ne Cymru, cyfrifoldeb cynyddol fel un o reolwyr tîm rhanbarthol y Gleision, dyletswydde fel llywodraethwr yn Ysgol Millfield, cyfrannu colofn wythnosol i'r *Western Mail*, datgan barn ar berfformiade tîm rygbi Cymru ar S4C ac, yn naturiol, gofalu'n achlysurol am yr wyrion – Ela, Tomi a Dylan.

Ma'r ddau fab, Owen a Rhys, yn byw yn lleol – Rhys yn briod ag Eirlys o Geinewydd (cymeriad a hanner!), ac Owen newydd briodi yn ystod yr haf â Rhian o Ben-coed. Priodwyd y ddau yn eglwys y plwy gan Archesgob Cymru, y Parchedicaf Ddoctor Barry Morgan, o'dd yn arfer byw rownd y gornel i Maureen ar Heol Leyshon. Ma' bois y Waun wedi symud ymhell o'r nyth!

Ma' gyrfaoedd y meibion, Owen a Rhys, wedi bod yn achos dathlu i Maureen a minne. Y nod o'r cychwyn cynta o'dd sicrhau bod y ddau'n mynychu ysgolion lleol Cymra'g, ac yna'n treulio cyfnod y chweched dosbarth ym Millfield, y sefydliad fu mor ganolog yn fy mywyd personol i. O'r cychwyn cynta, do'dd 'na ddim bwriad i ddodi pwyse ar y ddau ohonyn nhw. Ma' gweld rhai rhieni'n hwpo'u plant yn addysgol ac yn mynnu bod eu plant yn llwyddo, doed a ddêl, ar feysydd whare ac ati yn fy neud i'n winad. Ma' agwedde felly'n hunanol a pheryglus. Creu personoliaethe dymunol a hapus, a datblygu agwedde iach at bob agwedd o fywyd – dyna rai o amcanion pwysica byd addysg, yn fy marn i.

Ar ôl gadael Millfield fe a'th Rhys mas i Ffrainc am flwyddyn i whare rygbi ac ymuno â chlwb Tarascon-sur-Ariège – clwb o'dd yn gwbl ddierth i mi, o'dd wedi whare'i gêm gynta ryngwladol yn erbyn y Ffrancwyr ac yn adnabod cant a mil ohonynt! Penderfynes beidio â chysylltu â hen ffrindie a cheisio'i gynorthwyo – beth o'dd yn bwysig o'dd iddo fe neud ei ore, creu argraff a dringo'r ysgol. Dwi erio'd wedi clywed yr un ohonyn nhw'n dweud eu bod yn feibion i Gareth Edwards, a ma' hynny wedi plesio Maureen a finne'n fawr.

Yn 1995, cynhaliwyd Cwpan Rygbi'r Byd yn Ne Affrica. Cyn gadael i weithio fel sylwebydd ar y gystadleuaeth, fe drefnodd Maureen a finne barti yn y tŷ i ddathlu pen blwydd Owen yn un ar hugen oed. Ar ôl y wledd, fe godes i ar fy nhraed i ddweud gair, a synnu Owen drwy ddweud: 'Owen! Un ar hugen o flynyddo'dd yn ôl fe 'nes i dy adael di yng ngofal dy fam. Dyw hynny ddim am ddigwydd y tro 'ma. Ma' 'da ti *awr* i baco dy ddillad – ma'r ddau ohonon ni'n gadael am y gystadleuaeth!'

Ta pryd bydd rhywun yn gofyn am fanylion genedigaethe Owen a Rhys, dwi'n meddwl am deithie rygbi – De Affrica 1974 a Siapan 1975. Ond cofiwch, peidiwch â dweud hynny wrth Maureen!

A beth am Gloria a Gethin? Wel, ma' Geth – sy'n gymeriad a hanner, gyda llaw – newydd ymddeol ar ôl cyfnode fel Athro Addysg Gorfforol yn Ysgol Gyfun Cwmtawe a Dirprwy Brifathro Ysgol Cwm-gors. Ma' fe'n dal i gwyno am y blynyddoedd pan o'dd y ddau ohonon ni'n herio'n gilydd mas ar yr hewl mewn cystadlaethe rygbi, criced, tennis a phêl-droed. Chi'n gweld, fe o'dd Lloegr – a finne, y brawd hyna, o'dd Cymru. Do'dd e ddim yn hapus!

Ar ôl paso'i Lefel O yn Ysgol Ramadeg Ystalyfera, a'th Gloria i witho am gyfnod mewn siop gemist yn Llunden, ac yna dod 'nôl gartre a derbyn swydd yng Nglanaman. Byth a beunydd yn yr haf ro'dd hi'n whare tennis ar gyrtie'r Waun, ac yno y da'th hi ar draws Clive, a ro'dd hi'n 'game, set and match' o'r funed honno ymla'n. Ro'dd e'n fab i un o bobol bwysig y pentre: Evie Thomas o'dd gof yr East Pit yn Nhairgwaith, a fe o'dd yn cynrychioli'r gweithwyr ar bwyllgor lleol yr undeb – yr 'NUM'.

Ar ôl priodi, symudodd Gloria a Clive i fyw i Borth-cawl ac, i radde, y nhw sy'n gyfrifol fod Maureen a finne wedi bwrw ein gwreiddie yng Nghanol Morgannwg. 'Nôl ar ddechre'r saithdege, a finne'n galw yn eu cartre'n gyson, fe ddes i sylweddoli fod y dre glan môr ddymunol ryw hanner ffordd rhwng Caerdydd (lle ro'n i'n whare rygbi) a Chastell-nedd (lle ro'n i'n gweithio i Dynevor Engineering). Rhyfedd fel ma' dau aelod o'r un teulu â'u gwreiddie ar y Waun wedi sefydlu o fewn ergyd carreg i'w gilydd yma ym Mhorthcawl.

Fel teulu, fe dderbynion ni glatshen ym mis Gorffennaf 1999 pan fu Dad farw. Ar hyd ei oes ro'dd e wedi bod mor iach â chneuen; ro'dd hynny'n dipyn o ryfeddod o gofio'i fod e wedi ymladd yn y rhyfel a threulio amser yn gwitho dan ddaear. Do'dd e byth yn cwyno! A'r tro hwn, do'dd dim rhyw lawer yn bod arno fe – ro'dd e mewn ysbryd da yn gadael y tŷ ben bore er mwyn derbyn archwiliad ar y prostad yn Ysbyty'r Tywysog Philip yn Llanelli. Ond yn ystod triniaeth yno – a bod yn onest, triniaeth eitha rwtîn – fe ddioddefodd e drawiad marwol ar y galon. R'yn ni fel teulu'n dal i deimlo'r golled; ro'dd e shwd berson addfwyn a chynnes, ac yn gymeriad o'dd yn hynod boblogaidd yn y gymdogaeth ar y Waun. Y teulu o'dd pob peth iddo, a'r wyrion – Huw, Rhian, Hywel, Geraint, Owen, a Rhys – yn gannwyll ei lygad.

* * *

Dwi am roi'r gair ola yn y gyfrol hon i ffenomena rygbi'r blynyddoedd diwetha. Cyfeirio rydw i at faswr Lloegr, y gŵr yn anad neb arall a o'dd yn gyfrifol am lwyddiant tîm Lloegr mas yng Nghwpan y Byd yn Awstralia yn 2003, ac yn Ffrainc yn 2007. Dyw e ddim yn un sy'n hawlio sylw – yn y cefndir y bydd Jonny Wilkinson fel arfer, ond ces foddhad mawr yn ddiweddar o wrando arno'n siarad am y gêm mewn cyfweliad tri chwarter awr ar Radio 5.

Rhyfeddes i o'i glywed e'n dweud nad o'dd e erio'd wedi gweld ar dâp y gic adlam a gipiodd Gwpan Rygbi William Webb Ellis yn Sydney; fe gyfaddefodd e hefyd nad o'dd e erio'd wedi ailchware gêm y rownd derfynol yn erbyn y Wallabies ar ei beiriant DVD. Ond cyn bod ei sgwrs yn dod i ben, da'th Jonny â deigryn i lygad cyn-chwaraewr rhyngwladol o'dd yn cytuno'n llwyr â'i ddatganiad. Dwi'n ei ddyfynnu: 'I hope that my final game proves to be a memorable one – that's how individuals are remembered.'

Ro'dd maeddu Ffrainc mewn gornest gyffrous ar Barc yr Arfau i ennill Camp Lawn arall ar y 18fed o Fawrth, 1978, yn goron ar fy ngyrfa inne – ac yn fodd imi ad-dalu peth o nyled i deulu, cyfeillion a chefnogwyr fu mor driw a theyrngar imi drwy'r blynyddoedd.

NEATH PORT TALBOT LIBRARY
AND INFORMATION SERVICES

1		25		49		73	
2		26		50		74	
3		27		51		75	
4		28		52		76	
5		29		53		77	
6		30		54		78	
7		31		55		79	
8		32		56		80	
9		33		57		81	
10		34		58		82	
11	12/17	35		59		83	
12		36		60		84	
13		37		61		85	
14		38		62		86	
15		39		63		87	
16		40		64		88	
17		41		65		89	
18		42		66		90	
19		43		67		91	
20		44		68		92	
21		45		69		COMMUNITY SERVICES	
22		46		70			
23		47		71		NPT/111	
24		48		72			